Marion Zimmer Bradley
Tochter der Nacht

Marion Zimmer Bradley

Tochter der Nacht

Roman

Aus dem Amerikanischen von
Manfred Ohl
und Hans Sartorius

Wolfgang Krüger Verlag

2. Auflage: 16.-25. Tausend

Titel der Originalausgabe: »Night's Daughter«
Erschienen im Verlag Ballantine, New York
© 1985 Marion Zimmer Bradley
Deutsche Ausgabe:
© 1985 S. Fischer Verlag GmbH, Frankfurt am Main
Umschlaggestaltung: Manfred Walch, Frankfurt am Main
Umschlagabbildung nach einem Bühnenbildentwurf
von Simon Quaglio (1818)
Mit freundlicher Genehmigung des Deutschen Theatermuseums München
Satz: Fotosatz Otto Gutfreund, Darmstadt
Druck und Einband: Clausen & Bosse, Leck
Printed in Germany, 1985
ISBN 3-8105-2608-8

Tochter der Nacht

Prolog

Am Anfang war die Schlange, und später erzählten die Menschen, das Volk der Schlange sei zuerst dagewesen und habe den Gestaltern bei der Erschaffung der Menschen geholfen. Wie auch immer, in jener Zeit galten die Schlangen-Leute nicht als Halblings-Volk, sondern ebenso als Menschen wie die Söhne und Töchter der Affen.

Es wird berichtet, damals, vor langer, langer Zeit vereinigte sich in der Nacht der Großen Dunkelheit, in der Jahresmitte, wenn die Sonne auf ihrer Bahn sich wendet, der Herr der Schlangen beim Großen Ritual mit der Priesterin der Nacht. Und so mischte sich das Blut der Schlange (so erzählte man in jener Zeit) mit dem Volk vom Haus der Nacht und dem Blut der Priesterinnen. Die ranghöchste unter den Priesterinnen, die man damals Töchter des Mondes und der Sterne nannte, trug den Titel Königin der Nacht und in späterer Zeit Sternenkönigin.

Und da das Volk der Schlange dem großen Wissen und beseelten Geist der Menschen so nahe gekommen war, schufen die Priesterkönige aus dem Haus der Sonne in anmaßendem Stolz andere Halblinge. So entstanden die Robben-Leute und das Volk der Delphine. Sie tauchten auf den Grund des Meeres hinab und brachten Austern für die Tafel und Perlen, um den Gürtel der Sternenkönigin und die Krone der Sonnenpriester zu schmücken. Sie trieben auch die Fischschwärme in die Netze der Fischer.

Später schufen die Priesterkönige das Vogel-Volk. Sie hofften damit Diener zu haben, die zwischen ihren Städten hin und her fliegen und Botschaften befördern konnten. Aber das gelang ihnen nicht, denn die Vogel-Leute waren so beschaffen und gebaut, daß ihre Flügel sie nicht trugen. (Die Gestalter hatten beschlossen: Alle Halblinge sollten in Aussehen und Gestalt den Menschen ähneln.) Außerdem besaßen die Vogel-Menschen nur sehr wenig Verstand. Manche waren begabt genug, um Sänger und Musikanten am Hof der Sternenkönigin und bei den Sonnenpriestern zu werden. Doch ansonsten erwies sich das Experiment als Fehlschlag. Und zur Zeit unserer Geschichte lebten nur noch wenige Vogel-Menschen auf Atlas-Alamesios.

Die Priesterkönige schufen die Halblinge aus dem Hunde-Volk. Sie hofften, treu ergebene Diener zu bekommen, und dies gelang auch meist. Das Hunde-Volk war intelligent, aber nicht zu sehr, und die Hunde-Halblinge fanden ihr wahres Glück darin, den geliebten Menschen zu dienen. Sie schufen auch das Katzen-Volk, aber es war über alle Maßen widerspenstig und floh ins Landesinnere, wo sich die Ruinen des Alten Volkes befanden (manche sagten, sie seien die ersten Halblinge der Gestalter gewesen). Dort lebten und jagten die Katzen-Halblinge. Sie schufen auch das Rinder-Volk. Rinder-Halblinge konnten große Lasten tragen, und durch ihre Arbeit entstanden die mächtigen Pyramiden und Tempel, deren Überreste man heute noch im tiefsten Dschungel und in den Regenwäldern sieht.

Man weiß nicht, wie lange die Menschen und die Gestalter

friedlich mit den Halblingen zusammenlebten. In allen Kulturen gibt es Erinnerungen und Sagen, die von einem Goldenen Zeitalter berichten, in dem die Völker in Frieden miteinander lebten. Vielleicht gab es einmal eine solche Zeit... vielleicht auch nicht.

Doch es kam selbst den Gestaltern zu Ohren, daß zwischen ihnen und den Halblingen nicht alles zum besten stand – es ist nicht bekannt, wie und weshalb, doch die Gerüchte sagen, daß alles mit dem Schlangen-Volk seinen Anfang nahm. Nicht nur die Menschen verachteten die Halblinge, sondern Halblinge, in deren Adern zu wenig Menschenblut floß, hielten sich selbst für minderwertig; sie glaubten, sie seien mit Makeln behaftet und ihnen fehle das wesentlich Menschliche. In gewisser Weise stimmte das auch. Manche Halblinge besaßen so wenig menschlichen Geist und so wenig Intelligenz, daß sie selbst als Diener nicht zu gebrauchen waren, ja noch nicht einmal für sich selbst sorgen konnten. Es geschah, daß Halblinge sich mit Halblingen anderer Völker paarten (in aller Unschuld, oder weil die Priester es aus Bosheit oder Neugier anordneten), wodurch ein genetisches Durcheinander entstand, das die Menschen mit Abscheu erfüllte. Sie fanden eine Vogel-Schlange, einen Rinder-Hund oder eine Robben-Katze widerwärtig. Diese Wesen waren harmlos, aber auch nutzlos und nicht überlebensfähig. Ihr Leben wurde ihren Herren oder ihnen oft selbst zur Last.

Doch es gab auch Gestalter, die nicht nur mit absonderlichen Paarungen experimentierten, sondern in verborgenen Laboratorien Wesen aus Keimzellen züchteten und noch schrecklichere Geschöpfe hervorbrachten.

Die grauenerregende Gefiederte-Schlange, die Drachen im

Land der Wandlungen, die das Wesen von Adler und Schlange in sich vereinigten, und die Löwen-Adler, die Angst und Schrecken in den Wüsten verbreiteten.

Sie entflohen den geheimen Orten, paarten sich miteinander, und schließlich entstand ein solches Chaos, daß (so erzählt man) den Göttern selbst ihre Werke mißfielen, die ihren Widerwillen erregten.

Es würde zu lange dauern, um von den Kriegen und Unruhen zu berichten, die folgten. Das Volk forderte einen König aus reinem Menschengeblüt; es gab Kriege zwischen den Söhnen des Affen und dem Schlangen-Volk; das Königliche Haus des Atlas wurde gegründet, und die Sonnenkönige waren seine Priester. Das Haus Atlas erließ schließlich den Befehl, daß keine Halblinge mehr geschaffen werden durften. Halblinge durften selbst innerhalb des eigenen Volkes keine Nachkommen zeugen, wenn sie nicht bestimmte Prüfungen bestanden (und es gab nur wenige, die genug Verstand besaßen, sich diesen Prüfungen zu unterziehen). Die Laboratorien mußten zerstört werden. Der Sonnenkönig verbot für alle Zeiten die Paarung von Menschen mit Halblingen.

Dafür sprachen gute Gründe. Die Gestalter hatten den Halblingen die schnellere Vermehrung der Tiere gelassen (damit ihre Dienerschaft sich rasch vergrößern sollte). Die Halblinge sahen sehr menschlich aus, vermehrten sich jedoch mit der Geschwindigkeit von Tieren. Ein Halbling aus dem Hunde-Volk konnte vierzig oder fünfzig Söhne und Töchter in die Welt setzen, während die drei oder vier Kinder eines Menschen heranwuchsen und erwachsen wurden.

Die Priester erkannten sehr wohl, daß sie sich bald zahllosen Tier-Menschen gegenübersehen würden, denen der notwendige Verstand fehlte, etwas zu lernen oder sich Regeln zu beugen. Es würde Massen geben, die nichts weiter sein konnten als Sklaven. Viele aus der Priesterschaft und das Haus Atlas sahen diese Gefahren sehr deutlich, doch andere vertraten die Meinung, die Menschen sollten über alle Tierwesen und Halblinge herrschen. Die Menschen waren nicht verpflichtet, ihnen die Menschen-Rechte einzuräumen oder sie auch nur menschenwürdig zu behandeln.

Zu dieser Zeit lebte im Tempel der Nacht eine große Priesterin, die sich – wie ihre Mutter und Vormütter – Königin der Nacht nannte. Wie bei all diesen Königinnen war ihr eigener Name längst in Vergessenheit geraten. Sie hatte sich einen Liebhaber aus dem Schlangen-Volk genommen – wie viele der Sternenköniginnen – und ihm drei königliche Töchter geboren. Als das Große Haus Atlas den Befehl erließ, der jede Paarung mit Halblingen verbot, wurde sie sehr zornig. Doch sie fügte sich in scheinbarem Gehorsam. Sie willigte sogar ein, sich mit dem Thronerben zu vermählen, einem stillen und frommen jungen Mann namens Sarastro. Der Große Atlas war alt und lag im Sterben. Sie sollte Sarastro einen Erben schenken, in dessen Adern das Blut der beiden Herrscherhäuser von Atlas-Alamesios floß: der Große Tempel der Mutter der Nacht und das Königliche Haus der Sonne.

Die Ehe wurde im Tempel des Lichts geschlossen, und ein Jahr später gebar die Sternenkönigin ein Kind: eine Tochter, die den Namen Pamina erhielt. Diese Tochter, Thronerbin der Sternenkönigin und Thronerbin im Haus des Lichts, würde den Thron von Atlas-Alamesios besteigen. Dann (so dachte die Sternenkönigin) sollte Pamina all das für null und nichtig erklären, was die Sternenkönigin für eine Schwäche und Torheit des Großen Atlas hielt.

Aber der Bund zwischen dem Priester des Lichts und der Priesterin der Alten Göttin der Dunkelheit konnte nicht von Dauer sein. Im zweiten Jahr ihrer Ehe, noch ehe Pamina der Mutterbrust entwöhnt war, kam es zwischen Sarastro und der Sternenkönigin zum Streit. Sarastro duldete nicht, daß sie die Dienerschaft – die Halblinge – böse und grausam behandelte, doch die Sternenkönigin war nicht umzustimmen. Sie floh aus dem Palast des Sonnenkönigs und nahm Pamina mit sich in den Tempel der Nacht. Dort schwor sie Sarastro und dem Haus Atlas ewige Feindschaft. Sarastro schmerzte der Verlust; trotz all ihrer Überheblichkeit, trotz all ihres Stolzes hatte er die Sternenkönigin aus ganzem Herzen geliebt und liebte sie noch immer. Aber sein Vater haßte die Frau, mit der er seinen Sohn verheiratet hatte, und sagte: »Laß ab von ihr. Sie ist böse, wie alle aus ihrem Geschlecht. Eines Tages wirst du eine andere Frau finden, und sie wird dir einen Sohn schenken, in dem nicht das Blut der Schlange fließt.«

Bald darauf starb der große Priester und König von Atlas-Alamesios, und Sarastro bestieg den Thron seiner Vorväter. Er nahm keine andere Frau, sondern wartete darauf, bis Pamina erwachsen sein würde.

Und hier beginnt unsere Geschichte.

Erstes Kapitel

Über den Mond floß Blut.

Die zierliche und zarte Prinzessin Pamina stand auf dem Balkon und blickte erschrocken auf den fahlen, blutroten Nebel, der über das Gesicht der silbernen Scheibe, über das Gesicht des Mondes kroch. So etwas hatte sie noch nie gesehen. Von tief unten, aus der Stadt, die sich jetzt nur als eine Häufung schwarzer Flecken in der dunklen Nacht abzeichnete, drang ein gedämpfter Laut wie eine Klage herauf; sie hörte von ferne die entsetzte Klage über den roten Schleim, der die silberne Reinheit auf dem Gesicht der Nacht verschlang. Pamina glaubte, auch klagen zu müssen. Sie wollte auf die Knie fallen und in Angst und Demut weinen.

Aber sie war neun Jahre alt und die jüngste Tochter der Sternenkönigin. Man hatte Pamina gelehrt, selbst wenn sie allein war und in ihren eigenen Gemächern, Würde zu wahren, denn eines Tages sollte sie über all diese Menschen herrschen. Sie konnte nicht davonlaufen und sich in ihren Räumen verbergen, um vor Angst und Furcht zu weinen. Doch sie spürte das Entsetzen in sich. Welches Verbrechen war in der Nacht geschehen, und warum stellte ihre Mutter, die Herrin der Nacht, nicht augenblicklich wieder Ordnung her?

Im Gemach hinter Pamina regte sich etwas. Dann sah sie die

schattenhafte Gestalt ihrer Halbschwester Disa, der ältesten Tochter der Sternenkönigin.

»Du mußt sofort kommen, Pamina.« Es wäre ungerecht zu behaupten, daß Disas Stimme unfreundlich klang; dazu war sie viel zu gleichgültig. »Du bist kein Kind mehr. Hat unsere Mutter dir nicht gesagt, daß du mit uns an der Prozession teilnehmen sollst?«

»Ich wußte nicht, daß zu einer solchen Zeit Prozessionen stattfinden«, erwiderte Pamina und spürte, wie ihr das Herz heftig in der Brust klopfte. *Prozessionen? Sie sind Sache von Sonnenschein und Freude und nichts für diese dunkle Nacht voller Angst und Schrecken.*

Doch Disas Worte waren auch auf eine unbestimmte Weise tröstlich. Ihre Mutter wußte um das Böse am Himmel, und war sie nicht die Sternenkönigin? Also es würde etwas getan werden, um das schreckliche Blut vom Mond zu entfernen und die beängstigende Dunkelheit zu beenden, die über der Nacht lag. Pamina ging gehorsam in ihr Gemach. Dort erwartete sie ihre Dienerin, ein Halbling aus dem Hunde-Volk. Sie war eine kleine, rundliche Frau mit weichen, haarigen Hängeohren. Über ihren ausgestreckten, pfotenähnlichen Händen lagen drei Prozessionsgewänder.

»Welches Gewand möchte meine kleine Herrin heute tragen?«

Ihre Stimme klang nicht ganz wie ein Bellen, auch nicht wie ein Winseln, doch etwas von beidem lag darin; und Pamina war sie lieb und vertraut. Sie wußte, daß sie im Mittelpunkt von Rawas Leben stand. Die haarigen Arme hatten sie gewiegt, und an den weichen Körper geschmiegt, hatte sie Trost gefunden, solange sie denken konnte. Doch seit sie alt genug war, um etwas zu verstehen, hatte man ihr erklärt, als Hunde-Halbling könne Rawa natürlich keine eigene Wahl oder Entscheidung treffen; wie alle vom Hunde-Volk wartete sie in allem auf das Wort ihrer Herrin.

Pamina wußte nicht, welches das richtige Gewand für eine Prozession zu dieser ungewöhnlichen Zeit war und wandte sich fragend an Disa. Ihre Halbschwester musterte stirnrunzelnd die drei Roben.

»Sie sind alle unpassend«, erklärte Disa schließlich ärgerlich, und dabei enthüllte das Licht ihre kleinen schmalen Nasenflügel und das merkwürdig flache Gesicht. »Sind keine rituellen Gewänder für Nachtprozessionen vorbereitet?«

»Ich hatte keine Anweisungen«, erwiderte Rawa unterwürfig. Doch Disa gefiel diese Antwort nicht. Sie zischte: »Dummer Halbling«, und schlug Rawa ins Gesicht.

»Es läßt sich nicht ändern. Ich muß dir eben eines meiner Gewänder bringen, Pamina. Es wird dir zu lang sein, aber du kannst es in der Taille über den Gürtel ziehen. Es ist ja dunkel, und *sie* wird an andere Dinge denken müssen. Vielleicht wird unsere Mutter nichts bemerken... wenn du großes Glück hast«, fügte Disa so drohend hinzu, daß Pamina ebenso zitterte wie Rawa. Ohne darauf zu achten, eilte Disa davon, drehte sich jedoch noch einmal um und rief böse: »Und du, Rawa, bist wohl schon zu lange bei deiner Herrin und hältst deine Stellung als königliche Amme für allzu selbstverständlich. Vielleicht wirst du dich als Rattenfängerin in den Ställen wieder an die geziemende Bescheidenheit erinnern.«

Disa verließ das Gemach. Pamina lief zu Rawa und umarmte sie. Der weiche Körper der Hunde-Frau zitterte.

»Weine nicht, Rawa«, ich werde mit meiner Mutter sprechen. Sie weiß, wie sehr ich dich brauche und wird nicht zulassen, daß man dich wegbringt«, versuchte Pamina sie zu trösten. Aber sie war sich ihrer Sache nicht sicher. Ihre Mutter hatte so viele Pflichten und Aufgaben, und sie überließ alle Geschäfte des Palasts, den die vier Prinzessinnen bewohnten, Monat für Monat in Disas Händen. Disa konnte ihre Drohung sehr wohl verwirklichen, ehe Pamina Gelegenheit hatte, mit der Königin darüber zu sprechen.

Rawa war vermutlich nicht intelligent genug, um das alles sofort zu begreifen, doch der Zweifel in Paminas Stimme entging ihr nicht. Sie stieß ein leises Winseln hervor und klammerte sich an das Mädchen. Doch im nächsten Augenblick löste sie sich und schnüffelte laut. Pamina kannte Rawa so gut wie sich selbst und reagierte augenblicklich.

»Was ist los, Rawa? Was gibt es? Ist jemand hier?«

Rawa winselte lediglich und schnupperte in den Ecken des Zimmers. Dann sprang sie mit kleinen Sätzen zum Balkon, bellte laut und stürzte sich auf etwas. Man hörte einen spitzen Schrei, und Pamina rief: »Was hast du da, Rawa? Zeig es mir sofort! Du unartiges Mädchen.«

Die Hunde-Frau knurrte nur zwischen den Zähnen hindurch: »Pfui! pfui! Sie gehört nicht hierher, nein, sie gehört nicht hierher«, und schleppte ihren Fang in das Gemach. Pamina lief schnell zu ihr, um die zierliche Gestalt eines Halblings zu betrachten, den Rawa in den Pfoten hielt.

Der Halbling war nicht größer als Pamina. Es war ein Mädchen in einem leichten grünen Kleid, das kaum die langen, dünnen Glieder bedeckte, die so zart wirkten, daß sie unter Rawas festem Griff zu zerbrechen drohten. Sie hatte einen

Schopf leuchtend roter und gelber Haare, die wie Federn wirkten und seidig schimmernd Nacken und Schultern umgaben. Ihr Gesicht war vor Entsetzen verzerrt, aber Pamina erkannte sie. Man hatte den Vogel-Halbling aus der Stadt heraufgebracht, um auf Paminas Geburtstagsfeier für sie zu singen und zu tanzen.

»Laß sie los, Rawa. Auf der Stelle!« fügte sie schnell hinzu, als die Hunde-Frau leise knurrte. Nur zögernd gab Rawa das Vogel-Mädchen frei, das sich angstvoll piepsend aufrichtete.

»Papagena«, sagte Pamina und ging einen Schritt auf das Vogel-Mädchen zu. »Was tust du hier? Nein, Rawa, ich habe dir gesagt, du sollst sie in Ruhe lassen. Sie kann mir nichts tun, selbst wenn sie es wollte. Und schon gar nicht, wenn du bei mir bist. Außerdem würde sie mir nichts tun, nicht wahr, Papagena?«

Das Vogel-Mädchen zitterte vor Entsetzen am ganzen Körper. Rawa ließ sie los und zog sich zurück.

Papagena richtete sich auf.

»Prinzessin, Ihr seid so freundlich zu mir gewesen. Als sie kamen, um mich für das Opfer zu holen, habe ich mich an Euch erinnert und bin hierher gelaufen . . . Laßt nicht zu, daß sie mich holen! Laßt nicht zu, daß sie mich wegbringen und töten, bitte nicht . . .«

Winselnd wich Rawa noch weiter zurück.

»Herrin! Herrin, schickt sie weg, oder wir werden es alle zu büßen haben . . . es ist nicht erlaubt, sich in das Opfer einzumischen, und ich rieche den Weihrauch an ihr . . . sie riecht nach Tod! Schickt sie weg!«

»Ruhig, Rawa«, befahl Pamina, obwohl sie innerlich bebte.

Sie hätte es wissen müssen, diese Nacht roch nach Tod. Über den Mond floß Blut, und in den Straßen klagten die Leute. Sie wußte von den Opfern, hatte sie noch nie zuvor in Frage gestellt und noch viel weniger je daran gedacht, die Opfer könnten sie oder jemand, den sie kannte, betreffen. Dieses ferne, halb geahnte Grauen streckte nun den Arm nach der unschuldigen Papagena aus, die alle hier am Hof mit ihren Künsten unterhalten hatte. Pamina erfaßte ein neues, unbekanntes Gefühl, und sie wußte nicht, daß es Zorn war. Sie wußte nur, daß ihre Zähne klapperten, und daß sie einen schalen Geschmack im Mund hatte. Rawa winselte, knurrte und jaulte noch immer, und zum ersten Mal ärgerte sich Pamina über ihre Amme. Doch sie ermahnte sich: Rawa ist ein Hunde-Halbling, und man kann von ihr kein Urteilsvermögen erwarten.

»Rawa, ich habe dir gesagt, du sollst still sein. Disa wird jeden Augenblick zurückkommen, und wenn sie hört, wie du dich aufführst, wird sie dich doch noch in die Ställe schicken. Hör zu, Papagena. Ich werde nicht zulassen, daß man dich als Opfer wegführt, hab keine Angst.«

Pamina hatte nicht die leiseste Ahnung, was sie tun würde; sie wußte nur, sie würde nicht zulassen, daß so etwas geschah.

Rawas leises Winseln machte sie auf Schritte im Flur aufmerksam. Disa kam zurück: Schnell schob Pamina den Vogel-Halbling hinter einen Vorhang und drehte sich nach ihrer Halbschwester um.

Aber nicht Disa betrat das Gemach, sondern ein halbes Dutzend Palastwächterinnen, angeführt von der jüngsten ihrer drei Halbschwestern. Kamala war nicht so groß wie Disa. Sie hatte einen rundlicheren Körper, und obwohl Pamina sich nie die Mühe gab, darüber nachzudenken, kam ihr Kamalas Aussehen eine Spur menschlicher vor. Die Wächterinnen trugen weiche dunkle Lederröcke und Brustpanzer; Kamala jedoch hatte sich bereits für die Prozession umgekleidet. Sie warf einen prüfenden Blick auf Rawa, die aufgeregt winselte und knurrte, und sagte:

»Sie muß hier sein. Seht euch den Hund an!«

Im nächsten Augenblick zog man Papagena hinter den Vorhängen hervor, und sie stand bebend und zitternd vor den Wächterinnen.

»Laßt sie«, rief Pamina, »sie wird vor Angst sterben. Mutter hat mir gesagt, das Vogel-Volk ist nicht so stark wie wir, und wenn man Papagena erschreckt, kann ihr Herz stehenbleiben!«

Die Anführerin der Wache, eine freundliche Frau, die vermutlich etwas vom Hunde-Volk in sich hatte, erklärte: »Schon gut, kleine Herrin. Ihr dürft Euch keine Sorgen um ihresgleichen machen. Sie hat nicht das Recht, hierherzukommen und Euch zu beunruhigen. Wir werden sie dorthin zurückbringen, wohin sie gehört. Macht Euch keine Sorgen. Rawa, was denkst du dir dabei, dieses unwürdige Nichts in das Gemach der Prinzessin zu lassen?«

»Sie bildet sich zuviel ein«, sagte Disa, die gerade mit einem Prozessionsgewand über dem Arm hereinkam. Pamina betrachtete es fasziniert. Etwas Ähnliches trug auch Disa; eine Robe aus einem weichen seidigen Stoff, der wie fließendes Wasser aussah, und in dem Edelsteine funkelten, die in das Gewand hineingewebt waren. Pamina hatte noch nie ein solches Gewand tragen dürfen. Doch als die Wache Papagena ergriff, und das Vogel-Mädchen einen entsetzten Schrei ausstieß, vergaß Pamina das prächtige Kleid und warf sich dazwischen.

»Nein! Ich habe ihr versprochen . . . Laßt sie los!«

»Sei still, Pamina«, sagte Kamala zornig. »Du hast kein Recht, dich einzumischen.«

»Ihr habt nicht das Recht, sie als Opfer wegzuschleppen. Ich werde es nicht zulassen!«

Kamala glitt schnell an ihre Seite und packte sie am Arm. »Sie bewegt sich«, dachte Pamina, »wie eine angreifende Schlange.« Kamala flüsterte: »Halte den Mund, kleine Närrin. Es ist der Wille der Sternenkönigin, und es steht weder dir noch mir zu, ihre Entscheidungen in Frage zu stellen. Hier geschieht nichts gegen ihren Willen. Du bist ein Kind, und mehr mußt du nicht wissen.«

Pamina sah sie mit großen Augen an. Sie hatte das Gefühl, ihre Halbschwestern noch nie gesehen zu haben. Zum ersten Mal wurde ihr bewußt, daß auch sie Halblinge waren. Pamina wußte zwar schon lange, daß Kamala und Disa und die dritte Schwester Zeshi, die Große Schlange zum Vater hatten. Doch erst in diesem Augenblick begriff sie, was das bedeutete.

Bin ich also auch ein Halbling, kann man mich auch für das Opfer bestimmen? überlegte sie. *Aber nein, ich bin die Tochter der Sternenkönigin . . .*

Die drei anderen waren es auch . . .

»Nein«, erwiderte Pamina, obwohl sie fürchtete, die Worte würden ihr im Mund steckenbleiben, »das glaube ich nicht. Unsere Mutter ist gut und gerecht. Man hat mir immer gesagt, daß die Halblinge, die geopfert werden, Verbrecher

sind. Sie haben getötet, jemanden ausgeraubt oder irgend-
ein Gesetz gebrochen. Sag mir, welches Gesetz Papagena gebrochen hat. Wem hat sie etwas Böses getan? Mutter hätte
keine Gesetzesbrecherin an den Hof gebracht, um sie bei
meinem Geburtstagsfest singen und tanzen zu lassen.«
Kamala sagte: »Es ist nicht der Augenblick, um über Gesetze
zu sprechen, Pamina. Was du sagst, trifft auf die Opfer für die
Jahreszeiten zu. Aber hast du nicht gesehen, daß das Gesicht
des Mondes heute blutbefleckt ist? In solchen schlimmen
Zeiten sind alle Gesetze außer Kraft, denn der blutige Mond
fordert unschuldiges Blut. Papagena wurde auserwählt. Geh
beiseite, Pamina, wir wollen sie wegbringen, wie es befohlen
wurde.«
Pamina weigerte sich, die zitternde Papagena loszulassen,
und Disa befahl zornig: »Laß sie los, oder man wird dich dazu
zwingen!«
»Nein!« Pamina schluchzte vor Angst, doch sie ließ das Vogel-Mädchen nicht los. Schließlich gab Disa ärgerlich und
empört den Wachen ein Zeichen. Eine der Frauen packte Papagena mit beiden Händen, und eine andere näherte sich
entschlossen Pamina, um sie mit Gewalt von Papagena zu
trennen. Rawa knurrte drohend. Die Wächterin schrie plötzlich auf und trat heftig nach Rawa. Die Hunde-Frau stürzte
zu Boden, war aber im nächsten Augenblick wieder auf den
Beinen und schien nun zu allem entschlossen.
»Wage es, Hand an die Prinzessin legen, und ich reiße dich in
Stücke!«
»Überlaßt das mir«, sagte Disa und richtete sich drohend
hoch auf. Sie trat auf Pamina zu und bedeutete der Wächterin
mit einer kurzen Kopfbewegung, beiseite zu gehen. »Wenn

diese Hündin mich anrührt, wird ihr bei lebendigem Leib das Fell über die Ohren gezogen, das weiß sie.« Sie zerrte Pamina von Papagena weg, während Rawa wütend knurrte und winselte. Pamina schluchzte vor Zorn und schlug nach ihrer Halbschwester.

»Ich dulde es nicht. Ich habe es ihr versprochen. Was hat Papagena mit dem Mond zu tun?« Pamina war außer sich vor Wut und Schmerz.

Schweigen herrschte plötzlich im Raum. Die Wächterinnen fielen ehrfürchtig auf die Knie. Auch Disa und Kamala verbeugten sich tief, während Rawa entsetzt winselte und ängstlich wimmernd an die Wand zurückwich. Herrisch fragte die Sternenkönigin: »Was hat das alles zu bedeuten?«

Nur Pamina fürchtete sich nicht. Sie lief zu ihrer Mutter und bat: »Laß nicht zu, daß sie Papagena opfern! Ich habe ihnen gesagt, du bist gütig und gerecht, und du wirst nie erlauben, daß ein unschuldiges Wesen leidet.«

Die Sternenkönigin sah ihre jüngste Tochter mit einem flüchtigen, zärtlichen Lächeln an. »Hast du das gesagt, mein Liebes?« fragte sie.

Die Königin der Nacht war eine große Frau, und in dem wallenden weiten Prozessionsgewand und dem hohen Kopfschmuck aus Eulenfedern wirkte sie noch größer. Sie hatte ein schmales, strenges Gesicht, und ihre glühenden Augen waren von einem Blau, wie man es nur im Zentrum der Flamme findet.

»Du wirst nicht zulassen, daß sie Papagena wegbringen, Mutter!?«

»Wenn du ihr versprochen hast, daß sie verschont bleibt, werde ich es nicht zulassen«, erklärte die Sternenkönigin.

»Aber in Zukunft darfst du keine solchen Versprechen geben, ohne mich vorher zu fragen, Pamina. Du verstößt sonst gegen meine Hoheitsrechte, verstehst du?«

Pamina nickte stumm.

Die Königin warf einen Blick auf die Wächterin, die sich den Arm rieb, von dem immer noch Blut tropfte, und befahl: »Geht alle. So etwas hätte nie geschehen dürfen, und nachdem es geschah, hätte es nie soweit kommen dürfen. Ich bin nicht zufrieden mit dir, Kamala«, fügte sie mit seidiger Stimme drohend hinzu, und ihre jüngere Tochter erzitterte. »Geh mit den Wächterinnen hinaus. Nein, Disa, du kannst bleiben. Papagena, deine kleine Herrin hat dir ein Versprechen gegeben. Sieh zu, daß du es ihr dankst, indem du ihr vom heutigen Tag an treu und ergeben dienst.«

Papagena warf sich auf die Knie und rief: »Immer, Herrin!«

Pamina fragte erregt: »Mutter, Mutter, warum... weshalb?... Du hast mir gesagt, daß nur jemand geopfert wird, der gegen ein Gesetz verstoßen hat. Disa behauptet, der rote Mond verlangt das Blut eines Unschuldigen. Warum? Was hat Papagena mit dem Mond zu tun?«

Die Sternenkönigin sah sie ungeduldig an, und Pamina erschrak. Aber ihre Mutter erklärte ruhig: »Nichts, mein Kind. Doch wenn der Mond sich wie heute blutrot färbt, erschrekken die Unwissenden. Sie geraten außer sich und verlangen ein Opfer. Wir geben es ihnen, denn dadurch wendet sich ihre Raserei nicht gegen ihre Priester und Herrscher. Die Unwissenden glauben auch, daß sich solche Dinge wegen ihrer Sünden ereignen. Wenn wir ihnen ein Opfer geben, können sie alle eingebildeten Sünden vergessen, die sie belasten, und ihr Leben nimmt wieder seinen gewohnten Gang.«

»Wie schrecklich«, flüsterte Pamina.

»Ja, das ist es, mein Kind. Aber sei dankbar, daß du heute und nicht vor tausend Jahren lebst. Damals konnte nur der Tod einer Tochter der Sternenkönigin Schuld und Angst von ihnen nehmen, wenn sich der Mond so blutrot färbte, oder die Sonne sich am hellen Tag verdunkelte.«

Pamina erschauerte, denn das Gesicht ihrer Mutter wirkte wieder streng und unnahbar.

»Pamina, du hast große Unruhe heraufbeschworen, und deinetwegen komme ich spät zur Prozession. Disa, du bist nicht ganz unschuldig daran. Vielleicht trägst du nicht allein die Schuld, denn wir glaubten beide, Pamina sei alt genug, um dem Opfer beizuwohnen. Sie hat selbst bewiesen, daß sie noch zu jung ist, und als Strafe darf sie nicht an der Prozession teilnehmen. Du gehst sofort zu Bett, Pamina. Papagena wird bei dir bleiben.«

»Mutter...«, rief Pamina flehend, als die Königin sich mit großen Schritten der Tür näherte. Sie drehte sich rasch um, und Pamina sah erschrocken die Ungeduld, die ihr Gesicht verdunkelte.

»Was gibt es noch?«

»Mutter, laß nicht zu, daß man Rawa als Rattenfängerin in die Ställe schickt. Sie wäre dort so unglücklich.«

Die Sternenkönigin antwortete lächelnd: »Ich verspreche dir, Rawa wird nicht in die Ställe gehen.« Noch Jahre später erstarrte Pamina in stummem Entsetzen, wenn sie an dieses Lächeln dachte. Aber die Stimme der Königin klang weich, und Pamina glaubte, sie habe sich diesen Blick eingebildet.

»Geh nun sofort zu Bett, mein Kind.«

Sie sah Rawa nie wieder.

Zweites Kapitel

Die Wüste lag nackt und kahl vor ihm; nur am fernen Horizont hoben sich ein paar niedrige Büsche ab. Und weit weg, so weit, daß ihm die Augen schmerzten, wenn er versuchte, genaueres zu sehen, konnte er ein paar flache Hügel erkennen und verschwommene Umrisse, die Gebäude sein mochten.

Warum, so fragte sich Tamino, nannte man diese einsame Wildnis das Land der Wandlungen? Es wäre sehr viel genauer und passender gewesen, sie das Unwandelbare Land zu nennen.

Er war inzwischen fast einen ganzen Monat unterwegs. Bei seinem Aufbruch war der Mond voll gewesen, und jetzt stieg er wieder als blasse runde Scheibe am Rand der Nacht auf. Tamino wußte immer noch nicht, ob sein Ziel in Sicht war.

Er blickte zum blassen Mondgesicht auf und ihm fiel ein, daß er seit dem frühen Morgen nichts mehr gegessen hatte. Tamino setzte sein Bündel ab und suchte darin herum. Nur noch wenig war von den Vorräten geblieben, mit denen er aufgebrochen war: ein paar getrocknete Früchte, ein Stück getrocknetes Fleisch – kärgliche Reste der letzten Jagd unterwegs. Es war ein kleines Wüstentier gewesen, nicht viel größer als ein Hörnchen, doch sehr viel anders als alle Hörnchen, die er in seinem Leben zu Gesicht bekommen hatte.

Vielleicht gelang es ihm, morgen wieder etwas zu erlegen – wenn in dieser endlosen Einsamkeit überhaupt Tiere lebten...

Vorsichtig löste er den Wasserschlauch von der Hüfte. Spätestens morgen würde er auch wieder Wasser brauchen. Er dachte kurz daran, ein Feuer anzuzünden, um sich nicht so einsam zu fühlen. In der verlassenen, schweigenden Wüste würden selbst Funken einen erfreulichen Anblick bieten. Aber es gab nur wenig Brennbares, nur die trockenen und verholzten Stengel kahler Pflanzen. So trocken und abweisend sie auch wirkten, waren sie doch das einzige Zeichen von Leben weit und breit, und Tamino zögerte, ihnen ohne echte Notwendigkeit das bißchen Leben zu nehmen, das sie besaßen. Also würde er heute abend im Dunkeln sitzen.

Er trank ein paar Schlucke Wasser und kaute nachdenklich die getrockneten Früchte.

Vor einem Jahr... vor einem Monat noch hätte er nicht geglaubt, daß er sich an einem solchen Ort wiederfinden würde. Tamino hüllte sich in seinen zerschlissenen Reisemantel – vor nicht allzu langer Zeit war er noch schön und prächtig gewesen. Aber inzwischen diente er ihm als Decke, Kleidung und Schutz bei jedem Wetter, und er war gealtert. *Wie ich,* dachte Tamino.

Vor kaum einem Monat war Tamino noch der verwöhnte jüngere Sohn des Kaisers im Westen gewesen, der keine Mühen und Not kannte, und – abgesehen von den Spielen mit seinen Gefährten und gelegentlichen Jagden – nur wenig Anstrengungen.

Dann hatte man ihn auf diese Reise geschickt. Tamino wußte nur, daß er nach dem Willen seines Vaters den großen Tem-

pel der Weisheit in Atlas-Alamesios aufsuchen sollte – und
von dem Tempel wußte er nur, daß er ihn innerhalb eines
Monats erreichen konnte –, um sich den Prüfungen zu unterziehen. Auf der Reise hatte er viel über diese Prüfungen
nachgedacht. Wann würden sie beginnen? War die Reise vielleicht schon die erste Prüfung? Er hatte sich an die Anweisungen gehalten und die Berge überquert, die das Reich im
Westen umgaben; er war durch das Wilde Land gewandert,
die das Reich von den Ländern des Großen Atlas trennte,
und in das Land der Wandlungen gekommen, das sich, nach
allem, was er bisher erlebt hatte, überhaupt nicht veränderte.

Doch nun lag er unter dem fernen Sternenhimmel und frö-
stelte ein wenig, denn die Nacht war kalt, und der Mantel
war für das wärmere Klima seiner Heimat bestimmt gewesen
– und begann sich zu fragen, ob diese Wüste, ob diese Reise
nicht zumindest in ihm eine Wandlung bewirkt hatte. Er war
vielleicht nicht mehr ganz derselbe Tamino, der vor dreißig
Tagen den Palast seines Vaters verlassen hatte. Zum einen
war er dünner geworden. Noch nie zuvor hatte er eine Mahlzeit ausgelassen; auf dieser Reise waren es mehr als genug
gewesen. Und wenn er etwas zu essen hatte, verdankte er es
oft nur seinem Jagdgeschick.

Er hatte vorher auch nicht gewußt, was es hieß, allein zu sein
oder sich zu fürchten. Zwar war die Reise nicht übermäßig
gefährlich gewesen. Aber er fühlte sich einsam; noch nie zuvor hatte es Tamino an Rat oder Gesellschaft gefehlt. Diesmal
gab es niemanden, der ihm den besseren Weg wies, den sicheren Pfad in den tiefen Schluchten; niemand lenkte seine
Hand oder den Pfeil, wenn er auf Wild anlegte. Man hatte

ihm keinen Führer mitgegeben, sondern nur die unbestimmte Anweisung, der aufgehenden Sonne zu folgen. Er hatte keinen Ratgeber, keine Gesellschafter außer sich selbst; und er konnte nur die Erinnerung an die Lehrer seiner Kindheit befragen – inzwischen wußte er nur allzu deutlich, daß er zu wenig Gebrauch von ihrem Wissen gemacht hatte.

Doch Tamino fürchtete sich nicht mehr wie am Beginn der Reise, und er empfand auch nicht mehr das Bedürfnis, sich mit jemandem zu unterhalten. Ebensowenig vermißte er den Rat eines anderen. Es kam ihm vor, als sei inzwischen nicht nur sein Körper gestählter, sondern auch sein Geist und seine Entschlossenheit seien besser entwickelt und zuverlässiger. Wenn er jetzt den Bogen spannte, und der Pfeil durch die Luft schwirrte, wußte Tamino, er würde das Ziel treffen. Es war kein Spiel mehr, kein Wettstreit, in dem er seine Überlegenheit unter Beweis stellte, und bei dem die Gefährten, die der Kaiser für seinen Sohn ausgewählt hatte, meist zögerten, ihn zu übertreffen. Wenn der Pfeil hier in der Wüste zu weit flog, mußte er wahrscheinlich hungrig einschlafen und später jeden verirrten Pfeil mühsam suchen, denn es gab keinen Ersatz.

Nein, dachte er, *ich bin immer noch Tamino, aber vermutlich ein stärkerer Tamino. Und vielleicht* – dies dachte er nur zögernd und beinahe beschämt – *bin ich würdiger, Prinz genannt zu werden.* Selbst wenn auf dieser Reise nichts weiter geschah, selbst wenn er nur an den Rand der Welt gelangen sollte, wo es nichts gab als das endlose salzige Meer, wenn die Prüfungen sich nur als ein Trug erwiesen und ihm nichts anderes übrigblieb, als umzukehren und wieder nach Hause zu ziehen, würde er die Reise nicht als vergeblich ansehen oder sie gar bedauern.

Tamino lag auf dem Rücken und blickte hinauf zu den Sternen. Er konnte sich nicht daran erinnern, im Palast seines Vaters den Sternen je mehr Beachtung geschenkt zu haben, als den prächtigen Laternen, die die Decken schmückten – vielleicht sogar noch weniger, denn hin und wieder mußte er anordnen, daß die Laternen erneuert oder ausgetauscht wurden.

Im Verlauf dieser Reise hatte er mehr Sonnenaufgänge, Sonnenuntergänge, hatte er Sonne, Mond und Sterne öfter gesehen als je zuvor. Inzwischen verließ er sich auf sie: Ein klarer Himmel und strahlende Sonne wiesen ihm den Weg; wenn Mond und Sterne schienen, konnte er im Freien schlafen und mußte nicht nach einer Höhle, einem Felsen oder einem geeigneten Busch suchen. Zu Hause verschlief er die Sonnenaufgänge hinter seidenen Vorhängen, und wenn sich die Jagd so lange hinzog, daß er den Sonnenuntergang erlebte, betrachtete er dies nur als lästigen Aufschub des abendlichen Gelages. Hier boten ihm nur Himmel und Sterne Unterhaltung. Während Tamino dort lag und in den klaren Wüstenhimmel über sich blickte, erinnerte er sich wieder. Vor vielen Jahren, als man ihn noch unterrichtete, hatte er einen Lehrer, der versuchte, ihn in Sternenkunde zu unterweisen. Aber damals achtete Tamino kaum auf seine Worte, denn er dachte nur an seine Spiele und an das der Gefährten. Er hätte sich alles Wissen aneignen können, das die Menschen besaßen; er hätte erfahren, welchen Einfluß die Sterne, das Meer, die Gezeiten und die Wolken haben. Er hätte alles lernen können, was er vor Antritt dieser Reise hätte wissen sollen. Statt dessen mußte er es sich jetzt mühsam selbst aneignen, indem er die Gestirne beobachtete und entdeckte, welchen Einfluß sie auf seinen Weg nahmen.

Man hatte ihn nicht zum Herrscher erzogen. Diese Aufgabe fiel seinem älteren Bruder, dem Kronprinzen, zu. Doch man hatte ihm eine gute Bildung vermittelt. Nicht seinen Vater traf die Schuld daran, daß er dies damals nicht zu würdigen wußte...

Morgen lag wieder ein Reisetag vor ihm, und vielleicht brachte er ihn seinem unbekannten Ziel näher. Tamino trank einen letzten kleinen Schluck aus dem Wasserschlauch (sein Mund war trocken, und er hätte ihn nur allzu gern bis auf den letzten Tropfen geleert). Aber diesen Fehler hatte er gleich zu Anfang seiner Reise begangen und dabei gelernt, so lange einen Rest Wasser aufzubewahren, bis er sicher war, es ersetzen zu können. Sorgfältig band er den Wasserschlauch wieder zu, legte ihn sich als Kissen unter den Kopf und schlief ein.

Das erste Licht des neuen Tages weckte ihn. Den Himmel überzog ein leuchtendes Rot, eine bedenkliche Farbe.

Inzwischen wußte Tamino, daß dies Regen oder Sturm bedeutete. Doch in den zehn Tagen, in denen er durch diese Wüste gewandert war, hatte es kein einziges Mal geregnet. Würde er erleben, daß es hier regnete, oder bedeutete ein roter Himmel in der Wüste etwas anderes als das Morgenrot in einer freundlicheren Umgebung? Es schien, als solle er etwas Neues über das Wetter lernen.

Ein paar Tropfen Wasser aus dem Schlauch und die letzten wenigen Früchte waren sein kärgliches Frühstück. Wenn er den Tempel der Weisheit erreichte, wo er sich den unbekannten Prüfungen unterziehen sollte, würde man ihm hoffentlich vorher noch ein gutes Mahl vorsetzen.

Aber jetzt und hier gab es nichts zu essen, weder etwas Gutes noch überhaupt etwas, wenn er es sich nicht selbst beschaffte. Und in dieser Einöde würde es wahrscheinlich nichts geben. Hier lebten nur wenige Tiere – seit einigen Tagen hatte er, Tamino, nicht einmal mehr diese merkwürdigen Hörnchen gesehen – und es gab noch weniger eßbare Pflanzen. Doch am dringendsten brauchte er jetzt Wasser; der kärgliche Rest im Schlauch war abgestanden und schal. Er kannte die Qualen des Durstes gut genug und wollte diese Lektion nicht wiederholen.

Tamino blickte sich um und versuchte, sich zu orientieren. Im Osten erhob sich die Sonne gerade aus einem Meer leuchtendroter Wolken. Am Horizont zeichneten sich kaum sichtbar ein paar kantige Formen ab – wahrscheinlich Felsen oder vielleicht, Tamino stockte der Atem, Gebäude. Es wäre die erste menschliche Siedlung, seit er die Stadt seines Vaters verlassen hatte.

Aber es war noch weit bis dorthin. Sie lagen am fernsten Horizont. Vor einem Monat wäre er vielleicht, getäuscht von der klaren Wüstenluft, dem Irrtum verfallen, zu glauben, er könne die Gebäude in weniger als einer Stunde erreichen.

Inzwischen wußte er, daß sie sich einen Tagesmarsch oder noch weiter entfernt befanden. Wie aufregend der Gedanke an ein Zusammentreffen mit Menschen auch sein mochte, zuerst mußte er seine Vorräte an Nahrung und Wasser ergänzen. Dann blieb Zeit genug, an die Gebäude zu denken

– falls es sich tatsächlich um Bauwerke handelte und nicht
um merkwürdige Felsformationen. Er hatte sich schon einmal täuschen lassen und geglaubt, eine Stadt zu sehen, die
sich dann nur als Felstürme und Felswände herausstellte.
Tamino schob den Gedanken an Gebäude beiseite und wandte den Blick in die anderen Richtungen. Er wollte herausfin-
den, ob in der näheren Umgebung eine Möglichkeit bestand,
seinen Proviant zu erneuern. Am Abend zuvor hatte er
nichts entdeckt. Doch war er bis zum Dunkelwerden gewandert. Vielleicht hatte er in der Dämmerung etwas über-
sehen.
Als er sich nach seinem Mantel umdrehte, der ihm als Decke
gedient hatte, erstarrte Tamino und rieb sich verwundert die
Augen. Er war sicher, unter freiem Himmel geschlafen zu
haben und wußte, daß er auf dem Rücken lag und zu den
Sternen hinaufsah. Er konnte sich doch nicht getäuscht haben! Er hatte die Sterne doch nicht durch die Zweige eines
hohen Baums gesehen? Nein!
Tamino erinnerte sich – es war ihm kurz vor dem Einschlafen
aufgefallen –, daß hier außer den vertrockneten und stach-
ligen Büschen nichts wuchs. Doch jetzt wiegte sich über dem
zerknitterten Mantel, der noch den Abdruck seines Körpers
aufwies, eine Dattelpalme mit einem hohen, geschuppten
Stamm in der Morgenbrise. Die dicken goldbraunen Büschel
zwischen den Blättern waren nichts anderes als reife, gold-
gelbe Datteln.
Tamino blinzelte und rieb sich die Augen. Ihn überkam wieder die Furcht, die ihn am Anfang seiner Reise gequält hatte
– daß die Einsamkeit ihn zum Wahnsinn treiben könnte. Eine
Dattelpalme, die auch noch mit reifen Früchten beladen

war! Und beim Einschlafen... hier unter diesem Baum...
hatte er nichts dergleichen gesehen!

Doch der dicke runzlige Stamm verschwand nicht unter seinen Händen, als er daran hochkletterte. Tamino schob sich
eine der frischen weichen Früchte in den Mund. Man konnte
sie nicht mit den kunstvoll zubereiteten Datteln an der Tafel
des Kaisers vergleichen, von denen der Sirup tropfte, und
die mit köstlichen Dingen gefüllt waren. Doch diese Dattel
schien ihm gut genug zu sein, um einem Kaiser vorgesetzt zu
werden. Er aß noch ein paar und nahm sich ein ganzes Büschel als Vorrat mit.

Für Nahrung war gesorgt, es sei denn... und das glaubte er
eigentlich nicht... daß es sich um einen merkwürdigen
Traum, geboren aus Hunger und Einsamkeit, handelte, und
er immer noch erschöpft unter dem trockenen und kahlen
Busch in der Wüste schlief.

Sein Hunger war gestillt, und er wandte sich dem dringende-
ren Problem des Wassers zu. Dattelpalmen standen nicht einfach so in der Wüste. Tamino wußte, daß sie nur an Oasen
wuchsen. Hatte man ihn im Schlaf davongetragen, seinen
Körper in eine Oase voller Dattelpalmen gebracht, die die
Quelle umstanden? Leider nein. Außer dieser Dattelpalme,
unter der er offensichtlich eingeschlafen war, ohne sie bemerkt zu haben, wuchs weit und breit nichts in dieser Einöde. Tamino konnte das Rätsel nicht lösen.

Mit Sicherheit schlief er nicht mehr. Es gab nur eine mögliche
Erklärung, die ebenso wahnwitzig war wie alle anderen Vorstellungen: Der trockene, dornige Strauch hatte sich verwandelt, während er schlief, hatte sich in eine Dattelpalme verwandelt und stand an einem Platz, an dem keine Dattelpal-

men wachsen konnten. Nannte man diese kahle Wüste deshalb das Land der Wandlungen?

Die Datteln waren wirklich und wohlschmeckend – zumindest sagten ihm das Gaumen und Magen. Wie schade, daß man nicht daran gedacht hatte, die Oase ebenfalls hierher zu verpflanzen.

Im Norden ragte ein Felsbrocken auf, nicht sehr hoch, konnte aber in dem flachen Land vielleicht als Aussichtspunkt dienen. Von dort oben würde er, so dachte Tamino, sehen, ob es in dem rauhen und kahlen Land Anzeichen für eine Oase oder auch nur irgendwelche Pflanzen gab, die auf Wasser schließen ließen. Tamino kletterte auf den Felsen und spähte aufmerksam in alle Richtungen. Die Sonne war inzwischen aufgegangen, und ihre hellen Strahlen nahmen ihm die Sicht nach Osten. Tamino kniff die Augen vor dem grausamen, gleißenden Licht zusammen und sah jetzt nicht nur den niedrigen Horizont mit den fernen Formen, die er beim Aufwachen entdeckt hatte, sondern etwa auf halbem Weg in dieser Richtung das helle Grün von Palmen und ein Glitzern, das Wasser sein mochte.

Eigentlich war das so unwahrscheinlich wie die Palme und die Büschel reifer, süßer Datteln, in die sich der dornige Busch über Nacht verwandelt hatte. Sah er eine Fata Morgana? Nach zehn Tagen nichts als Wüste kannte Tamino auch diese Gefahr. Und doch hatten ihm die wundersamen Datteln ein gutes Frühstück beschert. Es würde sich also lohnen, herauszufinden, ob er in einer ebenso wundersamen Oase seinen Durst löschen konnte.

In wenigen Augenblicken hatte er seine Sachen zusammengepackt: das Bündel mit den spärlichen Resten Trockenfleisch und den Wunderdatteln, seinen Mantel, den er sich sorgfältig um die Hüfte band, den Bogen und die wenigen übriggebliebenen Pfeile und das kurze, kräftige Messer, das er am Gürtel trug – weniger eine Waffe als ein nützliches Werkzeug, um Tiere zu häuten oder um Brennholz zu schneiden.

Er machte sich auf den Weg zur Oase. Nach dreißig Tagen war Tamino zäh und ausdauernd geworden und schritt munter aus. Die trockenen, dornigen Sträucher zerkratzten ihm die Beine, obwohl er sie mit einer alten Tunika umwickelt hatte, und behinderten ihn. Seltsamerweise wuchsen jetzt viele Büsche. Am Tag zuvor waren sie so spärlich gewesen wie alles Leben in dieser Wüste. Er betrachtete sie neugierig. Sie waren kräftiger und nicht mehr so stachelig, eine andere Art Strauch, mit Dornen anstelle von Stacheln und sogar Blättern. Blätter... grüne Blätter in der unfruchtbaren Wüste?

O ja, Blätter! Grüne Blätter mit rauhen Unterseiten und gezackten und gezahnten Rändern. Und es war auch nicht mehr dieses niedrige Gestrüpp, sondern Büsche mit langen, rötlichen Ranken, an denen... Tamino blieb einen Augenblick stehen und fragte sich wieder, ob ihn seine Augen trogen... viele reife schwarze Beeren hingen.

Er versuchte eine. Sie schmeckte wie andere Beeren auch, vielleicht ein bißchen süßer als die meisten. Oder lag das nur daran, daß er in letzter Zeit so wenig zu essen hatte? Tamino bahnte sich einen Weg durch die immer dichter wachsenden dornigen Büsche und pflückte dabei von den reifen Beeren, die auch seinen Durst löschten.

Inzwischen wanderte er bereits durch dichtes Unterholz,

und plötzlich hörte er ein Krachen und Knacken. Vor Taminos erstaunten Augen sprang eine Gazelle über eine Lichtung und verschwand, während er ihr immer noch nachstarrte.

Verdutzt und ärgerlich legte er die Hand über die Augen. Er hätte seinen Bogen schußbereit haben müssen. Aber wie konnte er in der Wüste auf eine Gazelle hoffen?

Befand er sich überhaupt noch in der Wüste? Von seinem Aussichtspunkt auf dem Felsen hatte er nur das kahle, leere Land gesehen, in dem er am Abend zuvor eingeschlafen war. Inzwischen erinnerte es mehr an einen Dschungel. Der Boden unter seinen Füßen war eindeutig weicher, und nach einer Weile hörte er ein sanftes unmißverständliches Glucksen unter den Stiefeln.

Das Land der Wandlungen?

Lange ehe er die Oase erreichte, die er vom Felsen zu sehen geglaubt hatte, kam Tamino an einen kleinen Teich, den eine kristallklare Quelle speiste. Dort machte er Rast, tauchte das staubige, erhitzte Gesicht ins Wasser und löschte zum ersten Mal seit vielen Tagen seinen Durst.

Die Furcht, dies sei alles nur ein wirrer Traum, verließ ihn nicht. Tamino war zwanzig Jahre alt und noch nie im Leben in einem Land gewesen, in dem wie von Zauberhand Dattelpalmen wuchsen, oder wo die Wüste sich plötzlich in einen Sumpf verwandelte – genauer gesagt, ein Land, das er als Wüste gesehen hatte und das sich als Sumpf entpuppte. Aber er war auch noch nie durch das Land der Wandlungen gereist!

Ein Rascheln am anderen Ufer des Teichs erregte Taminos Aufmerksamkeit. Er nahm den Bogen von der Schulter.

Drüben näherte sich eine kleine Herde schulterhoher Antilopen mit langen, geschwungenen Hörnern dem Wasser und senkte die Köpfe, um zu trinken.

Tamino hielt einen Augenblick inne, ehe er schoß. Nach einem Monat karger Rationen glaubte er bereits das köstliche Fleisch einer knusprigen Antilopenkeule zu schmecken. Doch wenn er sein Ziel am nächsten oder übernächsten Tag erreichte, konnte er unmöglich soviel Fleisch verzehren. War es richtig, wegen ein oder zwei Mahlzeiten ein Tier zu töten und so viel zu verschwenden?

Oder . . . er warf noch einmal einen Blick hinüber . . . standen dort wirklich Antilopen? Seine Augen mußten ihn getäuscht haben. Er zielte auf eine kleine Gazelle. Sie ging ihm wahrscheinlich gerade bis zu den Knien, und Tamino war nicht besonders groß. Soviel Fleisch konnte er bestimmt verzehren. Kurz entschlossen ließ er die Sehne los, und der Pfeil schwirrte durch die Luft.

Die Gazelle fiel lautlos zu Boden. Der Pfeil hatte sie direkt ins Herz getroffen.

Drittes Kapitel

Tamino lief schnell zu der Stelle, an der er die Gazelle hatte stürzen sehen und stolperte dabei über Wurzeln und Ranken, die er bis jetzt nicht bemerkt hatte. (Waren sie überhaupt da gewesen?) Als er sich umsah, entdeckte er keine Spur von dem toten Tier.

Das war so widersinnig wie alles, was an diesem Morgen geschehen war. Doch Tamino gab nicht auf. Er war nicht hungrig, denn er hatte genug Datteln gegessen. Aber er mußte sich schon zu lange von getrockneten Früchten ernähren und sehnte sich nach dem Geschmack von frischem Fleisch. Tamino suchte den Boden sorgfältig nach der Gazelle ab. Hatte er sie vielleicht doch nicht getroffen? Nein, er hatte gesehen, wie der Pfeil sie durchbohrte. Und auf diese kurze Entfernung konnte er sie kaum verfehlt haben. Außerdem war das Tier vor seinen Augen zusammengesunken.

Hartnäckig stieß er mit dem Fuß immer wieder ins Gestrüpp. Es war nicht sehr hoch, nicht hoch genug, um eine ausgewachsene Gazelle zu verbergen.

Sein Fuß traf auf ein Hindernis. Verblüfft entdeckte Tamino einen seiner Pfeile und bückte sich, ihn aufzuheben. Der Pfeil steckte fest, und als Tamino daran zog, stellte er fest, daß er tatsächlich etwas geschossen hatte.

Aber es war keine Gazelle, sondern eines der kleinen, merkwürdig aussehenden Hörnchen, wie er es schon einmal erlegt hatte.

Nachdenklich hob Tamino das Tier hoch. Er hatte eine Antilope gesehen und wollte sie nicht erlegen, weil er glaubte, ein so großes Tier nicht aufessen zu können. Die Antilope hatte sich passenderweise in eine Gazelle verwandelt, auf die er schoß. Und als er das Tier fand, hatte es sich noch einmal verwandelt – und zwar in ein Hörnchen.

Vermutlich sollte er es auf der Stelle braten und essen, ehe es sich noch weiter verwandelte und zu einem Sperling oder einer Grille wurde.

Tamino kehrte zu seinem Bündel zurück und ließ es nicht aus den Augen, aus Furcht, es könne sich ebenfalls verwandeln. Wenn aus seinem Messer zum Beispiel ein Angelhaken oder ein Spinnrad werden sollte, hätte er Schwierigkeiten, sich eine Mahlzeit zu bereiten. Aber glücklicherweise behielt alles seine Form. Er setzte sich mit gekreuzten Beinen auf den Boden und enthäutete das Hörnchen, nahm es aus und schnitt sich einen Stock, um es daran aufzuspießen. Dann machte er ein Feuer und hängte das Fleisch darüber.

Es begann bald zu bruzzeln und zu zischen. Ein appetitlicher Geruch verbreitete sich. Inzwischen säuberte Tamino den Wasserschlauch und füllte ihn neu, warf seine Kleider ab und sprang in den Teich, um seinen gebräunten Körper vom Staub zu befreien, wusch dann seine Tunika, die Tücher, die er sich um die Beine gewickelt hatte, und legte sie zum Trocknen über einen Dornbusch. Er trank noch einmal von dem köstlichen Wasser. Nach der langen Zeit in der Wüste hatte er schon beinahe geglaubt, in Zukunft immer durstig sein zu müssen.

Er ließ sich am Ufer nieder und aß das gebratene Hörnchen. Das Fleisch schmeckte ungewohnt, als habe das Tier sich von bitteren Beeren ernährt. Aber immerhin war es Fleisch, und es machte satt. Tamino genoß die erste wirklich zufriedenstellende Mahlzeit nach vielen Tagen. Inzwischen war seine Tunika getrocknet, und er nahm sie von dem Busch. Doch die Sonne schien warm, und er zog sie noch nicht an.

Plötzlich bewegte sich das Wasser im Teich; er hörte ein Klatschen und sah ein kleines behaartes Gesicht mit einem Schnurrbart, das ihn neugierig musterte. Zunächst hielt Tamino es für ein kleines Tier . . . einen Otter vielleicht. Aber er erkannte schnell menschliche Intelligenz in den dunklen Augen: ein Halbling! Selbst im fernen Reich im Westen hatte er von Halblingen gehört, jedoch noch nie einen gesehen. Man erzählte, daß vor vielen Jahren solche Geschöpfe als Kuriositäten an den Hof des Kaisers gebracht worden waren. Er kannte die Geschichte eines Affen, der mit der Kaiserin Schach spielte und gewann. Der Otter-Halbling kroch langsam ans Ufer; er hatte die Gestalt einer kleinen, behaarten Frau. Das runde Gesicht war so bärtig, daß Tamino erst beim Anblick der beiden Reihen kleiner Brüste am Bauch erkannte, daß es sich um einen weiblichen Halbling handelte. Fell bedeckte ihren Rücken (Brüste und Bauch waren weniger behaart). Arme und Hände waren anormal, beinahe grotesk kurz und endeten in Stummelfingern mit Krallen. Auch die Beine waren kurz und hatten weniger Füße als Pfoten. Sie waren nicht einmal halb so lang wie der Rumpf. Tamino betrachtete die Otter-Frau mit einer Mischung aus Faszination und Abscheu. Ein echter Otter hätte ihm gefallen. Und nach so vielen Tagen einem Menschen zu begegnen, wäre ihm mehr als willkommen gewesen. Doch er war sich nicht sicher, ob er mit dieser seltsamen Kreatur etwas zu tun haben wollte. Die Otter-Frau musterte ihn so eindringlich, daß Tamino sich plötzlich daran erinnerte, daß er nackt war. Er griff nach der Tunika und zog sie schnell über den Kopf. Warum war er in Gegenwart eines Tieres so befangen? Doch als er sie ansah, bemerkte Tamino, daß er sich ihrer Weiblichkeit sehr wohl bewußt war. Sie erregte ihn nicht, doch er fühlte sehr deutlich, daß sie kein Tier, sondern eine Frau war und entsprechend behandelt werden mußte. Dies ärgerte und verwirrte ihn. Weshalb schämte er sich und sie tat es nicht?

Leises Plätschern im Teich machte ihn auf drei oder vier kleinere behaarte Gesichter aufmerksam. Es waren die Ebenbilder der Halbling-Frau. Die Kleinen betrachteten ihn aus dem sicheren Wasser und gaben leise, kindliche Laute von sich. Er überlegte, ob der Halbling die Sprache der Menschen beherrschte und ob es Sinn hatte, nach dem Weg zu fragen. Er machte einen Schritt auf die Otter-Frau zu, aber sie glitt schnell das Ufer hinab und ins Wasser. Dabei drehte sie den Kopf soweit rückwärts, wie es einem Menschen nicht möglich gewesen wäre, und ließ Tamino nicht aus den Augen. Glaubte sie, er führte etwas Böses im Schild?

Tamino räusperte sich befangen und sagte: »Ich will dir nichts tun.«

Die behaarten Kinder quiekten leise, aber die Otter-Frau starrte ihn mit den braunen Augen nur neugierig und mißtrauisch an. Er dachte: *Schließlich ist sie eine Frau, wenn auch eine sehr merkwürdige Frau. Vielleicht hat sie gute Gründe, Fremde zu fürchten, die ihr hier in der Wildnis begegnen.* Tamino hatte sie sehr deutlich als Frau erkannt, doch auf unerklärliche Weise wußte er, daß andere Männer anders reagiert hatten und ihre Furcht berechtigt war. Sie blickte ihn unverwandt an, und dieser zudringlich dunkle Blick gab ihm das fröstelnde Gefühl, er habe ihr bereits etwas angetan, indem er war, was er war: ein Mensch. Das ärgerte ihn. Ihn traf keine Schuld daran, daß er ein Mann und ein Prinz aus dem Westen war.

»Ich wollte«, sagte Tamino förmlich, »dich nur nach dem Weg zum Großen Tempel der Weisheit, zum Palast des Sonnenkönigs fragen.«

Schweigen. Die Halbling-Frau starrte ihn aus großen, dunklen Augen an, und die haarigen Kinder gaben wieder leise Laute von sich. Er wünschte, sie würde sprechen, wenn sie dazu in der Lage war.

Plötzlich wies sie schnell mit einem ihrer kurzen Arme nach Nordosten und tauchte mit einem Klatschen ins Wasser. Zurück blieben nur ein paar kreisförmige Wellen. Es klatschte noch viermal, und die Kinder verschwanden ebenfalls.

Tamino starrte einen Augenblick lang auf die kleinen Wellen im Wasser, ehe er sich abwandte. Das war das erste Zusammentreffen mit merkwürdigen Dingen, die ihm, wie er wußte, im Land der Wandlungen begegnen würden und war sicher, er würde im Land der Priesterkönige von Atlas-Alamesios noch Seltsameres sehen.

Tamino sammelte die Überreste seiner Mahlzeit ein und wollte sie in der weichen Erde am Teich vergraben, überlegte dann aber, ob die Ottern Fleisch fraßen (vermutlich ernährten sie sich als Teichbewohner hauptsächlich von Fisch) und ließ die Fleischreste trotzdem liegen. Wenn die Halblinge sie verschmähten, dachte Tamino gereizt – und überlegte gleichzeitig, weshalb er sich ärgerte –, würden die Käfer und Insekten am Teichufer sie schnell genug beseitigen. Er griff nach seinem Bogen und den wenigen Pfeilen, die ihm geblieben waren, band sich den Mantel um die Hüfte, löschte dann sorgfältig die letzte Glut und machte sich wieder auf den Weg.

Tamino wanderte in Richtung Nordosten, wie die Otter-Frau ihm bedeutet hatte. Die Landschaft hatte sich völlig verändert. Er befand sich jetzt in einem dichten Wald. Bäume, wirre Ranken und das dichte Unterholz versperrten ihm den Blick. An manchen Stellen war das Grün so dicht, daß man kaum den Himmel sah. Tamino konnte nicht glauben, daß er in der letzten Nacht noch in der kahlen Wüste geschlafen hatte. Wenn es diesen Wald gegeben hätte, wäre er ihm am weiten Wüstenhorizont doch aufgefallen! Hin und wieder, der Wald wurde sehr bald zu einem wuchernden Dschungel, entdeckte Tamino mächtige Ruinen und überwachsene Gebäude, und mehr als einmal hörte er das wilde Fauchen einer Raubkatze.

Beim Gehen wurde ihm immer wärmer. Selbst seine Tunika war ihm zu dick. Er wollte sie ausziehen, erinnerte sich aber daran, daß er sich nicht mehr in einer unbewohnten Wildnis befand. Wo es ein vernunftbegabtes Wesen gab, konnten sehr gut auch andere leben. Jeden Augenblick konnte er den Bewohnern dieses Landes begegnen, und dann wollte er nicht gerade halbnackt daherlaufen.

Nach dem Schweigen der großen Wüste schienen die vielen Geräusche des Waldes ihn beinahe zu bedrängen. Über seinem Kopf riefen die Vögel in den Bäumen, vor seinen Füßen flüchteten kleine Tiere, und wenn Tamino nach oben blickte, sah er Wesen durch die Zweige huschen. Bis jetzt stammte jedoch keiner dieser Laute von Menschen. Es sei denn, manche dieser Tiere, die er undeutlich sah und mit ihm in dieser Wildnis weilten, waren in Wirklichkeit Halblinge und in gewisser Weise auch Menschen. Das zu glauben, fiel Tamino immer noch sehr schwer.

Er wanderte den ganzen Morgen und auch noch einen großen Teil des Nachmittags. Auf einmal verstummten die Tierlaute hoch über ihm und unter seinen Füßen, und ein kurzer, heftiger Regenschauer ging nieder. Selbst im Schutz der Bäume wurde er bis auf die Haut naß. Tamino staunte über den heftigen Wind, der durch die Zweige fuhr und die Blätter peitschte. Er kauerte sich fröstelnd unter einem Baum zusammen und ließ den Wind über sich dahinbrausen, während der Regen seine Haut wie Messerstiche traf.
So plötzlich wie er begonnen hatte, hörte der Regen auf. Die Sonne schien wieder, und ihre Strahlen drangen durch die Zweige. Silberne Tropfen lösten sich von den Blättern und fielen wie schimmernde Perlen auf seinen Kopf. Hoch über ihm schrie ein Vogel, und Tamino sah einen Augenblick lang leuchtendgelbe und rote Federn. Die nasse Tunika trocknete in der Hitze beinahe augenblicklich.
Er überlegte sich gerade, daß es an der Zeit wäre, einen Rastplatz für die Nacht zu suchen und die Reste des gebratenen Hörnchens zu essen, als sich eine Lichtung vor ihm auftat. Hier mußten einmal Menschen gelebt haben, denn mächtige Steine türmten sich unter den Bäumen; man sah hohe Säulen und halbzerfallene Mauern. Tamino blickte auf den Boden und stellte fest, daß er über ein Mosaik aus kleinen leuchten-

den Steinen ging und entdeckte in ihm merkwürdige Wesen: Tiere und Vögel, Menschen und Halbmenschen, eine Frau mit dem gehörnten Mond auf der Stirn, eine große geringelte Schlange in Menschengestalt. Doch selbst die Farben der Steine waren verblaßt. Er fragte sich, wer hier gelebt hatte, und wie lange das her sein mochte.

Noch während ihn dieser Gedanke beschäftigte, bemerkte Tamino auf der anderen Seite der Lichtung die Gestalt eines Mannes schattenhaft in einem leuchtendbunten Mantel – ein Mann? Es war eine große, aufrechte Gestalt mit hoch erhobenem Haupt. Einen Augenblick lang sah er ein Gesicht, eine gerade Nase und ein scharfgeschnittenes, arrogantes Kinn, dann nichts mehr. Doch in der Schnelligkeit, mit der jene Gestalt sich bewegte, lag etwas Unmenschliches. Im nächsten Augenblick verschwand sie in einer großen Ruine am anderen Ende der Lichtung. Als Tamino darüber nachdachte, kam ihm die Gestalt nicht menschlich vor. Noch ein Halbling? Er sah das Profil wieder vor sich – ein edles, melancholisches Gesicht – und unwillkürlich rief er dem verschwundenen Mann nach – wenn es sich tatsächlich um einen Mann handelte:

»He da! Hallo! Komm heraus und sprich mit mir! Ich bin ein Reisender aus dem Reich im Westen.« Er dachte wieder daran, wie sehr die Halbling-Frau sich vor ihm gefürchtet hatte und fügte hinzu: »Ich habe nichts Böses im Sinn. Ich will nur mit dir sprechen!«

Schweigen. Tamino spürte, wie ihm das Herz in der Brust klopfte. War es nur die Erregung bei dem Gedanken, nach einem ganzen Monat der Einsamkeit wieder Menschen zu begegnen? Oder war es Furcht? Auf der Lichtung blieb alles still, nur das Gras raschelte unter seinen Füßen, und die Insekten summten. In der Ferne zwitscherte ein Vogel, und man hörte ein leises fröhliches Pfeifen. Tamino konnte nicht entscheiden, ob es sich dabei um einen Vogel oder um einen menschlichen Laut handelte. Es klang nicht ganz nach einem Vogel, denn es schien irgendwie einen Zweck zu verfolgen.

Wohin war der Fremde – wenn es sich tatsächlich um einen Mann gehandelt hatte – verschwunden? Die Lichtung war leer. Selbst die Vögel schienen zu schweigen.

Dann hörte er ein heiseres Brüllen, und ein glühendheißer Windstoß traf seinen Kopf. Tamino blickte auf und sah einen Schatten drohend über sich schweben.

In diesem Augenblick des Entsetzens nahm er nur etwas Riesiges wahr, Schuppen und Flügel, eine Andeutung von Federn und einen schrecklichen Schnabel, der nach seinem Kopf stieß. Er wich zurück, griff nach seinem Bogen und spannte ihn schnell, doch der Drachen griff im Sturzflug an. Tamino duckte sich, warf sich auf den Rücken und lag ausgestreckt auf dem Mosaikfußboden im Gras der Lichtung. Unwillkürlich legten seine Finger einen Pfeil auf die Sehne, und er schoß.

Er mußte sein Ziel getroffen haben, denn Tamino hörte, wie das Untier wütend brüllte, als es sich von neuem auf ihn stürzte. Der Drachen war jetzt zu nahe, der Bogen nützte Tamino nichts mehr. Irgendwie gelang es ihm, das Messer zu ziehen, nur zu gut wissend, daß es als Waffe nichts taugte und er sich unbewaffnet der größten Bedrohung seines Lebens stellen mußte.

Blindlings stieß er nach oben. Die riesigen Drachenflügel

nahmen ihm jede Sicht. Der stinkende Atem des Ungeheuers versengte ihm den Nacken, als er sich umdrehte und ziellos davonstürzte. Kämpfen war nutzlos. Kein Mensch konnte allein gegen ein solches Ungeheuer bestehen. Tamino verfluchte das Geschick, das ihn unbewaffnet hierher geführt hatte. Voll Verzweiflung schoß es ihm durch den Kopf, daß seine Reise hier enden würde, und Tamino dachte voll Bedauern an all das Unbekannte, das er nie sehen oder kennenlernen sollte – selbst den Prüfungen würde er sich nicht mehr stellen können. Mit dem Mut der Verzweiflung drehte er sich blitzschnell herum und stieß noch einmal mit dem Messer zu. Er würde wenigstens kämpfend sterben. Der Drachen sollte ihn nicht rücklings zerhacken und zerreißen. Tamino wünschte, jemand würde seinen Vater davon benachrichtigen, wie er gestorben war und fragte sich verstört, ob es nach dem Tod noch etwas gab oder ob dies das Ende sei. Das Gebrüll des Drachens dröhnte in seinen Ohren. Und noch einmal fand das Messer sein Ziel, bohrte sich tief hinein, und dunkles übelriechendes Blut strömte über ihn. Doch der Drachen kämpfte weiter; Tamino hatte ihn nicht einmal ernstlich verwundet.

In diesem dunklen Alptraum von Blut, Gestank und Kampf hörte er plötzlich helle Stimmen. Tamino sah, wie sich scharfe Speerspitzen in den Drachen bohrten, sah ungläubig, wie das Ungeheuer zu Boden stürzte und verendete. Über ihm tauchten die Gesichter von Frauen auf: drei Frauen in ledernen Rüstungen. Auf dem Brustpanzer funkelten spitze mondähnliche Sicheln. Im letzten Aufflackern seines Bewußtseins dachte er: *Sie sehen aus wie die Frauen in den Bodenmosaiken mit dem Mond auf der Stirn.*

War es ein Traum? Waren es die Schutzgeister dieses Ortes? Waren es nur die letzten ersterbenden Phantasiebilder seines Gehirns? Hatte der Drachen ihn doch getötet?

Erschöpft fiel Tamino in eine unendlich tiefe sternenlose Dunkelheit.

Viertes Kapitel

Disa versetzte dem toten Drachen einen Fußtritt, dann beugte sie sich nieder, um ihn wegzuziehen und gab ihren Schwestern ein Zeichen, ihr dabei zu helfen. Zeshi folgte der Aufforderung, aber Kamala blieb reglos stehen und blickte unverwandt auf das Gesicht des bewußtlosen Jünglings.

»Ist er wirklich ein Prinz? Mit diesem schäbigen Mantel...«

»Er ist der zweite Sohn des Kaisers im Westen, und er heißt Tamino«, erklärte Disa. »Aber wenn wir den toten Drachen nicht wegziehen, können wir ihn nicht befreien und ins Leben zurückrufen.«

Kamala wandte nur zögernd den Blick von Taminos lebloser Gestalt und zog mit ihren Schwestern den toten Drachen beiseite. Dabei murrte sie: »Das ist keine Arbeit für uns. Außerdem wußte ich gar nicht, daß es hier Drachen gibt.«

»Wir sind im Land der Wandlungen«, erwiderte Zeshi. »Du solltest eigentlich wissen, daß man im Land der Wandlungen so ungefähr alles finden kann. Und was einem hier begegnet, bleibt nie, was es vorher war.«

»Vermutlich.« Kamala richtete sich auf und blickte wieder auf Tamino. »Er sieht wirklich gut aus.«

Zeshi nickte und fuhr sich mit der Zunge über die Lippen. »Keiner der Männer im Tempel der Nacht kann sich mit ihm vergleichen. Seht euch seine Schultern an, seine Schenkel, seine Hände. Sind seine Augen wohl blau oder schwarz? Er hat lange Wimpern wie ein Mädchen. Ich bin sicher, er könnte mir großen Genuß verschaffen. Ob er in seiner fernen Heimat wohl eine Geliebte hat? Könnte ich ihn dazu bringen, daß er sie vergißt? Das würde ich gerne wissen . . .«

Disa lachte, aber es klang nicht freundlich. »Du wirfst dich auf jeden neuen jungen Mann, sei er Mensch oder Halbling. Ich glaube nicht, daß er für dich bestimmt ist, nicht einmal für mich, Zeshi. Mußt du immer gleich an dein Vergnügen denken? Vergiß es ein einziges Mal und widme dich der Aufgabe, die die Sternenkönigin uns zugewiesen hat.«

»Du hältst dich wohl für etwas Besseres, Disa. Ich könnte Geschichten aus dem Tempel des Stiers erzählen . . .«

»Seid still, ihr beiden«, unterbrach Kamala sie streng. »Die Sternenkönigin hat mich beauftragt, meinen Platz bei den Wachen zu verlassen und hierher in die Wildnis zu gehen, um diesen Jüngling zu beschützen. Nachdem wir das getan haben, ist es unsere Pflicht, ihr zu berichten, daß wir ihren Befehl ausgeführt haben. Ich glaube auch nicht, daß sie ihn zu ihrem eigenen Vergnügen haben möchte.«

»Man hat uns befohlen, ihn zu schützen«, widersprach Zeshi, »und an einem solchen Ort können noch andere Gefahren lauern. Ich werde bei ihm wachen, während ihr unserer Herrin die Nachricht überbringt.«

»Wenn er bewacht werden muß«, stellte Kamala fest, »wäre es meine Aufgabe, denn die Sternenkönigin hat mir die Palastwache unterstellt. Du, Zeshi, hast andere Pflichten bei den Halblingen. Also geht und erstattet der Königin Bericht. Ich werde ihn beschützen . . .«

»Und wer wird ihn vor dir schützen?« fragte Disa höhnisch.

»Er ist hier in Sicherheit. Also gehen wir, um es der Sternenkönigin zu berichten. Sie hat im Augenblick genug Sorgen«, fügte sie sanfter hinzu, »müssen wir uns gerade jetzt streiten, wo sie so sehr leidet?«

»Du hast recht«, stimmte Zeshi ihr zu, und Kamala legte die Hand an ihr Schwert.

»Wenn ich das Ungeheuer mit meinen Wachen in die Hände bekäme... zuerst würde ich ihm die Augen aus dem Kopf reißen und ihm dann seine Männlichkeit abschneiden. Wenn ich mit ihm fertig wäre, könnten sich die Krähen seine Reste teilen.«

Disa nickte grimmig. »Seine Macht ist ihm zu Kopf gestiegen. Ich vermute, es tröstet unsere Mutter auch nicht gerade, daß unser Halbbruder, der Sohn unseres Vaters, zu dieser Bestie übergelaufen ist, und sich im Tempel des Priesterkönigs aufhält. Und doch könnte man glauben, die Sternenkönigin haßt Monostatos nicht einmal.«

»Sie haßt jetzt nur einen, und das ist nicht Monostatos«, sagte Zeshi. »Vielleicht hat sie den Prinzen gerufen, damit er ihr hilft.«

»Würde sie sich an einen Fremden aus einem fernen Land um Hilfe wenden, obwohl sie so viele Verbündete unter Halblingen und Menschen hat?« fragte Kamala.

»Unter Umständen schon«, erwiderte Disa, »denn ein Prinz aus einem fernen Land ist niemandem zur Treue verpflichtet, wie wir es alle sind. Aber ich möchte euch daran erinnern, meine Schwestern, daß es nicht unsere Aufgabe ist, ihre Entscheidungen zu hinterfragen, sondern ihre Befehle auszuführen. Machen wir uns auf den Weg.«

Kamala warf noch einen wehmütigen Blick auf die reglose Gestalt des jungen Prinzen, doch sie folgte widerspruchslos ihren Schwestern, die bereits die Lichtung verließen.

Langsam kam Tamino wieder zu sich. Er hörte einen Pfiff. Mühsam richtete er sich auf. Sein Kopf schmerzte, er legte die Hand auf die Stirn und sah das schleimige, stinkende Blut an seiner Tunika.

Er erinnerte sich wieder. Er hatte mit einem Drachen gekämpft. Suchend blickte Tamino sich um; das leblose Ungeheuer lag in einiger Entfernung. Er hatte es nicht getötet. Doch er befand sich im Land der Wandlungen: Hatte sich das Untier vielleicht freundlicherweise in einen toten Drachen verwandelt, wie aus der Antilope zuerst eine Gazelle und dann ein Hörnchen geworden war? Tamino fiel auf, daß er nicht mehr dort lag, wo er zu Boden gesunken war. Jemand mußte den toten Drachen von seinem Körper gezerrt und ihn selbst unter einen Baum gelegt haben. Sein Messer lag in der Nähe; Tamino nahm es an sich und steckte es in den Gürtel. Dann blickte er sich suchend nach seinem Bogen und den Pfeilen um. Der Bogen lag dort, wo er ihn hatte fallen lassen, doch die Pfeile fand er nicht mehr. Immerhin befand er sich wieder in der Nähe von Menschen; vielleicht gelang es ihm, neue Pfeile zu beschaffen.

Aber wer hatte ihn gerettet?

Plötzlich wurde ihm bewußt, daß er nicht allein auf der Lichtung war. Das Pfeifen, das er schon einmal gehört hatte, erklang wieder, und Tamino entdeckte einen seltsam aussehenden Mann unter den Bäumen am Rand der Lichtung.

Der Mann war schlank und zierlich, und Tamino glaubte im

ersten Augenblick, er habe grüne Haare... nein, grüne Federn auf dem Kopf. Nein, das war auch nicht ganz richtig. Doch die Haare hatten eine merkwürdige Farbe. Sie waren gelblichgrün und wuchsen ihm wie Schuppen bis zu den Schultern, wodurch sie tatsächlich an Federn erinnerten. Auch seine Nase hatte etwas von einem Schnabel, zumindest auf den ersten Blick. Bei genauerem Hinsehen stellte Tamino jedoch fest, daß es eine vollkommen normale Nase war, nur etwas spitzer und gebogener als die Nasen, die er kannte. Sogar die Hände wirkten sonderbar, obwohl der Mann sie recht geschickt benutzte. Gerade hob er sie an die Lippen und blies auf kleinen, aneinandergereihten Pfeifen, mit denen er verblüffend genau einen Vogelruf nachahmte. Dann stieß er lockende Pfiffe aus; ein halbes Dutzend kleiner Vögel kam auf die Lichtung geflogen und pickte etwas auf, was er dorthin gestreut hatte. Der seltsame Mann machte mit seinen seltsamen Händen eine so blitzschnelle Bewegung, daß Tamino sie kaum wahrnahm. Im nächsten Augenblick hielt er vier flatternde und piepsende Vögel zwischen den Fingern. Er setzte sie in einen geflochtenen Vogelkäfig im Gras am Rande der Lichtung, den Tamino vorher nicht bemerkt hatte, und begann wieder zu pfeifen.

Während Tamino ihn beobachtete, begriff er, was dieses merkwürdige Wesen sein mußte: Es wirkte wie ein Mensch, der teilweise in einen Vogel verwandelt worden war, oder wie ein Vogel mit menschlichen Zügen. Er hatte einen Halbling vor sich.

Wieder ein Halbling. Aber die Halbling-Frau, die er getroffen hatte, war nicht annähernd so menschlich gewesen. Sie hatte keine Kleider getragen und nicht gesprochen. Dieser Halbling trug eine grobgewebte Tunika mit einem Besatz aus grünen und gelben Federn – Tamino kam das ebenso geschmacklos vor, als wenn er einen Gürtel aus Menschenhaut getragen hätte. Aber vielleicht empfand der Halbling das nicht so, oder er hatte nicht genug Verstand, um es zu begreifen. Vielleicht fand sein Besitzer es auch einfach lustig, einen Vogel-Menschen in Vogelfedern zu kleiden und ihn Vögel fangen zu lassen.

Der erste Halbling, die Otter-Frau, war nicht in der Lage oder nicht bereit gewesen zu sprechen. Doch sie hatte ihm mit einer Geste die Richtung gewiesen, was bedeutete, daß sie zumindest die Sprache der Menschen verstand.

Tamino erhob sich und näherte sich zögernd dem Vogel-Mann, der unbekümmert vor sich hinpfiff, um die Vögel in den Bäumen zu locken.

»Entschuldige, mein Freund...«, setzte Tamino an.

Heftig flatternd und aufgeregt piepsend flogen die Vögel davon, und der Halbling drehte sich um. Überrascht entdeckte er Tamino und sah ihn ärgerlich an.

»Sieh nur, was du getan hast. Jetzt sind sie alle davongeflogen«, schimpfte er.

»Was machst du mit ihnen?« fragte Tamino erstaunt und erfreut darüber, daß dieses seltsame Wesen sprechen konnte.

»Ich fange sie und stecke sie in Käfige, das siehst du doch. Oder bist du blind?« Er klang verärgert, und Tamino überlegte, ob er sich geirrt hatte. Vielleicht war er doch nur ein normaler Mensch und kein Halbling.

»Warum fängst du die Vögel?«

»Es ist meine Aufgabe. Dafür bekomme ich mein Essen«, erwiderte der Unbekannte. »Ich fange Vögel, und als Gegenleistung gibt man mir Kuchen, Wein und süße Früchte. Arbeitest du nichts? Was für ein Nichtstuer bist du denn?«

»Ich bin kein Nichtstuer, sondern ein Reisender«, erwiderte Tamino und ärgerte sich über sich selbst, weil er sich auf solche Belanglosigkeiten einließ. »Wer bist du ... ich meine, was bist du?«

»Ein Mann wie du, ein Mann wie jeder andere«, sagte der Vogel-Mensch verdrießlich. »Ich glaube, du mußt doch blind sein. Und was tust du hier? In dieser Gegend sollte es keine Fremden geben. Die Sternenkönigin wird zornig sein, wenn sie es erfährt.«

»Wer ist die Sternenkönigin?«

»Du bist wirklich sehr dumm«, erklärte der Vogel-Mann. »Weißt du denn überhaupt nichts? Sie herrscht über dieses wilde Land. Wie bist du eigentlich ohne ihre Erlaubnis hierhergekommen? Paß nur auf, vielleicht schickt sie dir einen Drachen auf den Hals oder etwas Ähnliches.«

»Ich glaube, genau das ist geschehen«, sagte Tamino grimmig. »Hast du ihn getötet?«

»Getötet, wen? Ich habe doch nur Spaß gemacht«, erwiderte der merkwürdige kleine Halbling und lachte. »In dieser Gegend gibt es keine Drachen.«

»Das dachte ich auch«, sagte Tamino und wies auf das tote Ungeheuer. Der Mann machte vor Entsetzen einen Satz rückwärts.

»Hilfe! Ist er tot?«

Er versteckte sich hinter Tamino und spähte ängstlich zu dem Drachen hinüber. Da dieser sich nicht regte, faßte er Mut, ging auf ihn zu und warf sich prahlerisch in Pose.

»Ha! Du glaubst doch nicht, ein Mann wie ich fürchtet sich
vor einem Drachen«, rief er, »und vor einem so kleinen Drachen schon gar nicht! Du solltest erst einmal die richtigen
Drachen sehen, die es hier gibt!«

Tamino konnte sich nur mühsam das Lachen verkneifen. Die
Gefahr war vorüber, und er sah, daß der Drachen nicht so
groß war, wie er geglaubt hatte. Trotzdem war er größer als
alles, wogegen er bisher gekämpft hatte und größer als alles,
gegen das er in seinem Leben noch jemals kämpfen wollte.
Tamino war immer noch nicht ganz sicher, daß es den Drachen tatsächlich gab, daß er nicht nur eine Illusion im Land
der Wandlungen war. Doch das tote Ungeheuer sah sehr
wirklich aus. Er hatte es nicht getötet, aber konnte mit größ-
ter Sicherheit sagen, daß dieser komische Halbling es auch
nicht besiegt hatte. Der Vogel-Mann war schlank und zierlich. Tamino hätte nicht darauf gesetzt, daß er einen Hahnen-
kampf mit einem echten Kampfhahn als Gegner gewinnen
würde.

»Du hast ihn also getötet? Mit welcher Waffe?« fragte er.

Der Vogel-Mann blickte auf den Gürtel seiner Tunika. Das
einzige dort, das entfernt einer Waffe glich, waren ein kleines
Messer, mit dem man kaum einen Federkiel hätte anspitzen
können, und eine Art Ahle, um Weiden oder Ruten zu flech-
ten – vermutlich fertigte er damit seine Vogelkäfige an. Der
Vogel-Mann griff nach dem kleinen Messer, und Tamino
konnte beinahe sehen, wie er überlegte, ob der Fremde ihm
glauben würde, wenn er behauptete, mit dem Messer gegen
den Drachen gekämpft zu haben. Aber der Vogel-Mann erklärte großspurig: »Ich brauche keine Waffe! Siehst du nicht,
welche Kraft in meinen Armen und Fäusten steckt?«

Tamino lachte lauthals über den wunderlichen kleinen Burschen. Solche Lügen aus dem Mund eines Menschen hätte er abstoßend gefunden. Aber den kleinen Kerl konnte man nicht mit menschlichen Maßstäben messen.

»Du mußt mir von allen Drachen erzählen, die du besiegt hast«, sagte er, immer noch leise lachend. »Sammelt die Sternenkönigin Drachen wie du Vögel in deinen Käfigen?«

Bei der Erwähnung der Sternenkönigin bekam der Vogel-Mann große Augen. »O nein«, erwiderte er, »sie herrscht über alle Drachen, wie sie über uns herrscht. Sie ist groß und mächtig... und ich, Papageno, ich bin ihr erwählter Kämpfer, Vogelfänger, Drachentöter und ihr weisester Ratgeber...«

»Ach wirklich?« Tamino kicherte, »dann kannst du mir vielleicht den Weg zu einem angenehmen Gasthof in der Nähe zeigen, wo ein Reisender etwas zu essen bekommen, ein Bad nehmen und vielleicht sogar einen Krug guten Wein trinken kann. Ich bin seit dreißig Tagen unterwegs, und etwas Gastfreundschaft würde mir sehr guttun.«

»In dieser Gegend gibt es keine Gasthäuser«, erwiderte Papageno arglos, »zumindest weiß ich nichts davon. Ich bin noch nicht vielen Reisenden begegnet. Aber Hunger muß schrecklich sein. Hör zu... bald werden ein paar hübsche Damen kommen, um meine Vögel abzuholen. Sie bringen mir Früchte, köstlichen Wein und einen Laib schönes weißes Brot... das tun sie immer, denn ich bin ein liebenswerter Bursche und... schließlich der erwählte Kämpfer der Sternenkönigin. Ich bekomme immer mehr, als ich essen kann, und ich will gerne alles mit dir teilen.«

»Du bist sehr freundlich«, sagte Tamino aufrichtig gerührt.

Der kleine Kerl mochte komisch und albern sein, doch er hatte ein gutes Herz.

Vom Rand der Lichtung ertönte ein leiser Ruf.

»Papageno!«

Der Vogel-Halbling begann zu zittern und versuchte, sich wieder hinter Tamino zu verstecken. Noch einmal rief eine Frauenstimme leise und nachdrücklich:

»Papageno, du übler Bursche!«

»Sind das die hübschen Damen, von denen du mir erzählt hast?«

Der Vogel-Mann nickte kläglich, als er zum dritten Mal gerufen wurde.

»Papageno!«

Tamino blickte sich suchend nach den Rufenden um und sah drei Frauen auf die Lichtung kommen.

»Wer sind diese Damen?« fragte er.

»Es sind die Damen vom Hof der Sternenkönigin«, erwiderte Papageno und stellte sich schutzsuchend hinter Tamino. Der Prinz blickte ihnen entgegen.

Sie waren alle drei groß und eindrucksvoll; sie hatten dunkle Haare und dunkle Augen, scharfgeschnittene Züge und eine hohe Stirn. Tamino war auf seiner langen Reise keiner Frau begegnet und betrachtete sie aufmerksam. Eine war wie eine Kriegerin gekleidet – in Waffenrock und Brustpanzer aus schwarzem Leder und hohen Stiefeln an den wohlgeformten Beinen. Die beiden anderen trugen fahle Gewänder und eine Art Kopfschmuck mit einem Halbmond. Tamino hatte die unbestimmte Ahnung, ihnen schon einmal begegnet zu sein; doch mit Bewußtsein hatte er solche Frauen noch nie gesehen. Sie glichen ganz und gar nicht den zarten, blonden, hellhäutigen Frauen seiner Heimat, die weiche, seidene Gewänder trugen und nicht im Traum daran gedacht hätten, eine Waffe in die Hand zu nehmen.

Tamino wollte ihnen entgegengehen und sie ansprechen, doch ihre ganze Aufmerksamkeit richtete sich auf Papageno.

»Papageno«, sagte die eine sanft, aber drohend, »heute bringe ich dir von der Königin anstelle von Weißbrot und Früchten einen Korb voll Spreu und leerer Hülsen.« Sie hob den Korb hoch und schüttete ihn fröhlich lachend über seinem Kopf aus. Tamino sah es verwirrt; die junge Frau wirkte viel zu freundlich und liebenswürdig für solche derben Späße. Papageno wischte sich unbehaglich die Spreu von Kopf und Gewand.

»Herrin Zeshi, was habe ich getan? Seht meine schönen Vögel . . . sie haben wunderbare Farben, und es fehlt keine einzige Schwanzfeder«, stammelte er.

»Und ich bringe dir von Ihrer Königlichen Hoheit keinen perlenden Wein, sondern einen Krug trübes Wasser aus dem Schweinetrog.« Dies sagte die Kriegerin mit dem Schwert, und während sie sprach, schüttete sie Papageno das Wasser über den Kopf. Triefend vor Nässe schüttelte er die fedrigen Haare und murmelte jämmerlich: »Herrin Kamala, ich bitte Euch . . .«

Entsetzt brachte sich Tamino außer Reichweite. Die Dritte, die Größte und Eindrucksvollste, sagte streng: »Und für deinen Mund, der einen arglosen Reisenden prahlerisch belügt, bringe ich dir ein Schloß, damit du deine lose Zunge in Zukunft im Zaum hältst.«

»O Herrin Disa . . .«, jammerte Papageno, doch die beiden

61

kleineren Frauen ergriffen ihn und legten ihm schnell eine Art Maulkorb um.

Papageno schüttelte den Kopf und versuchte, etwas zu sagen, brachte jedoch immer nur »Umm, ummm, ummm« hervor. Tamino sah es bekümmert und betrübt. Die drei Frauen lachten und trieben mit dem Halbling ihr Spiel. Er begriff, daß sie nicht eigentlich grausam sein wollten, aber warum behandelten sie dann den armen Burschen so hart?

Papageno kauerte am Boden, und sie ließen endlich von ihm ab. Die größte der Frauen näherte sich Tamino.

»Prinz aus dem Reich im Westen«, redete sie ihn an, und Tamino fragte sich, woher sie ihn kannte, »das Glück ist Euch hold. Unsere große Königin kennt Euren Namen und den Grund Eurer Reise. Sie bittet Euch als ihren geehrten Gast zu sich in den Palast.«

Tamino zögerte nur kurz. Man hatte ihm befohlen, den Tempel der Weisheit zu suchen und dort darum zu bitten, die Prüfungen ablegen zu dürfen. Aber man hatte ihm nicht verboten, sich auf Abenteuer einzulassen, die ihm unterwegs begegneten. Die Königin besaß offensichtlich in diesem Land große Bedeutung, und sie konnte ihm vermutlich den richtigen Weg weisen. Er mußte sich den Gefahren und Schwierigkeiten auf der Reise stellen, warum sollte er also nicht auch einer solchen freundlichen Einladung folgen?

»Mit dem größten Vergnügen«, erwiderte er.

»Papageno, du kommst mit«, sagte die Kriegerin, »du sollst dem Prinzen dienen. Du hast zu lange unter den Vögeln gelebt, wenn du glaubst, das hätte dich in die Lage versetzt, Drachen zu töten.« Sie schob Papageno halb freundlich, halb streng vor sich her. Der Vogel-Mann konnte nicht antworten, verzog nur hilflos das Gesicht und brummte etwas. Tamino folgte ihnen, und als sie die Lichtung verließen, erblickte er in der Ferne dunkle Türme, die sich über eine hohe, große Mauer erhoben.

»Dort liegt der Palast der Sternenkönigin, der Herrin der Nacht«, erklärte Kamala, die Kriegerin.

»Und bei Einbruch der Dunkelheit wird die Königin der Nacht Euch als ihren Gast willkommen heißen.«

Fünftes Kapitel

Die mächtige Mauer umgab eine Stadt; eine Stadt mit breiten Straßen und Plätzen. Überall herrschte ein buntes Treiben von Männern und Frauen, männlichen und weiblichen Halblingen. Tamino sah sie auch in den engen Gassen und vor den Häusern, und dabei fielen ihm bei den Menschen zwei unterschiedliche Typen auf: große, dunkle, herrische wie die Damen der Sternenkönigin, und hellhäutige, mit blonden oder rötlichen Haaren, die dem Volk aus dem Reich im Westen ähnelten. Dazwischen mischten sich unzählige Halblinge aller Arten; viele wirkten schmutzig und verkommen, ausgehungert und verwahrlost.

Es gab auch andere, die offensichtlich wie Papageno als Diener in den Häusern der Reichen lebten. Sie waren gutgenährt und gepflegt; doch meist trugen die Halblinge Halsbänder und Ketten oder Phantasiekostüme als eine Art Livree. So herausgeputzt, wirkten fast alle lächerlich. *Wenn man sie entweder als Tiere oder als Menschen behandeln würde*, dachte Tamino, *könnten sie vielleicht schön aussehen und besäßen ihre eigene Würde.* Doch es schien entweder nur herausgeputzte puppenhafte Wesen zu geben, die aufwendigem Spielzeug ähnelten, Sklaven mit dem Nachteil, daß sie nur halbe Menschen waren, oder schmutzige verwahrloste Tiere. *Tiere*, dachte Tamino, *würde man besser behandeln.*

65

Im Palast deutete nichts auf Elend oder Vernachlässigung hin. Allerdings begegnete ihm einmal eine mitleiderregende Kreatur, halb Stier, halb Mensch, mit unglaublich breiten Schultern, einem mächtigen Brustkorb und muskulösen Armen. Dichtes, grobes Haar wuchs ihm bis tief in die niedrige Stirn, auf der sich zwei Wülste abzeichneten, als wollten ihm Hörner sprießen. Der Halbling wirkte unglücklich und stumpfsinnig, in seinem Gesicht lag nichts von der Lebendigkeit, die Tamino bei Papageno gesehen hatte.

Der Stier-Mensch trug einen derben Lederschurz, den Tamino als ebenso geschmacklos empfand wie die Federn auf Papagenos Tunika, hatte plumpe Hände mit dicken, schwieligen Fingern und zog einen schweren Besen durch die Flure. Dabei stapfte er auf hornigen breiten Füßen vorwärts, die an Hufe erinnerten. Der massige, behaarte Körper war durchaus menschenähnlich, bis auf die riesigen Genitalien, die sich deutlich unter dem Lederschurz abzeichneten. An Hand- und Fußgelenken trug er schwere Fesseln, und Tamino fragte sich, was der Stier-Mann sich hatte zuschulden kommen lassen. Hatte er Mißfallen erregt, wie Papageno bei den Damen der Königin?

Seine Begleiterinnen führten Tamino in einen der Gäste-flügel.

»Fühlt Euch wie zu Hause. Wenn Ihr etwas wünscht, wird Papageno dafür sorgen, daß man es Euch bringt«, sagte Disa. »Papageno, sei dem Prinzen ein guter Diener. Dann wird die Königin vielleicht so gnädig sein, dich zu befreien.«

Papageno verbeugte sich demütig bis zur Erde und brachte einige undeutliche Laute hervor, denn etwas anderes war ihm nicht möglich.

Die drei Damen verließen Tamino, und er sah sich in den Räumen um. Er entdeckte ein prächtiges Bad, und ihm fiel ein, daß er seit vielen Tagen unterwegs gewesen war und sich nach dem langen Aufenthalt in der Wüste nur notdürftig in einem Teich gesäubert hatte.

»Ich möchte baden«, erklärte Tamino und bemerkte plötzlich, daß der unglückselige Papageno in der Nähe auf dem Boden hockte und unverständliche Laute von sich gab.

»Du tust mir wirklich leid, armer Papageno. Ich finde, sie haben dich zu hart behandelt«, sagte er. »Dreh dich um, ich will versuchen, dich von diesem Ding zu befreien.«

Papageno wich zurück. Offensichtlich war ihm der Gedanke, das Mißfallen der Damen zu erregen, noch unangenehmer als der schmerzende Maulkorb. Papageno schob Tamino in das Bad und bedeutete ihm durch Gesten, er solle sich entkleiden. Kurze Zeit später kamen ein paar behaarte Halblinge herein (die Tamino an die Otter-Frau im Wald erinnerten), füllten unter lustigem Planschen die Wanne und halfen Tamino hinein. Das Wasser war angenehm, aber nicht so heiß, daß er müde geworden wäre. Voll Wohlbehagen wusch sich Tamino den Staub der Reise vom Leib, und die Otter-Wesen halfen ihm dabei. Sie umspielten ihn im Wasser und gaben ihm zu verstehen, daß es ihr größtes Vergnügen sei, wenn er sie als Schwämme und Bürsten benutzte.

Schließlich brachten sie auch große, trockene und flauschige Tücher, nachdem er widerstrebend aus dem Wasser gestiegen war und ihnen bedeutet hatte, sie seien zwar ausgezeichnete Schwämme und Bürsten, aber zum Trocknen nicht zu gebrauchen. Das ganze Badezimmer schwamm in seifigem Wasser und Schaum, und Tamino konnte sich beim besten

Willen keine angenehmeren Badegenossen vorstellen als ein paar freundliche Otter-Halblinge. Ihr offensichtlich sinnliches Vergnügen an der ganzen Prozedur machte ihn beinahe verlegen, aber sie genossen es so unschuldig wie große, verspielte Hunde. Tamino sagte sich, wenn die Halbling-Frauen für den Dienst in den Bädern bestimmt waren, gab es keinen Grund für sie, die Arbeit nicht mit Freude und Vergnügen zu verrichten.

Schließlich war das Bad beendet. Tamino kehrte in das große Gemach zurück und stellte fest, daß seine staubige und zerschlissene Reisekleidung verschwunden war. Statt dessen fand er eine Tunika und eine Hose aus feingesponnener dunkelroter Seide und einen schweren mit Kupferblättchen besetzten Gürtel. Außerdem entdeckte er Unterwäsche und Strümpfe aus weicher Baumwolle.
Seine Stiefel hatte man geputzt und auf Hochglanz poliert. Ein Mantel mit einer Silberschnalle vervollständigte die Ausstattung. Der Stoff schimmerte so grau wie die silberne Kette. Tamino fühlte sich wieder als Prinz.
Papageno bewunderte ihn stumm und staunend. Dann gab er ein paar Halblingen ein Zeichen – plumpe, in Leder gekleidete Geschöpfe wie der gefesselte Mann, der die Flure gefegt hatte. Sie verschwanden und kamen mit silbernen Tabletts wieder, die mit allen möglichen köstlichen Speisen und Getränken beladen waren. Es gab auch einen ordentlichen Krug Wein, und Papageno stieß jämmerliche piepsende Klagelaute aus, während er Tamino die Leckerbissen vorlegte und ihm vom perlenden, blaßgelben Wein eingoß. Er war schwer und berauschend, und in ihm lag die Süße vieler Früchte. Nach

dem zweiten Glas dachte Tamino: *Das Glück hat sich mir wieder zugeneigt.*

Tamino lagerte bequem auf einem seidenbespannten Diwan mit unzähligen Kissen, kostete das feine Brot, das weicher und weißer war, als er es von seiner Heimat kannte, aß mit großem Appetit von den Platten mit gebratenem Fleisch und den Honigkuchen, und als er das Mahl beendet hatte, brachten die Diener seinen Bogen zurück. Man hatte ihn wie die Stiefel hergerichtet, mit einer neuen Sehne versehen, gesäubert und poliert. Außerdem gab es einen Köcher mit schön gearbeiteten Pfeilen.

Es ließ sich manches gegen die Art einwenden, in der die Untergebenen der Sternenkönigin die Halblinge behandelten – und das konnte man ihr wohl kaum zur Last legen –, aber in ihrem Palast mangelte es nicht an Pracht und Gastfreundlichkeit.

Plötzlich schien sich ein heftiger, rauschender Wind zu erheben. Die Türen flogen auf, und die Stier-Halblinge, die gerade die Reste der Mahlzeit abräumten, stießen klägliche, muhende Laute aus und eilten so rasch davon, daß der Boden unter ihren Hufen dröhnte. Die Fenster öffneten sich weit und gaben den Blick auf die Nacht und die Sterne über den Terrassen frei.

Dann standen die drei Damen wieder im Raum.

Auch sie hatten sich umgekleidet und trugen dunkle Gewänder, die glitzerten, als seien sie in Mondstrahlen und Sternenstaub getaucht. Schimmernde Halbmonde krönten ihre Stirn. Tamino dachte: *Ihre Augen glänzen im schwachen Kerzenlicht wie die ersten Sterne am Abendhimmel, die gerade draußen über den Terrassen aufgehen.*

69

Kamala flüsterte – Tamino kannte ihre Stimme inzwischen: »Sie kommt, unsere Herrin der Dunkelheit und Königin aller Sterne!«

»Sie kommt! Erweist ihr Eure Ehrerbietung!« befahl Disa gebieterisch. Das Rauschen des Windes vor den Türen schwoll beinahe zum Sturm an. Die Fenster klapperten, die Vorhänge flatterten und raschelten wie aufgeschreckte Vögel.

Plötzlich herrschte tiefe Stille. Die letzte Lampe verlosch, und Dunkelheit breitete sich aus. Tamino hörte ein leises Geräusch: Papageno klapperte mit den Zähnen, stöhnte und piepste kläglich.

Ein schwaches Leuchten erhellte den dunklen Raum wie der aufgehende Mond. Unvermittelt stand die Königin der Nacht mit einem Donnerschlag vor ihm. Ihre Schultern umfloß ein Mantel, der von Millionen und Abermillionen Sternen schimmerte und glänzte, und der Mond krönte ihr Haupt.

Tamino sank, geblendet von ihrer Schönheit und Majestät, ehrfürchtig auf die Knie. Der Glanz verblaßte. Plötzlich brannten auf unerklärliche Weise die Kerzen wieder, und die ehrfurchtgebietende Gestalt der Sternenkönigin schien sich verändert zu haben. Jetzt kam sie dem von tiefer Scheu ergriffenen jungen Mann nur noch wie eine zerbrechliche, alternde, zierliche Frau vor, deren kummervolles und trauriges Gesicht noch die große Schönheit ihrer Jugend verriet. Sie näherte sich ihm schwebend und lautlos wie eine Wolke; und wie eine Wolke wirkte auch der nebelhafte Schleier, der auf ihren Schultern lag.

Sie sprach, und ihre Stimme klang so sanft wie der Nachtwind in den Zweigen der Bäume. »Fürchtet Euch nicht vor mir, mein Sohn. Ich weiß, Ihr seid stark und edel. Ihr seid den Gefahren der Reise mutig begegnet.«

Tamino öffnete den Mund, brachte aber kein Wort hervor. Er fragte sich, ob diese zarte kleine Frau wirklicher war als die überwältigende Erscheinung der Göttin der Nacht. Welches war ihre wahre Gestalt...? Oder war sie in Wirklichkeit weder das eine noch das andere?

Die Königin sprach weiter, und ihre Stimme drang wie ein leises, trauriges Murmeln an sein Ohr: »Vor Euch steht die unglücklichste aller Frauen. Meine Tochter, das Kind meines Alters und der Trost meiner einsamen Witwenschaft, wurde mir von einem bösen Feind mit dem Namen Sarastro geraubt, und ich zitterte um ihr Leben. Ihr seid klug und stark. Und über einen aufrechten jungen Mann, wie Ihr es seid, einen Fremden in diesem Land, hat Sarastro keine Macht... Ich kann niemanden aus meinem Volk um Hilfe bitten, denn er hat allen seinen schändlichen Willen aufgezwungen.«

Finger, die so zart und weich wie Nebel waren, drückten Tamino etwas Hartes in die Hand. »Hier«, sie flüsterte wie der Abendwind in den Palmen einer Oase, »seht Ihr das Bild meiner Tochter. Gefällt es Euch? Euer Mut und Eure Stärke und Euer hoher Rang als Sohn des Kaisers machen Euch ihr ebenbürtig und ihrer würdig. Wenn Ihr sie befreit, sollt Ihr auch belohnt werden. Sie ist nicht verheiratet und nicht versprochen. Ihre Mitgift...« die Sternenkönigin schwieg einen Augenblick, »ist das Reich der Nacht. Seid mutig! Bringt mir meine Tochter wieder... und Ihr werdet höher steigen, als Ihr Euch das je habt träumen lassen.«

Tamino entdeckte in seinen Händen einen kleinen, harten,

71

flachen Gegenstand, der wie ein Spiegel wirkte, aus dem ihm das liebliche, tränenüberströmte Gesicht eines wunderhübschen jungen Mädchens entgegenblickte.

Es konnte nicht älter als fünfzehn Jahre sein, hatte feine, zarte Züge, und Tamino konnte nicht die geringste Ähnlichkeit mit der Sternenkönigin oder mit der ehrfurchtgebietenden Göttin entdecken – wenn das keine Illusion gewesen war – auch nicht mit der dunklen, alternden Frau, die, in ihre Schleier gehüllt, vor ihm stand. Das Mädchen auf dem Bild – oder sah er es in einer Art magischem Spiegel? – hatte helle Haut; lange blonde Wimpern umrahmten seine großen Augen, und die Brauen waren so blaß, daß man sie beinahe nicht sah. In den veilchenblauen Augen standen Tränen; Tränen rannen über die zarten, weißen Wangen und näßten die langen Wimpern. Es trug ein schlichtes Gewand aus weißer Seide, aber man konnte die Rundungen der kindlichen Brüste erkennen.

»Das Mädchen ist wunderschön«, flüsterte Tamino, »wie heißt es?«

»Pamina«, flüsterte es im Gemach, doch er hörte es kaum. Seine Augen ruhten wie gebannt auf dem bezaubernden, lebendigen Gesicht.

Ein Donnerschlag ertönte, ein Blitz zuckte durch den Raum, und Tamino war allein. Seine schweißnassen Hände umklammerten einen Spiegel, aus dem ihm das hübsche Gesicht eines Mädchens geheimnisvoll und wundersam entgegenblickte.

Papageno kauerte noch immer wimmernd in der Ecke. Die magische Dunkelheit war gewichen. Tamino bemerkte, daß draußen die Sonne unterging. Nacht und Dunkelheit waren eine Illusion gewesen – das Werk der Sternenkönigin.

Tamino blieb reglos stehen und überlegte, ob er einen seltsamen Traum träumte, doch das Gesicht des Mädchens im Spiegel war wirklich genug, wenn auch auf rätselhafte Weise.

War es auch nur ein Teil dieser Magie? Zuerst war die Königin ehrfurchtgebietend und erschreckend gewesen und hatte dann ihr wahres Selbst, die trauernde Mutter enthüllt. Tamino dachte an seine Mutter. Bei ihrem Tod war er noch sehr jung gewesen und konnte sich kaum an ihr Gesicht erinnern. Doch glaubte er, sie müßte wie die Königin ausgesehen haben. Er beschloß, dieser Frau zu helfen, selbst wenn die Tochter nicht so schön wäre, und die Königin ihm nicht die Hand und das Erbe ihrer Tochter versprochen hätte.

Tamino blickte in den Zauberspiegel und betrachtete noch einmal das hübsche Gesicht des Mädchens. Jetzt weinte es nicht mehr. Die junge Frau wirkte ängstlich und zornig; ein Schatten schien hinter ihr zu stehen. Sah er den Schatten des bösen Zauberers, ihres Entführers?

Sarastro war sein Name. Es mußte ein verruchter Mann sein, wenn er in böser Absicht der Mutter die Tochter entriß. Was mochte er mit dem Mädchen vorhaben? Welch eine törichte Frage, dachte Tamino. Was konnte dieser verderbte Priester anderes planen, als das Mädchen zu einer seiner verblendeten Anhängerinnen zu machen?! Vielleicht hatte er es auch auf ihren Körper abgesehen, weil sie so jung und schön war.

Papageno zirpte noch immer mitleiderregend, als die drei Damen der Sternenkönigin wieder ins Zimmer traten.

»Papageno«, sagte Disa, und der Vogel-Mensch sank in sich zusammen. Tamino konnte beinahe hören, wie er überlegte, welchen grausamen Spaß sie nun mit ihm treiben würden. Aber Disa bedeutete Papageno mit einer Geste näherzukommen. Der Vogel-Mann folgte der Aufforderung langsam und zögernd. Er fürchtete offensichtlich mehr die möglichen Folgen des Ungehorsams als die Absichten der drei Damen.

»Ihre Hoheit, die Königin der Nacht, hat dir vergeben«, erklärte Disa, hielt ihn fest und nahm ihm mit einer schnellen Bewegung den Maulkorb ab. »Hüte dich in Zukunft davor zu lügen und zu prahlen!«

Papageno sprang und tanzte vor Freude, lief dann zur Tafel, wo immer noch die Schüsseln und Platten mit den Resten von Taminos üppigem Mahl standen, nahm sich eine Handvoll Früchte und Kuchen und blickte dann ängstlich auf Tamino.

Tamino winkte ihm aufmunternd zu, und Papageno stopfte sich die Leckerbissen in den Mund. Die Damen beachteten ihn nicht weiter.

»Prinz Tamino, habt Ihr Euch entschlossen, den Auftrag der Königin zu übernehmen?« fragte Disa.

Sie sprach mit beinah ritueller Feierlichkeit. Tamino antwortete ebenso.

»Ja, das habe ich.«

»Dann nehmt das.« Mit diesen Worten reichte sie ihm ein langes Lederfutteral. *Der Form nach*, dachte Tamino, *ist es vermutlich ein Schwert.* Und er war dankbar dafür. Schließlich war er auf einer großen Reise und führte keine Waffen mit. Eifrig löste er die Umhüllung.

Aber es war keine Waffe. Es war . . . ein langes ausgehöhltes

Rohr, mit merkwürdigen Symbolen bemalt und glänzend poliert. Über die ganze Länge zogen sich Löcher, die etwas kleiner waren als seine Fingerspitzen. Tamino überlegte, ob ihm die Verwirrung über dieses seltsame Geschenk im Gesicht geschrieben stand.

»Seid nicht enttäuscht«, sagte Kamala, »ich, eine Kriegerin, sage Euch, daß ich mich seit langem nach dieser Waffe sehne. Ich würde mein Schwert, meinen Speer und meinen Bogen dafür geben. Wofür haltet Ihr es?«

»Es sieht wie ein Instrument aus, auf dem die Musikanten meines Vaters spielen.« Tamino überlegte, ob ihr Angebot ernst gemeint war. Sollte er sie beim Wort nehmen? Würde er damit die Königin beleidigen? »Ich muß gestehen, edle Dame, daß ich nur wenig von Musik verstehe und noch weniger eine Flöte spielen kann. Ich bin zum Jäger und Krieger erzogen worden, nicht zum Sänger oder Musikanten.«

»Diese Flöte werdet Ihr spielen können«, beruhigte ihn Disa, »denn sie besitzt Zauberkräfte. In Sarastros Reich wird sie Euch mehr nützen als alle anderen Waffen zusammen, denn sie hat Macht über seine verblendeten Sklaven. Und Ihr müßt wissen, er hat das Volk im ganzen Land mit seinem Wahn in Bann geschlagen. Ihr werdet vielleicht sogar feststellen, daß er auch der Prinzessin seinen Willen aufgezwungen hat. Sie ist sehr jung und glaubt möglicherweise an Sarastros angeblich edle Absichten. Vielleicht hat sie gar nicht den Wunsch, sein Reich zu verlassen.«

»Ich werde dafür sorgen, daß sie die Wahrheit erfährt«, versprach Tamino.

»Papageno«, rief Zeshi scharf, »wohin willst du?«

Tamino drehte sich um und bemerkte, daß der Vogel-Mensch

versuchte, sich unbemerkt aus dem Gemach zu schleichen. Er hielt in beiden Händen Kuchen und kandierte Früchte.

Papageno murmelte: »Zurück in meine kleine Hütte im Wald, edle Damen. Hier ist es zu vornehm für mich. Bitte entschuldigt Eueren ergebenen Diener. Ich wünsche Euch allen eine gute Nacht. Meinen ergebensten Dank an Eure Herrin, die Königin. Meine Empfehlungen an die Prinzessin Pamina, an den Prinzen und an Euch alle, edle Damen. Schlaft gut und angenehme Träume. Gute Nacht, gute Nacht.« Er blies leise in seine Lockpfeife, drehte sich um und ging zur Tür.

»Komm zurück«, befahl Disa, »ich habe dir noch nicht gesagt, daß du nach dem Willen Ihrer Hoheit den Prinzen Tamino begleiten und zu Sarastro führen wirst. Sei ihm ein guter Diener.«

»Oh, nein, edle Damen, oh, nein!« Papageno starrte sie entsetzt an. »Oh, nein, ich bin Euer bescheidener Diener. Aber eine solche Ehre kann ich wirklich nicht annehmen! Sarastro wird mich in Stücke reißen und seinen Raubvögeln zum Fraß vorwerfen! Der Prinz verdient einen... einen bessern und mutigeren Diener, als ich es bin. Ich bin doch nur ein Lügner und Aufschneider, das habt Ihr selbst gesagt, Herrin Disa. Ich bin unwürdig! Weshalb begleitet ihn nicht eine Eurer Wächterinnen, um ihn zu führen?«

»Weil Sarastro meine Wachen sofort erkennen würde«, erwiderte Kamala, »dich hat er noch nie gesehen. Und deshalb bist du in seinem Reich sicher. Fürchte dich nicht, Tamino wird dich beschützen. Wenn ich erfahren sollte, daß du ihm nicht treu gedient hast, wirst du mir Rechenschaft ablegen müssen.«

Papagenos Blick wanderte zwischen Tamino und Disa hin

und her. Er konnte sich nicht entscheiden – Tamino hörte fast seine eigenen Gedanken – ob der Vogel-Mann mehr den unbekannten Sarastro oder die Damen fürchtete und das, was sie ihm antun würden, wenn er ihnen nicht gehorchte. Tamino bedauerte ihn, war aber auch nicht böse darüber, daß er auf seinem Weg einen Begleiter haben sollte, und legte dem Halbling den Arm um die Schulter.

»Nur Mut, Papageno, mein Freund«, sagte er, »ich werde dich beschützen. Du kennst diesen Teil der Welt besser als ich. Wir werden uns gegenseitig beschützen.«

»Glaubt Ihr, wir würden den mutigen Streiter unbewaffnet ziehen lassen?« sagte Zeshi freundlich. »Ihre Hoheit hat auch für dich ein Geschenk, Papageno.« Sie überreichte ihm etwas Eingewickeltes. Der Vogel-Mensch packte es neugierig aus. Zum Vorschein kam ein kleines Glockenspiel. Papageno wollte die Schnur lösen, die verhinderte, daß die Glöckchen unbeabsichtigt läuteten, doch Disa hinderte ihn mit einer Geste daran.

»Nicht jetzt, sondern erst, wenn es die Not verlangt«, erklärte sie. »Es ist eine wunderbare Waffe. Sie hat Macht über viele aus Sarastros Volk. Binde es an deinen Gürtel und benutze es nur, wenn Gefahr droht, Papageno. Und jetzt ist Zeit zum Aufbruch.«

»Jetzt? In der Dunkelheit?« fragte Papageno kläglich, und Tamino überlegte, ob der Halbling wie die Vögel nachts auf den Zweigen saß. Allerdings hätte er selbst auch lieber in einem ordentlichen Bett geschlafen.

»Ich kenne den Weg in Sarastros Reich nicht«, sagte Tamino. Aber noch während er sprach, schienen sich die Mauern des Palasts in Luft aufzulösen, und er stand auf einem dunklen

Weg am Rand eines Waldes. Tamino fragte sich, ob alles nur ein seltsamer Traum gewesen war. Doch nein, neben ihm stand Papageno, der zitterte und bebte, obwohl es nicht kalt war, dann bemerkte Tamino, daß er die Zauberflöte immer noch in der Hand hielt.

»Und was sollen wir jetzt tun, mein Freund Papageno?« fragte Tamino.

Der Halbling pfiff auf seiner Lockpfeife und antwortete: »Ich hätte daran denken sollen, ein paar Kuchen und etwas von dem guten Wein mitzunehmen. Aber ich ahnte nicht, daß wir uns so schnell wieder auf den Weg machen würden. Was wir tun sollen? Die Damen haben Euch doch eine Art Zauberwaffe mitgegeben, nicht wahr? Versucht doch, darauf zu spielen, und wir werden sehen, was geschieht. Wenn sie hilft, ist es gut. Wenn nicht, bringt uns die Melodie wenigstens auf andere Gedanken.«

»Eine gute Idee.« Tamino konnte sich nicht vorstellen, was die Flöte nutzen sollte. Andererseits verstand er nichts von Magie. Er überlegte, ob die Begegnung vielleicht die erste der unbekannten Prüfungen war, deretwillen er die weite Reise gemacht hatte. Wenn man in das Zauberreich kam – und dort schien er sich zu befinden –, mußte man bereit sein, dem Unbekannten zu begegnen ... das hatte er immer gehört.

Tamino nahm die Flöte aus ihrer Hülle und setzte sie vorsichtig an die Lippen. Er blies sanft hinein und erwartete, einen Mißton zu hören, aber statt dessen erklang eine sanfte, einschmeichelnde und überraschend schöne Melodie. Freudig überrascht spielte er (oder die Flöte?) weiter.

Plötzlich lag ein schwacher goldener Glanz in der Luft. Tamino blinzelte. Der Weg in der Dunkelheit vor ihm leuchtete, als schwebten dort Glühwürmchen, und dann standen drei Wesen vor ihm.

Er konnte nicht sagen, ob es Knaben oder Mädchen waren. Sie wirkten zu menschlich, um Halblinge zu sein. Sie waren zart und hatten goldene Haare – oder umgab sie nur ein goldener Glanz? »Wer seid ihr?« fragte Tamino verblüfft.

»Wir sind die Boten der Wahrheit«, antwortete eines der Wesen – oder sprachen alle drei gleichzeitig? Die Worte klangen sanft und harmonisch, fast wie die Musik der Flöte an seinen Lippen. »Was wollt Ihr von uns?«

»Nun, wenn es Euch nichts ausmacht«, antwortete Papageno, »hätte ich gerne etwas von dem Abendessen im Palast der Königin, das ich nicht beenden konnte.«

»Papageno«, mahnte Tamino freundlich. Doch einer der Boten (oder Botinnen) hob die Hand und machte eine kleine Geste. Es sah beinahe, aber nur beinahe aus, als schnalzte das Wesen mit fast unsichtbaren Fingern. Und eine sanfte singende Stimme sagte: »Jedem wird gegeben, was er im Augenblick braucht.« In Papagenos Hand erschienen ein goldener Becher und ein Teller, auf dem sich Kuchen türmte. »Stille deinen Hunger, mein kleiner Freund. Weisheit wohnt vielleicht nicht in einem vollen Magen, aber in einem leeren war sie auch noch nie zu finden. Und Ihr, Prinz Tamino, was ist Euer Begehr?«

Tamino beobachtete Papageno, der gierig den Kuchen verschlang, und dachte an die Palme mit den vielen Datteln, die im Land der Wandlungen aus dem Nichts aufgetaucht war.

»Im Augenblick brauche ich nichts dringender als einen Führer, der mich in das Land bringt, in dem ein böser Zauberer mit dem Namen Sarastro herrscht.«

»Wer hat Euch von Sarastro erzählt? Und weshalb nennt Ihr ihn einen bösen Zauberer?« fragte der Bote – oder sprachen alle drei gleichzeitig?

»Eine Frau, der grausames Unrecht geschehen ist, hat mir ihr Leid geklagt«, antwortete Tamino.

Papageno flüsterte: »Tamino, das sind gute Leute, soweit ich das nach dem Essen und dem Wein beurteilen kann. Woher sollen sie den Weg in das Haus eines bösen Zauberers kennen? Ist es keine Beleidigung, sie auch nur danach zu fragen?«

»Wenn sie es ablehnen«, antwortete Tamino vernünftig, »können sie es mir ruhig sagen. Wenn Sarastros Macht sich über alles Volk in dieser Gegend erstreckt, wie die Sternenkönigin uns gesagt hat, werden sie es sicher wissen.« Er sah die Boten zögernd an.

»Könnt Ihr uns zu Sarastro führen?«

»Gewiß, und das wollen wir tun«, erwiderte der Bote – oder antworteten alle drei gleichzeitig? Wie sehr Tamino sich auch mühte, er konnte weder sehen, wie sie die Lippen bewegten, noch erraten, wer von ihnen sprach. »Wenn ihr uns folgt, werdet ihr zu Sarastro kommen und der Wahrheit begegnen, der wir dienen. Hast du dein Mahl beendet, kleiner Freund?« Der Bote griff nach dem leeren Becher, warf ihn in die Luft, und er löste sich in goldenes Glühen auf.

Papageno fragte: »Wie hast du das gemacht?«

»Überlege dir gut, was du fragst«, erwiderte der Bote, »denn eine Frage zu stellen, bedeutet für dich, die Antwort suchen zu müssen . . . sogar mehr als die Antwort, nämlich die Wahrheit, die hinter der Antwort liegt. Bist du sicher, daß du es wissen möchtest?«

Papageno sah ihn nur verwirrt an. Aber der Bote wartete offensichtlich auf seine Antwort. Schließlich sagte Papageno: »Ich weiß nicht so recht. Ich bin nicht sehr gut im Rätselraten.«

»Eine ehrliche Antwort«, sagte der Bote. Tamino glaubte diesmal fast mit Sicherheit sagen zu können, daß der Bote, der ganz rechts stand, geantwortet hatte. »Seid Ihr auch so aufrichtig, Prinz Tamino?«

Tamino blickte auf die drei leuchtenden Gestalten und sagte schließlich: »Ich weiß nicht, aber ich will es versuchen.«

»Sehr gut«, erwiderte der Bote. Inzwischen sah er aus wie ein blutjunges Mädchen. Die Gestalten und Gesichter schienen sich immer wieder zu verändern und zu verwandeln. »Das ist eine gute Antwort für den Anfang. Also folgt uns.«

Sie wandten sich um, und Tamino folgte den leuchtenden Gestalten auf einem Pfad . . . Er hätte schwören können, daß dieser Pfad vorher noch nicht dagewesen war.

»Komm, Papageno«, sagte er, »habe keine Angst. Ich glaube nicht, daß sie etwas Böses im Sinn haben. Ich vermute, wenn sie Boten der Wahrheit sind, haben sie die Wahrheit gesagt, als sie versprachen, uns zu Sarastro zu führen.«

»Es ist so dunkel«, erwiderte Papageno zitternd.

»In der Dunkelheit gibt es nichts, was nicht auch bei Tag vorhanden wäre«, versuchte Tamino ihn zu beruhigen und erinnerte sich daran, daß ihm das seine Amme erzählt hatte, als er noch sehr klein war und nachts nach einem Licht verlangte. Offengestanden fühlte er sich keineswegs mutiger als Papageno. Doch das Schicksal hatte den arglosen Vogel-Mann unter seine Obhut gestellt, und er mußte Papageno mit gutem Beispiel vorangehen.

Tamino versuchte, zuversichtlicher zu wirken, als er war, und pfiff leise vor sich hin. Nebeneinander folgten sie den leuchtenden Gestalten der Boten auf dem dunklen Pfad zwischen den Bäumen.

Sechstes Kapitel

Er war da und beobachtete sie wieder.

Beunruhigt zog Pamina das Laken um sich. Sie hatte Monostatos nie richtig gemocht, selbst da nicht, als er noch ein treuer Diener ihrer Mutter war und sie ihn nur flüchtig kannte. Er flößte ihr Angst ein, und das lag nicht nur an seinem eigenartigen Aussehen – Monostatos glich den Schlangen-Menschen. Jedesmal, wenn er ihr begegnete, schienen seine farblosen Augen an ihr zu kleben, und Pamina fragte sich immer wieder, wodurch sie ihn ermutigte, sie so anzu-starren.

Und hier, in diesem fremden Haus, unter Fremden und fern der vertrauten Umgebung, dem vertrauten Leben – selbst die Halblinge benahmen sich hier anmaßend, redeten, ohne angesprochen zu sein, und erlaubten sich Freiheiten, als hätten sie keine Prügel zu befürchten –, schien Monostatos zu erwarten, daß sie sich ihm wie einem alten Freund zuwandte.

Doch er schien eine merkwürdige Art Freundschaft zu empfinden, die sie beunruhigte und ihr allzu vertraulich vorkam. Monostatos tauchte viel zu oft in den Gemächern auf, die Sarastro ihr zur Verfügung gestellt hatte. Dann versuchte er den Anschein zu erwecken, er stehe mit der Dienerschaft auf gutem Fuß, und mehr als einmal spürte sie wie jetzt, daß er sie heimlich beobachtete, wenn sie ein Bad nahm oder angekleidet wurde. Im Haus ihrer Mutter hätte er nie gewagt, sich ihr so aufzudrängen, und die Diener ihrer Mutter hätten ihm beim ersten Versuch sofort die Tür gewiesen. Doch wie sollte sie hier, an Sarastros Hof, wissen, ob diese Zudringlichkeit nicht in seinem Sinne war?

Pamina zog das Tuch enger um sich und befahl der Halbling-Dienerin, ihre Gewänder zu bringen. »Und zieh die Vorhänge zu«, rief sie, »ich fühle mich beobachtet.«

Aber würde man ihr gehorchen, wenn Monostatos die Privilegien genoß, die er so selbstverständlich in Anspruch nahm, als sei er tatsächlich so eng verbündet mit dem unbekannten und furchteinflößenden Sarastro, der sie hatte gefangennehmen und hierherbringen lassen?

Die Vorhänge wurden widerspruchslos zugezogen, und Pamina ließ sich ankleiden. Sollte Monostatos sich über ihre Befehle hinwegsetzen, wollte sie ihm lieber angezogen gegenübertreten. Er schien seine Augen nicht von ihr wenden zu können, und wenn er sie schon anstarren mußte, war es ihr lieber, sein Blick fiel nur auf ihre Kleidung.

Immerhin mußte er nun auf die übliche Weise um Einlaß bitten, wenn er sie sehen wollte, und Pamina tröstete sich mit diesem Gedanken, so gut sie konnte.

»Wünscht meine Herrin hier zu speisen?« fragte die Halbling-Zofe, eine Frau, die Pamina schmerzlich an Rawa erinnerte. Seit Jahren hatte sie nicht mehr an Rawa gedacht, und es beunruhigte Pamina, daß sie sich so wohl und sicher bei dieser Frau fühlte, die schließlich eine böse und verblendete Sklavin Sarastros war.

»Ja, ich glaube schon.« Es gab wenig, mit dem Pamina sich hier sonst beschäftigen konnte, wenn sie nicht in den Schriftrollen lesen wollte, die Sarastro hatte bringen lassen, und die wahrscheinlich seine verhaßte Lehre enthielten. Sarastro hatte sie gebeten, die Schriften zu studieren, und das genügte, um Pamina gegen jede einleuchtende oder angebliche Weisheit einzunehmen, die darin vielleicht dargelegt wurde.

Sarastro war nicht grausam oder unmenschlich gewesen. Bei ihrer einzigen kurzen Begegnung hatte er sie freundlich behandelt; er wirkte liebenswürdig, wenn auch etwas unnahbar. Pamina dachte wieder an die Schrecken jenes Tages – wie lange war das her? Sie wußte es nicht mehr; mindestens eine Woche. Sie hatte an ihrem Lieblingsplatz im Obstgarten gesessen und den Kopf gehoben, als sich die fremden Halblinge ihr unerlaubt näherten. Pamina herrschte sie aufgebracht an – wie konnten sie es wagen, die Tochter der Sternenkönigin zu belästigen? – und sah den seltsam gekleideten Priester, von dem sie inzwischen wußte, daß er zu Sarastros verderbter Priesterschaft gehörte. Damals bemerkte sie nur die merkwürdigen, fremden Symbole auf seinem Gewand und hörte, von Angst und Entsetzen gepackt, nicht, wie er beruhigend auf sie einsprach.

Prinzessin Pamina, es wird Euch nichts geschehen, doch Ihr müßt mit uns kommen.

Sie hatte sofort nach den Dienern ihrer Mutter gerufen. An mehr konnte Pamina sich nicht erinnern. Man warf ihr einen dicken Mantel über den Kopf; sie hatte das Gefühl zu fallen, zu sterben und kam hier wieder zu Sinnen, umgeben von Dienern in Sarastros Livree. Man versicherte ihr immer wieder, ihr würde nichts geschehen und tat alles, um Pamina zufriedenzustellen. Nur das eine, was sie sich wirklich wünschte, gewährte man ihr nicht: die Erlaubnis, zu ihrer Mutter zurückzukehren.

Meine arme Mutter. Sie wird sich meinetwegen zu Tode ängstigen. Das Herz wird ihr brechen.

Pamina wußte, alle fürchteten die Sternenkönigin. Nur sie allein kannte ihre Mutter ganz. Nur ihr gegenüber zeigte sich die Sternenkönigin stets zärtlich und nachsichtig. Weshalb sollte Sarastro sich entschlossen haben, die alte Fehde wieder aufzunehmen?

Pamina wußte von Sarastro nur, daß er der Feind der Sternenkönigin war. Zwischen beiden herrschte ein alter Streit, dessen Ursache Pamina nicht kannte, doch sie wußte, daß ihre Mutter eine gerechte, gütige und tugendhafte Herrscherin war. Und wenn Sarastro die Sternenkönigin bekämpfte, dann wußte Pamina sehr wohl, wer die Wahrheit vertrat.

Nachdenklich aß sie von den Speisen, die man ihr brachte. Pamina war nach Weinen zumute, wenn sie an das Leid ihrer Mutter dachte. Doch sie hatte schon zu viel geweint und mußte ihre Gedanken auf etwas Nützliches richten... auf Flucht... zumindest einen Ausweg, um inmitten von Sarastros Untertanen nicht unter seinen verderblichen Einfluß zu geraten.

»Herrin«, sagte die Zofe – Pamina hatte sich nicht die Mühe gemacht, nach ihrem Namen zu fragen – »Prinz Monostatos bittet untertänigst, vorgelassen zu werden, um mit Euch zu sprechen.«

Sieh an, dachte Pamina, *Prinz Monostatos! Ich möchte wissen, wer ihn dazu gemacht hat.* Sie spielte mit dem Gedanken, ihn wegzuschicken und sich stolz zu weigern, mit ihm zu reden. Aber Monostatos war ihr wenigstens nicht ganz fremd, da er früher zu den vertrauenswürdigen Dienern ihrer Mutter gehörte. Und wenn er zu dem verhaßten Sarastro übergelaufen war, konnte sie ihm zumindest seinen Verrat vorwerfen. Es lag Pamina nicht viel daran, sich mit Monostatos zu unterhalten, doch sonst blieb ihr nichts anderes übrig, als hier zu sitzen und aus dem Fenster zu starren. Sarastro hatte zwar wunderschöne Gärten, aber inzwischen langweilte es Pamina, sie sich anzusehen, und sie wollte sich auch nicht länger mit dem Gedanken an die Verzweiflung ihrer Mutter quälen.

»Führe ihn herein«, sagte sie.

Monostatos, der Sohn der Großen Schlange, war ein hochgewachsener Mann mit dunkler, stumpfer Haut, sah aber nicht häßlich aus. *Er erinnert mich irgendwie an Disa*, dachte Pamina, und sie hatte Disa immer als schön empfunden. Er bewegte sich anmutig, und Pamina kam es vor, als würde Monostatos gleiten. Er hatte unangenehm flinke, helle und glänzende Augen.

»Herrin, seid Ihr mit unserer Gastfreundschaft zufrieden? Ist alles geschehen, damit Ihr Euch wohl fühlt? Erfüllen Eure Diener ihre Pflicht, und hat man alle Eure Wünsche erfüllt?«

Pamina runzelte die Stirn und erwiderte: »Monostatos, meine Mutter hat Euch vertraut. Und Ihr habt sie Sarastros wegen im Stich gelassen. Wie könnt Ihr es wagen, mir unter die Augen zu treten?«

»Habt Ihr nie bemerkt, daß ich dort sein möchte, wo auch Ihr seid, Pamina?« fragte er und kam ihr dabei so nahe, daß sie aufstand und sich mißbilligend von ihm entfernte.

»Glaubt Ihr, ich sehne mich nach Euren Schmeicheleien, Monostatos? Sicher nicht! Gebt mir entweder eine vernünftige Erklärung, weshalb Ihr hier Sarastro dient, obwohl Ihr geschworen habt, meiner Mutter, der Sternenkönigin, zu dienen, oder geht und tretet mir nicht mehr unter die Augen!«

»Ihr redet wie ein Kind, Pamina«, erwiderte Monostatos. »Ja, ich glaube, Ihr seid noch viel zu jung, als daß ich Euch Herrin oder Prinzessin nennen sollte. Doch ich will Euch aufrichtig antworten. Ich bin hierhergekommen, um mich den Prüfungen im Tempel zu unterziehen und so das Anrecht auf mein Erbe geltend zu machen.«

»Euer Erbe?« Pamina schüttelte verwirrt den Kopf.

»Mein Vater ist die Große Schlange. Ich bin sein einziger Sohn und Erbe, und unter dem Schlangen-Volk von Atlas-Alamesios hat es große Männer und große Priester gegeben. Ich will, daß der Name Monostatos in ihre Reihen aufgenommen wird. Ich will auch, daß der Sohn der Großen Schlange in Betracht gezogen wird, wenn Sarastro einen Gemahl für seine Tochter wählt . . . er hat keinen Sohn, und die Krone von Atlas-Alamesios und alle Macht wird auf den Gemahl seiner Tochter übergehen.«

»Wenn Sarastro eine Tochter hat«, sagte Pamina, »dann sollte er mehr Mitgefühl für meine Mutter empfinden. Wenn er das nicht tut, ist er kein Mensch, sondern ein Ungeheuer. Kennt Ihr seine Tochter?«

»Sehr gut«, antwortete Monostatos.

»Ich würde sie gerne einmal sehen«, sagte Pamina.

»Nichts ist leichter als das.« Monostatos ging zum Frisiertisch. Pamina beobachtete ihn ungehalten. Wie konnte er es wagen, sich an ihren Dingen zu vergreifen? Monostatos kam mit dem silbernen Spiegel zurück und überreichte ihn Pamina mit einer tiefen Verbeugung.

Sie errötete zornig und schlug ihm den Spiegel aus der Hand.

»Wollt Ihr mich verspotten?«

»Keineswegs«, erwiderte Monostatos. »Hat die Sternenkönigin es Euch nicht gesagt, Tochter des Sarastro?«

»Ihr müßt verrückt sein«, erwiderte Pamina.

»Oh, nein.« Das glatte, fahle Gesicht spannte sich, als unterdrückte Monostatos heftige Gefühle... Zorn, Hohn? »Ich bin sicher, Eure Mutter hätte Euch eines Tages gesagt, wer Euer Vater ist, Tochter des Sarastro. Vielleicht hielt sie Euch noch für zu jung, um zu verstehen, daß es zwischen einem Mann und einer Frau, die sich einmal liebten, aus vielen Gründen zu Unstimmigkeiten kommen kann.«

»Wie habt Ihr das herausgefunden? Ich kann nicht glauben, daß meine Mutter sich ausgerechnet Euch anvertraut haben sollte«, sagte Pamina und verzog dabei verächtlich den Mund.

»Hütet Euch, Pamina«, sagte Monostatos, und sein Gesicht wurde noch starrer, »ich möchte Euer Freund sein. Vielleicht bin ich hier Euer einziger Freund. Ich werde Euer Geliebter, Euer Gemahl sein. Doch ich lasse mich nicht verspotten. Die Macht liegt hier in Sarastros Händen. Wenn ich mich den Prüfungen unterzogen habe, und alle Macht der Alten Schlangen-Könige auf mich übergegangen ist, werde ich hoch in seiner Gunst stehen. Es wäre klug von Euch, Ihr würdet Euch meine Freundschaft nicht verscherzen.«

»Wenn mir keine andere Wahl bleibt«, erwiderte Pamina mit Verachtung in der Stimme, »bin ich entschlossen, hier ohne Freunde zu sein. Ehe ich Euch als Geliebten oder gar als Gemahl nehme, werde ich das Keuschheitsgelübde ablegen und bis ans Ende meiner Tage mit den Mondjungfrauen die Heilige Antilope jagen.«

Monostatos lachte, und es klang merkwürdig freudlos. »Ihr seid wirklich noch ein Kind, Pamina«, sagte er, »Ihr seid die Thronerbin der Sternenkönigin. Glaubt Ihr wirklich, sie würde zulassen, daß Ihr Euch auf diese Weise Euren Pflichten entzieht? Die Göttliche Polarität muß sich auch in ihrer Tochter offenbaren, ehe Ihr Euer Erbe antreten könnt. Ich habe die Absicht, daß Ihr *mir* die Hand reicht, wenn man Euch vermählt.«

»Vermählt mit dem Sohn der Schlange?« rief Pamina, »niemals! Ich kann nicht glauben, daß meine Mutter mich Euch zur Frau geben würde . . .«

»Das wagt Ihr zu sagen, obwohl Eure Schwestern, die Kinder Eurer Mutter, von der Großen Schlange, meinem Vater, gezeugt wurden? Kann die Tochter den Sohn zurückweisen, wenn die Mutter den Vater wählte?« Monostatos' fahle Haut wirkte jetzt fast rot vor Zorn.

»Doch als es um die Erbin ihres Thrones ging«, rief Pamina wütend, ». . . vergeßt das nicht, Monostatos, nahm sie sich nicht die Große Schlange, euren Vater, sondern einen Priesterkönig von Atlas-Alamesios zum Gemahl . . . wenn es wahr ist, was Ihr behauptet, und ich Sarastros Tochter bin! Warum entschied sich meine Mutter nicht für Euren Vater, wenn sie ihn für den richtigen Gemahl von so hoher Abkunft hielt, um die Thronfolge der Sternenkönigin zu sichern?«

»Hütet Euch, Pamina! Ich sage es noch einmal, hütet Euch!« Jetzt fürchtete sie sich wirklich vor ihm. Monostatos näherte sich ihr mit geballten Fäusten und glitzernden Augen. In seinen schnellen Bewegungen lag etwas, das ihr plötzlich Angst einjagte. Pamina wich an die Wand zurück und bedeckte den Mund mit den Händen.

Doch schon löste sich seine Spannung, und Monostatos lächelte, ließ die Fäuste sinken und sagte freundlich: »Ihr seid wirklich noch zu jung, Pamina. Wenn der Tag kommt, an dem ich die Prüfungen bestanden und mein Erbe angetreten habe, dann, so wage ich zu behaupten, werdet Ihr bereit sein, in mir Euren wahren Gefährten zu sehen, und wenn Sarastro uns vermählt...«

»Niemals!«

»Wir werden sehen«, erwiderte Monostatos und lachte leise. »Als Vorgeschmack auf diesen Tag gebt Eurem künftigen Gemahl den ersten Kuß, Pamina.«

Mit ein paar raschen Schritten war er bei ihr. Pamina preßte sich gegen die Wand und streckte in stummer Abwehr die Hände aus. Lachend umfaßte Monostatos sie mit seiner Linken und zog Pamina grob an sich. Mit der Rechten drückte er ihren Kopf hoch und preßte seine glühenden Lippen auf ihren Mund. Voller Abscheu wandte Pamina heftig den Kopf zur Seite. Sein Atem war nicht unangenehm – aber trotzdem.

»Wie könnt Ihr es wagen? Schlange... Halbling!«

Das Blut wich aus seinem Gesicht. Monostatos warf den Kopf zurück und sagte sehr leise und ruhig – und sein Ton versetzte Pamina in größeren Schrecken als die gewalttätige Berührung: »Eines Tages werdet Ihr diese Worte bereuen, Pamina.« Monostatos drehte sich um und verließ mit großen Schritten das Gemach.

Allein gelassen sank Pamina verängstigt in einen Sessel, bedeckte das Gesicht mit den Händen und schluchzte. Wäre sie doch im sicheren Palast ihrer Mutter! Dort hätte so etwas nie geschehen können! Dort kannte jemand wie Monostatos seinen Platz, und die Halblinge waren nicht so anmaßend!

Ihre Mutter, weise und allmächtig, konnte sich nach Belieben Männer zu ihrem Vergnügen suchen. Sie handelte immer richtig. Pamina wußte, daß zumindest Disa, vermutlich aber auch ihre anderen Schwestern, Halblinge als Liebhaber hatten. Die Sternenkönigin billigte das nicht unbedingt, erhob aber auch keinen Einspruch, doch hatte sie Pamina unmißverständlich gewarnt, es ihren Schwestern gleichzutun und ihr versprochen, wenn die Zeit gekommen sei, werde sie einen ebenbürtigen Gemahl bekommen.

Ihre Mutter würde sie nie mit Monostatos vermählen. Aber hier, in Sarastros Reich, wo sie nichts und niemandem trauen konnte, wäre eine solche Ehe genau das, was Sarastros verderbte Priesterschaft für wünschenswert halten könnte.

Aber Sarastro war ihr Vater . . . zumindest hatte Monostatos es behauptet. Würde er wagen, ihr eine Lüge aufzutischen, die sie durch eine einzige Frage aufdecken konnte?

Pamina wußte kaum etwas über dieses Reich, doch sie hatte gehört, daß bei den Priesterkönigen von Atlas-Alamesios Frauen ihre Gefährten nicht wählen konnten. Und den Ehemännern war alle Macht gegeben. Vermutlich lag darin einer der Gründe für die Feindschaft zwischen der Sternenkönigin und Sarastro: Er leugnete die alte Wahrheit, daß die Königin der Nacht Herrscherin und Herrin des Landes war. Und ihre Tochter befand sich jetzt in der Macht dieses schlechten, bösen Mannes, der es wagte, die Macht der Sternenkönigin abzustreiten. Er hatte ihre Tochter in seine Gewalt gebracht. Ja,

Pamina traute Sarastro durchaus zu, daß er versuchen würde, sie mit dem Sohn der Schlange zu vermählen!

Diesmal hatte Monostatos es bei einem Kuß bewenden lassen. So unerfahren Pamina auch war, so wußte sie doch, er hatte sie nicht aus Leidenschaft geküßt. Monostatos wollte sie erobern . . . entehren. Er hatte es sich in den Kopf gesetzt, sie zu besitzen . . . Pamina lief ein Schauer über den Rücken: Wenn der Schlangen-Mann sie noch einmal berührte, würde sie vor Scham in den Boden versinken. Pamina wußte nicht, woher dieser Abscheu kam. Er war eine schlichte Tatsache, ein Gefühl, das sich ihrer Kontrolle entzog.

Pamina hatte manche Unterhaltungen ihrer Schwestern mit angehört, in denen sie die Kraft eines Stier-Halblings mit der gewöhnlicher Männer verglichen, und gesehen, wie Halblinge bestraft wurden, die sich zuviel herausgenommen hatten. Selbst in ihren kühnsten Träumen wäre ihr nie in den Sinn gekommen, daß jemand – Mensch oder Halbling – die Tochter der Sternenkönigin gegen ihren Willen berühren könne. Pamina dachte wieder an den alten Streit zwischen ihrer Mutter und dem Priesterkönig von Atlas-Alamesios und überlegte, ob Sarastro sie hierher gebracht hatte, um die Sternenkönigin zu demütigen. Pamina nahm sich vor, lieber zu sterben.

Sie warf einen Blick auf den Eßtisch und sagte kurz entschlossen zu ihrer Zofe: »Ich möchte . . . ich möchte noch einen Becher Wein und etwas Kuchen.«

Die Halbling-Frau freute sich offensichtlich darüber, ihr eine Bitte erfüllen zu können und eilte davon. Pamina lief zum Kleiderschrank in einer Ecke des Gemachs, nahm ihren Mantel heraus und zog ihn sich über. Sarastros Diener hatten den

Schrank mit vielen kostbaren Gewändern gefüllt, aber Pamina verschmähte es, sie auch nur zu berühren. Sie zog die Kapuze über den Kopf, stieg durch das Fenster in den Garten und eilte den Pfad entlang, der zum Tor am anderen Ende führte.

Während sie mit klopfendem Herzen zwischen den Zypressen dahinlief, glaubte Pamina wirklich daran, es könne ihr gelingen, unbemerkt zu entkommen. Es war noch früh am Morgen, und sie wußte, die Priester verrichteten bei Sonnenaufgang ihren Dienst im Tempel.

Plötzlich tauchte an der Spitze eines Trupps Halblinge Monostatos aus dem dunklen Schatten der Bäume auf.

»Das dachte ich mir«, sagte er und lächelte zufrieden. »Bringt die Prinzessin zurück in ihre Gemächer.«

Pamina wehrte sich heftig, als die Diener nach ihr griffen und hatte dabei das lähmende Gefühl, das alles schon einmal erlebt zu haben. Es war nur eine Wiederholung ihrer Entführung. War es ihr Schicksal, immer und immer wieder in eine Falle zu geraten, überwältigt und schließlich gefangen zu werden?

»Ihr solltet Eure Würde wahren und freiwillig mitkommen«, erklärte Monostatos ruhig, »sonst werde ich ihnen erlauben, Gewalt anzuwenden. Wenn Ihr Euch nicht fügt, bringe ich Euch mit eigener Hand zurück.«

Pamina sank weinend zu Boden. Sie nahm kaum wahr, daß man sie aufhob und in die Gemächer zurücktrug, aus denen sie geflohen war.

Siebentes Kapitel

Als Pamina wieder zu sich kam, lag sie auf dem seidenen Ruhebett in ihren Gemächern. Vor ihr stand Monostatos.

»Pamina, Ihr habt meinen Unwillen erregt«, sagte er, »und Ihr habt Sarastros Unwillen auf Euch gezogen, denn Ihr befindet Euch auf seinen Wunsch hier. Versprecht Ihr, keinen weiteren Fluchtversuch zu unternehmen? Oder wollt Ihr uns zwingen, Euch gewaltsam, gefesselt, hier zu behalten? Eine Prinzessin in Ketten . . . welch ein trauriger Anblick.«

Sein Gesicht wirkte bleich, streng und unnachgiebig. Es ängstigte sie mehr als jede Drohung, jeder Versuch, sie einzuschüchtern. Würde Monostatos es wirklich wagen? Ein Blick auf das blasse Gesicht sagte Pamina, er würde es tun.

Trotzdem weigerte sie sich zu bitten oder zu flehen. Auch Sarastro würde sie ihr Wort nicht geben, selbst wenn er tatsächlich ihr Vater war und Monostatos nicht wieder gelogen hatte.

»Ich werde Euch bestimmt nichts dergleichen versprechen«, sagte Pamina und blickte ihn zornig an. »Ich bin die Tochter der Sternenkönigin und habe weder mit Sarastro noch mit Euch etwas zu tun. Ich spreche Euch und dem Priesterkönig von Atlas-Alamesios das Recht ab, mich gefangenzuhalten. Und wenn ich von hier entfliehen kann, werde ich das auch tun.«

»Pamina, Ihr zwingt mich . . . Ihr zwingt uns, Euch in Ketten zu legen.«

»Wagt nicht zu behaupten, ich würde Euch oder Euren Herrn dazu zwingen«, schleuderte sie ihm wutentbrannt entgegen, »wenn Ihr das tut, ist es Eurer eigenen Bosheit zuzuschreiben und nicht, weil ich mir habe etwas zuschulden kommen lassen.«

»Ihr zwingt mich dazu«, erwiderte Monostatos und starrte mit seinen farblosen Augen, die so merkwürdig ausdruckslos waren, unverwandt auf sie hinunter.

Während er Pamina mit seinen Blicken fesselte, durchschaute sie plötzlich, was er tat: Monostatos versuchte, ihr Angst einzujagen, wie er es mit den Halblingen tat. Er wollte sie so einschüchtern, daß sie ohne seine Einwilligung weder den Blick abwenden noch sich bewegen konnte. Wütend sprang sie auf und stellte sich vor ihn hin.

»Geht mir aus den Augen! Wagt Euch nicht wieder in meine Nähe! Richtet Sarastro aus, wenn er etwas von mir will, soll er selbst kommen, anstatt Euch zu schicken! Meine Mutter konnte sich auf Eure Treue nicht verlassen! Wie kann Sarastro glauben, Ihr würdet *ihm* treu sein?«

Einen Augenblick lang glaubte Pamina, ihn zu sehr gereizt zu haben und fürchtete, Monostatos würde sie schlagen. Die Zeit schien zu gerinnen, reglos zu verharren. Pamina bemerkte, wie sich die Vorhänge am offenen Fenster leise im Wind bewegten; sie sah einen Halbling – einen unbekannten Vogel-Halbling –, der in diesem Augenblick durch die Tür ins Gemach trat; sie sah ihren Mantel, den jemand an einen Haken gehängt hatte, und die kaum wahrnehmbare Bewegung der Wimpern im unbewegten Gesicht von Monostatos. Dann zischte er leise: »Ihr treibt es auf die Spitze, Pamina, glaubt mir«, und drehte sich auf dem Absatz um, als wollte er den Raum verlassen. Das Vogelwesen stand vor ihm und starrte ihn wie gebannt an. Dann schrie Monostatos: »Hinaus!« Der Vogel-Halbling stieß ein ersticktes Krächzen hervor und floh in eine Ecke.

»Oh, ja!« rief Pamina Monostatos nach, »jagt den Halblingen mit Eurem Geschrei nur Angst ein! Erschreckt sie zu Tode... etwas anderes könnt Ihr nicht! Ihr seid groß und mutig bei allen, die sich nicht wehren können! Lauft zu Eurem Herrn und Meister, Ihr widerwärtiger Schmeichler, Ihr Verräter! Kriecht vor Sarastro und bittet um Erlaubnis, eine hilflose Gefangene in Ketten zu legen!«

Nachdem Monostatos gegangen war, verließ sie all ihr Mut. Schluchzend fiel Pamina auf das Bett. Vielleicht hatte Monostatos wirklich die Wahrheit gesagt, und Sarastro hatte nichts dagegen einzuwenden, daß man sie fesselte und gefangenhielt. Selbst die Gesellschaft eines Halblings hätte sie jetzt getröstet. Doch auch die Hunde-Frau war vor Monostatos geflohen. Pamina fühlte sich sehr allein und verlassen.

»Herrin... Prinzessin Pamina...?« hörte sie eine zaghafte, melodische Stimme und hob den Kopf.

»Ja?« fragte Pamina gleichgültig und blinzelte. Es war der Halbling, der Monostatos im Weg gestanden hatte und dann geflohen war. »Hast du keine Angst?« fragte sie, »wahrscheinlich ist er gleich wieder da. Er hat gesagt, er würde mich in Ketten legen.«

»Das ist ein Grund mehr, um so schnell wie möglich hier zu verschwinden, Prinzession Pamina, ehe er zurückkommt«, sagte der Vogel-Halbling, »ich komme von der Sternenkönigin, um Euch zu befreien.«

»Mutter! Du hast mich nicht vergessen!« rief Pamina und hätte am liebsten wieder geweint, aber diesmal aus Freude. Sie hatte nicht wirklich geglaubt, ihre Mutter würde sie Sarastro und seinen Machenschaften überlassen – oder etwa doch? Aber jetzt hatte sie den Beweis. Obwohl dieser komische kleine Bursche ein sonderbarer Bote der Sternenkönigin war.

»Wie heißt du?« fragte sie.

»Papageno.«

Sie überlegte, ob er möglicherweise Papagena kannte, die ihr seit so vielen Jahren treu diente. Natürlich war es jetzt nicht der richtige Zeitpunkt, ihn danach zu fragen. Dann zögerte sie. Hier in diesem Palast gab es so viele merkwürdige Wesen, anmaßende Halblinge, Betrüger und Lügner wie Monostatos. Pamina griff nach ihrem Mantel und sah den Vogel-Mann furchtsam an.

»Wie soll ich wissen, daß du nicht einer von Sarastros bösen Geistern bist, der gekommen ist, um mich zu täuschen?« fragte sie.

»Mit meinem Geist ist alles in bester Ordnung«, erwiderte Papageno entschlossen, sah Pamina mit seinen großen, dunklen Augen an, zwinkerte, und sie konnte nicht glauben, daß er zu etwas Bösem fähig war. »Gehen wir«, sagte er und führte sie hinaus, aber nicht durch die Tür, sondern durch das Fenster. Eilig durchschritten sie den Garten. Plötzlich griff Papageno nach Pamina und zog sie neben sich in eine flache Mulde im trockenen Gras. Sie wollte schon lautstark protestieren – hatte sie sich in ihm geirrt? Wollte er sie überwältigen? – aber Papageno wies in eine Richtung und zirpte.

»Seht doch!«

Angeführt von Monostatos eilte ein Trupp Sklaven in ihre Gemächer. Einige trugen Ketten und Seile. Pamina stockte der Atem. Papageno legte ihr sanft eine Hand auf den Mund, um zu verhindern, daß sie aufschrie. Doch die Berührung war zart und ehrerbietig.

Monostatos konnte sie nirgends finden. Pamina hörte das angstvolle Winseln der Hunde-Frau. Monostatos schrie und tobte vor Zorn. Pamina und der Vogel-Mann drängten sich eng aneinander. Nach einiger Zeit strömten die Sklaven aus dem Palast und verteilten sich suchend in alle Richtungen.

»Wahrscheinlich werden sie hier im Garten nicht so genau nachsehen«, meinte Papageno, »die Vögel sind ausgeflogen, und sie suchen sie woanders. Wir warten hier am besten, bis es dunkler wird, dann machen wir uns auf den Weg und suchen den Prinzen.«

»Den Prinzen? Was für einen Prinzen?« Pamina wurde wieder mißtrauisch. »Doch nicht Prinz Monostatos... wie er sich seit neuestem nennt.«

Papagenos Augen wurden noch runder. »Ihn? Oh, nein, Prinzessin. Ach ja, ich habe noch nicht von dem Prinzen gesprochen. Eigentlich hätte ich Euch von ihm als erstes erzählen müssen. Schließlich ist es *seine* Aufgabe, Euch zu retten. Aber wir wurden getrennt. Er ging durch das große Tor, und ich kam hier herum. Und wie Ihr seht, war ich der Glückliche. Nein, nein, dieser Prinz ist jung und schön. Ich muß sagen, die Sternenkönigin war sehr von ihm angetan.

Sie hat ihm einen Zauberspiegel mit Eurem Bild gegeben. Der Prinz verliebte sich in Euch, sobald er hineinsah.«

»Wie reizend.« Pamina lachte, doch insgeheim freute sie sich. Ein schöner, junger Prinz, der in sie verliebt war ... und das mit Zustimmung ihrer Mutter ... sie war sehr neugierig auf ihn.

»Wie heißt er? Wie sieht er aus? Ist er liebenswürdig und höflich? Du sagst, er hat mein Bild gesehen ... fand er mich hübsch?« Pamina konnte den Strom ihrer Fragen nur mit Mühe unterbrechen. Papageno sah sie tieftraurig an.

»Was hast du, Papageno?«

Der Vogel-Mann seufzte. »Für die Prinzessin gibt es einen Prinzen, so wie es für jeden König eine Königin gibt. Aber für Papageno gibt es keine Papagena. Ich habe einmal von einem Mädchen gehört, das so hieß, und mich gefragt, ob sie so aussieht wie ich. Aber niemand hat mir etwas von ihr erzählt.«

»Armer Papageno, bist du einsam?« Zuerst fand Pamina seine Worte schon fast komisch und hatte ihre Frage nicht ganz ernst gemeint. Aber als sie Papagenos traurigen Blick erkannte, schämte sie sich.

»Sehr einsam«, erwiderte er leise, »es gibt niemanden, der so ist wie ich. Wie es scheint, bin ich dazu verurteilt, immer allein zu bleiben. Ich verbringe meine Tage ganz allein damit, Vögel zu fangen ... Vögel mit schönen Federn für die Gewänder der Sternenkönigin. Ich habe niemandem etwas zu leid getan, und doch verspotten mich alle und lachen mich aus.«

Jetzt wußte Pamina, wer er war. Sie hatte gehört, wie ihre Schwestern von ihm sprachen. *Aber sie hätten ihm doch von*

Papagena erzählen können, dachte Pamina und war einen Augenblick lang entsetzt. Weshalb hatte es keine getan? Es wäre eine Leichtigkeit gewesen und hätte Papageno so glücklich gemacht.

Pamina war plötzlich sehr verwirrt. Ihr ganzes Wissen sagte ihr, daß dieser Mann nur ein Halbling war – nicht mehr als ein Tier. Man konnte ihn nach Belieben benutzen, ohne sich über seine Gefühle Gedanken zu machen. Natürlich würde es Disa, Zeshi oder Kamala nie in den Sinn kommen, ihm von Papagena zu erzählen. Weshalb sollten sie auch? Sie waren die Töchter der Sternenkönigin. Warum sollte ihnen das Glück eines kleinen Halblings am Herzen liegen? Wie sie bei der Vorstellung, daß sich ein Halbling nach Liebe verzehrte, lachen würden – sie selbst war nahe daran gewesen zu lachen. Wie lächerlich und vermessen! Genau das würde man hier im Reich des Sarastro erwarten ... aber Papageno kam als Bote ihrer Mutter. Pamina war völlig verwirrt. Ihre Schwestern kamen nicht, um sie zu retten ... doch dieser Halbling, der keinen Grund hatte, sich dankbar zu erweisen, war hierher gekommen, um es zu versuchen.

»Schon gut, Papageno«, sagte Pamina sanft und legte ihm die Hand auf die kleinen, warmen, knochigen Finger, »eines Tages werden wir eine Papagena für dich finden, das verspreche ich dir.«

Prinzessin Pamina und der Vogel-Halbling lagen Seite an Seite im Gras und warteten schweigend auf den Sonnenuntergang.

Tamino hatte Papageno aus den Augen verloren, kurz nachdem die Boten sie durch große Portale geleitet hatten, die den

Toren im kaiserlichen Palast in nichts nachstanden. Inzwischen wanderte er in tiefschwarzer Dunkelheit umher und konnte die Hand nicht vor den Augen sehen. Einmal rief Tamino laut nach Papageno, doch seine Stimme rief ein Echo hervor, als sei er in einem Gewölbe. Und der Klang seiner eigenen Stimme erschreckte ihn.

Schweigend tastete sich Tamino durch das Dunkel. Wohin war Papageno gegangen, und wie hatten sie sich verloren? Einen Augenblick lang dachte er daran, die Zauberflöte wieder herauszunehmen, um die Boten zu rufen, erkannte jedoch, daß sie ihm die angemessene Hilfe gegeben hatten. Sicher wußten die Boten, daß er sich verirrt und seinen Reisegefährten verloren hatte. Ihm kam wieder in den Sinn, daß es sich um eine der geheimnisvollen Prüfungen handeln konnte, von denen man ihm so wenig gesagt hatte. Wenn es so war, mußte er sie irgendwie bestehen. Als ihm von dem Drachen echte Gefahr drohte, hatte man ihm geholfen. Er mußte einfach darauf vertrauen, daß jemand oder etwas über ihn wachte.

Allmählich begann sich das Dunkel zu lichten. Als seine Augen sich an das Dämmerlicht gewöhnt hatten, erkannte Tamino, daß er sich in einem riesigen Gewölbe – in einem Stollengang? – befand. In der Ferne zeichneten sich undeutlich dunkle, mächtige Konturen ab. Vorsichtig setzte er einen Fuß vor den anderen, und es klang, als gehe er über Stein oder sogar Metall.

Langsam näherte sich Tamino einem blassen Licht, als würde dort bald die Sonne aufgehen, und er vermutete, dort müßte Osten sein. Als Tamino sich dem ersten der riesigen Gebilde näherte, war es hell genug, um zu erkennen, daß es eine prächtige Fassade war. Zwischen zwei mächtigen Säulen, einer weißen und einer schwarzen, entdeckte er ein hohes Portal. Darüber stand in einer Schrift, die Tamino kaum entziffern konnte:

ERLEUCHTUNG

»Davon könnte ich in dieser Dunkelheit schon etwas gebrauchen«, dachte Tamino, näherte sich dem Tor und hob die Hand, um anzuklopfen.

Im selben Augenblick erschallte wie Donner ein mächtiger Chor – oder war es nur eine Stimme, deren Echo widerhallte wie das seiner eigenen Stimme?

Zurück! Der Unwürdige findet hier den Tod!

Tamino zuckte unwillkürlich zurück, als fürchtete er, vom Blitz erschlagen zu werden, wenn er das Tor berührte.

Es hätte den unsichtbaren Stimmen gut angestanden, ihm ein wenig Erleuchtung zu gewähren und ihm zu verraten, weshalb er hierher geführt worden war, dachte Tamino, anstatt ihn so unfreundlich zu vertreiben. Außerdem hatte man ihm gesagt, es sei der Sinn der Prüfungen, erleuchtet zu werden.

Was nun? Einen Augenblick lang betrachtete Tamino prüfend das Portal, wo man ihm den Einlaß verwehrt hatte. Wie wurde man würdig, wenn es den Tod bedeutete, als Unwürdiger hier die Erleuchtung zu suchen?

Nach einiger Zeit nahm die Helligkeit etwas zu. Tamino wandte sich um und sah die Umrisse von zwei anderen Gebäuden. Langsam näherte er sich dem nächsten. Im Giebel stand das Wort:

WEISHEIT

Wenn mir die Erleuchtung versagt bleibt, dachte Tamino, *ist Weisheit das Nächstbeste.* Er sah einen schweren Türklopfer, trat vorsichtig näher und wollte danach greifen.

»*Zurück! Du bist noch nicht würdig!*« donnerten die Stimmen.

Wie angewurzelt blieb Tamino stehen. *Immerhin,* dachte er, *klingt das schon etwas besser. Diesmal haben die Stimmen nichts von Tod gesagt.* Trotzdem hatte sich seine Lage nicht gebessert. Er war immer noch allein, hatte sich verirrt, und es gab niemanden, der ihm helfen konnte.

Aber es gab noch ein drittes Tor. Wenn man jedoch bedachte, wie wenig hilfsbereit die Leute in dieser Gegend zu sein schienen, war es vermutlich reine Zeitverschwendung, auch nur anzuklopfen.

Tamino näherte sich dem dritten Tor, das erheblich kleiner und weniger prächtig war als die anderen beiden. Im zunehmenden Licht konnte er gerade noch die Inschrift über dem Eingang erkennen:

WAHRHEIT

»Wenn ich weder Erleuchtung noch Weisheit haben kann«, dachte Tamino, »ist Wahrheit vielleicht kein schlechter Ersatz.« Er streckte zögernd die Hand aus und klopfte.

Stille. Immer noch Stille. Tamino überlegte, ob dies irgendwie symbolisch sei, daß im Tempel der Wahrheit niemand anzutreffen war – ein Zeichen dafür, wie schwierig es ist, die Wahrheit zu finden.

Doch dann hörte er drinnen ein leises Geräusch, wie das Rascheln von Mäusen. Immerhin, man hatte ihn nicht empört davongeschickt. Tamino wartete. Es wurde heller; wenn es aber bedeutete, daß die Sonne aufging, mußte sie inzwischen schon über dem Horizont sein. Doch irgend etwas an diesem Licht erinnerte nicht an die Sonne.

Endlich wurde der große Türgriff von innen niedergedrückt, und das Tor begann sich langsam, ganz langsam zu öffnen, gerade weit genug, um Tamino einzulassen. Man schien darauf zu warten, daß er eintrat.

Mit einem inneren Achselzucken – man hatte ihn nicht aufgefordert einzutreten, aber auch nicht befohlen, draußen zu bleiben – trat Tamino ein. Die Tür fiel geräuschlos hinter ihm ins Schloß, und Tamino stand einen Augenblick lang im Dunkeln. Dann wurde es wie zuvor langsam heller.

Im Dämmerlicht erschien eine Gestalt, die sich aus Luft zu formen schien. Sie tauchte so lautlos auf, daß Tamino sich fragte, ob es vielleicht der böse Zauberer Sarastro selbst sei. Aber nein, an einem Ort, an dem es Tempel der Weisheit und der Erleuchtung gab, war Sarastro bestimmt nicht anzutreffen. Und in einem Tempel der Wahrheit, dachte Tamino, erhalte ich wenigstens ein paar klare, vernünftige Antworten.

Vor ihm stand die ehrwürdige Gestalt eines älteren Mannes. Das graue Haar bedeckte eine Kapuze, auf der Tamino das goldene Zeichen der Sonne sah. Der Mann trug ein silbergraues Gewand mit dem Zeichen der Sonne auf der Brust. Sein Gesicht ließ sich schwer beschreiben, doch es wirkte sanft und sogar freundlich.

»Nun, junger Mann«, fragte er, »was suchst du?«

Tamino stand einen Augenblick stumm vor ihm. Nach drei Versuchen befand er sich endlich im Tempel, aber was wollte er eigentlich hier?

»Die Wahrheit«, erwiderte er schließlich, »denn das verkündet die Inschrift über der Tür.«

Der alte Mann lächelte und sagte: »Es gibt viele Arten der Wahrheit, mußt du wissen. Es ist vielleicht nicht ganz einfach. Selbst wenn ich die Wahrheit sage, bist du vielleicht nicht in der Lage, sie zu hören, und ich könnte sagen, was ich will, es würde in deinen Ohren wie eine Lüge klingen.«

»Darauf lasse ich es ankommen«, erwiderte Tamino, und ihm fiel ein, daß die Boten Papagenos Frage beinahe genauso beantwortet hatten, als sei er nicht in der Lage, die einfachsten Dinge zu verstehen.

Nun, er war hier ein Fremder, und es war nicht angebracht, sich wegen der hiesigen – merkwürdigen – Sitten beleidigt zu fühlen. Er war auch noch nie von Ottern im Bad bedient worden, und doch war es ein interessantes Erlebnis gewesen. Vielleicht würde es hier ähnlich sein.

Warum sollte er also nicht die Wahrheit sagen.

»Ich suche einen bösen Zauberer mit dem Namen Sarastro«, erklärte Tamino.

Der alte Mann – Tamino hielt ihn für eine Art Priester – hob die Augenbrauen, sah ihn aber immer noch mild und freundlich an.

»Was möchtest du von Sarastro?« fragte er.

Wenn dies der Tempel der Wahrheit ist und auch der Weisheit und der Erleuchtung, wie er gesehen hatte, *dann muß man hier wissen, welche Übeltaten Sarastro in ihrem Bereich begeht,* dachte Tamino und antwortete: »Ich bin gekommen, um ein hilfloses Mädchen zu befreien, das dieser Bösewicht gefangenhält.«

Das freundliche und gütige Gesicht des Priesters veränderte

sich nicht. Sein Ausdruck verriet nur milde Neugier. »Wer hat dir das gesagt?« erkundigte er sich.

»Die Mutter des Opfers!«

»Und«, fuhr der Priester mit sanfter Stimme fort, »woher weißt du, daß sie dir die Wahrheit gesagt hat? Die Welt ist voller Menschen, die die Wahrheit nicht achten, mein Sohn.«

»Ist es also wahr?« fragte Tamino herausfordernd. »Hat er Pamina entführt oder nicht?«

»Wie ich gesagt habe, mein Sohn, es gibt viele Arten der Wahrheit. Auf einer Ebene stimmt es, was du sagst. Sarastro hat Pamina der Obhut ihrer Mutter entzogen.«

»Und Ihr wagt, das zuzugeben?«

»Du kennst Sarastro nicht«, bemerkte der Priester, »und du kennst auch seine Gründe nicht. Wie kannst du so einfach verurteilen?«

»Vielleicht kenne ich Sarastro nicht«, erwiderte Tamino, und seine Stimme klang gegen seinen Willen empört, »aber ich weiß, was er getan hat. Und ich kann richtig von falsch unterscheiden!«

Tamino trat beim Sprechen etwas zurück, denn er war sicher, der alte Priester würde ihn im nächsten Augenblick angreifen. Doch das heitere, alte Gesicht blieb gelassen.

»Ach wirklich? Wirklich?« Ein breites Lächeln zog über das alte Gesicht. »Dann, mein Sohn, weißt du mehr als wir alle hier. Wir sollten den roten Teppich ausrollen und den Baldachin herbeibringen, der den Göttern vorbehalten ist.« Das Lächeln war so gütig und ohne jede Bosheit, daß Pamino trotz Zorn und Verwirrung am liebsten ebenfalls gelächelt hätte.

Dann sagte der Priester: »Ich wünschte, du würdest aufhören, Sarastro . . . oder einen anderen Menschen . . . zu verurteilen, solange du die Wahrheit nicht mit Sicherheit kennst. Die Wahrheit ist nicht so einfach, wie es scheint.«

Tamino wurde wieder wütend. Er erwiderte: »Jeder Übeltäter findet eine gute Entschuldigung für seine Untaten! Die Tatsachen sprechen für sich selbst. Welche Entschuldigung kann es dafür geben, eine Tochter aus den Armen ihrer Mutter zu reißen?«

»Ich bin nicht hier, um Sarastro zu entschuldigen«, erklärte der Priester.

»Ach nein? Nichts anderes habt Ihr meiner Meinung nach getan.« Tamino wußte sehr wohl, daß er unhöflich war, aber es kümmerte ihn nicht.

»Jetzt möchte ich dich etwas fragen, nachdem du mir so viele Fragen gestellt hast«, sagte der Priester. »Wer hat dich eigentlich zum Richter über Sarastros Taten und Beweggründe ernannt?«

Jetzt fühlte sich Tamino sicherer. Er erwiderte: »Ich bin ein Fremder in diesem Land und kenne Eure Sitten nicht. Aber in meiner Heimat ist es die Pflicht und das Recht eines Edelmannes, ein Unrecht gutzumachen und ein Übel zu beseitigen, wenn es ihm zu Ohren kommt. Tut er das nicht, ist er nicht besser als der gemeinste Schuft.«

»Dann sind wir uns zumindest in einem Punkt einig«, sagte der Priester. »Doch du kennst nicht die ganze Geschichte. Ich bin sicher, wenn Sarastro hier wäre, könnte er dir die Augen öffnen, wenn er es wollte. Deshalb tut ein Fremder gut daran, sich nicht in Streitigkeiten einzumischen, solange er nicht die volle Wahrheit kennt.«

»Gut«, entgegnete Tamino, »wie erfahre ich also die ganze Wahrheit?«

Der Priester lächelte ihn freundlich an und strahlte.

»Endlich hast du eine Frage gestellt, die ich dir beantworten darf. Du wirst die Wahrheit erfahren, wenn du die Prüfungen bestanden hast und in unsere Bruderschaft aufgenommen worden bist.«

Plötzlich verschwand das Licht und mit ihm Priester und Tempel. Tamino stand allein in dem riesigen Gewölbe vor den drei Tempeln, und hinter ihm ging die Sonne auf.

Achtes Kapitel

Tamino fragte sich, ob er sich je daran gewöhnen würde, daß in dieser Gegend die Leute plötzlich auftauchten und wieder verschwanden. Und immer noch war es schrecklich dunkel, obwohl die Sonne schon am Himmel stehen mußte.

Dem alten Priester hatte er nichts mehr sagen können, lag ihm doch ein ganzes Dutzend Fragen auf der Zunge und ließ ihn nicht mehr los. (Etwa: Wie kommt der Priester darauf, daß ich etwas mit der Bruderschaft zu tun haben möchte, wenn ein Mann wie Sarastro an der Spitze steht?) Aus der Art, in der der Alte den Priesterkönig verteidigt hatte, schloß Tamino, daß dieser auch von Sarastro verführt und in Bann gezogen worden war. Er dachte an die Tränen der Königin der Nacht. Wie konnte jemand daran zweifeln, daß sie eine große Frau war, der man grausames Leid zugefügt hatte?

Unfreiwillig kehrten Taminos Gedanken zu den drei Hofdamen zurück, die sich mit Papageno einen bösen Spaß erlaubt hatten. Wie konnte er an die Güte der Herrscherin glauben, wenn ihre Leute so grundlos grausam waren? *Vielleicht,* dachte er, *sollte ich mir doch anhören, welche Gründe Sarastro zu seiner Tat bewogen haben.* Doch im selben Augenblick schämte Tamino sich schon wieder seiner Zweifel . . .

Er irrte noch immer durch einen unbekannten heiligen Bezirk, und wenn die Tempel hier auch nur entfernt denen in seiner Heimat glichen, fest stand, daß die Priester bald zu den morgendlichen Sonnenritualen erscheinen würden. Und wenn man ihn entdeckte... Papageno hatte sich vor Sarastro gefürchtet und bei dem Gedanken daran gezittert, was der Priesterkönig mit ihnen tun würde, falls man sie hier fand... Papageno kannte diesen Teil der Welt besser als er.

Natürlich war auch Papageno ein Diener der Königin der Nacht, und seine Vorstellungen von Sarastro entsprachen dem, was er von der Dienerschaft am Hof der Königin gehört hatte... Ärgerlich ließ Tamino von diesen Gedanken ab. Wieso begann er, an der Königin, dieser liebenswerten und leidgeplagten Mutter, zu zweifeln?

Es war noch immer dunkel – warum ging die Sonne nicht auf? Wo war Papageno? Tamino wollte wieder nach ihm rufen, besann sich jedoch eines Besseren. Er konnte kaum hoffen, in Sarastros Nähe unbemerkt zu bleiben, wenn er laut rufend durch die Gegend lief. Und selbst wenn man ihn hier zu diesen geheimnisvollen Prüfungen erwartete, wie der alte Priester rätselhaft angedeutet hatte – Papageno war ein fremder Halbling und fürchtete sich vor Sarastro. Und er, Tamino, hatte Papageno hierhergebracht, er trug die Verantwortung für diesen komischen kleinen Vogel-Mann und wurde seiner Fürsorgepflicht wohl kaum gerecht, wenn er zuließ, daß Papageno in die Hände von Sarastros Priestern fiel.

Und wie, überlegte Tamino gereizt, konnte er sich seiner eigentlichen Aufgabe widmen, Pamina zu befreien, wenn er sich um Papageno kümmern mußte? Dieser unglückselige Halbling hatte sich außerdem auch noch verirrt!

Taminos Hand spürte die Rohrflöte an seiner Seite. Vielleicht gelang es ihm, mit ihrer Hilfe Papagenos Aufmerksamkeit auf sich zu lenken, ohne zu rufen. Tamino setzte die Flöte an die Lippen und begann zu spielen.

Vor ihm tauchte das goldene Licht tanzender Glühwürmchen auf, und im schwachen Schimmer sah Tamino die Boten, die ihn hierhergeführt hatten.

»Wir freuen uns, daß du nach der Flöte greifst, wenn du im Dunkeln bist«, sagte die merkwürdige Stimme – oder sprachen alle drei gleichzeitig? »Die Macht der Flöte liegt darin, allen, die ohne das Licht durch die Dunkelheit wandern, Erleuchtung zu bringen.«

Tamino glaubte plötzlich, im Klang der seltsamen Stimme etwas wie ein Echo des mächtigen Chors zu hören, der ihn von den beiden ersten Portalen vertrieben hatte.

»Warum ist es hier so dunkel?« fragte er. »Die Sonne müßte doch schon aufgegangen sein ...«

»Die Dunkelheit, die dich umgibt, ist nicht nur auf das fehlende Sonnenlicht zurückzuführen«, erwiderte der Bote. »Du suchst das Licht der Erleuchtung.«

Tamino schlug die Hände an den Kopf und umfaßte die Flöte fester, damit sie ihm nicht aus den Fingern glitt. »Reden denn alle hier nur in Rätseln?« fragte er ärgerlich. »Trotz dem ganzen Gerede von Wahrheit scheint es nur sehr wenig zu geben, zumindest wenn es um klare, ehrliche Antworten geht.«

»Wenn du schwierige Fragen stellst, auf die es keine einfachen Antworten gibt, können wir sie kaum einfach beantworten«, hörte er die Stimme des – oder aller – Boten. Tamino gab sich alle Mühe, die schwankenden Gestalten deutlich zu sehen. Doch er sah nur die Bewegung verhüllter Körper, niemals ein ganzes Gesicht, höchstens die Andeutung eines

Ausdrucks, amüsiert, humorvoll oder mitleidig, eine Bewegung, die an Flügel denken ließ – oder an einen nackten, muskulösen Arm? Oder waren es nur wallende Gewänder? Tamino wünschte, die Boten würden stillhalten, damit er deutlich sehen konnte, wer oder was sie waren.

Er erwiderte: »Etwas Ähnliches habt ihr auch Papageno gesagt. Er ist ein Vogel-Halbling und hat nicht viel im Kopf. Aber ich glaube, ich kann eine vernünftige Antwort verstehen, wenn ihr sie mir gebt. Meiner Meinung nach ist eine Frage wie: *Wann geht die Sonne auf?* sehr einfach!«

»Ich kann sie beantworten«, entgegnete der Bote – oder sprachen alle drei gleichzeitig? »Wenn die Dunkelheit nicht bald dem Licht weicht, wirst du für immer im Dunkeln wandern, das sich nie lichtet.« Die Stimme klang wie ein mächtiger Chor, und es dauerte eine Weile, ehe Tamino begriff, was sie gesagt hatte.

»Wieder ein Rätsel«, erklärte er aufgebracht, »auf eine ganz einfache Frage.«

»Wieso hältst du es für eine einfache Frage?«

Darauf wußte Tamino nicht sofort eine Antwort. Wütend rief er: »Nun, hier habe ich eine Frage, die vielleicht einfach genug ist. Sagt mir, Ihr Rätselfreunde, ist Pamina noch am Leben, oder hat Sarastro sie umgebracht?«

»Pamina lebt, und ihr ist kein Leid geschehen«, antworteten die Boten. »Mehr mußt du im Augenblick nicht wissen.« Die körperlosen Gestalten flackerten noch einmal auf und waren plötzlich verschwunden. Mit ihnen verschwand auch das Licht, und Tamino blieb wieder allein im Dunkeln zurück.

Diese Antwort war wenigstens eindeutig gewesen. Doch hatte er noch andere Fragen stellen wollen, darunter auch die wichtigste: Sarastro? – Was ist er für ein Mensch? Wer hat die Wahrheit gesagt, die Königin der Nacht oder der alte Priester? Doch Tamino tröstete sich damit, daß die Boten ihm vermutlich doch nur in Rätseln geantwortet hätten, und davon hatte er genug für heute – für sein ganzes Leben.

Zumindest hatte er eines erfahren: Pamina lebte, und wahrscheinlich ging es ihr gut, und noch etwas dazugelernt: Die Flöte brachte ihm Erleuchtung – allerdings fühlte sich Tamino im Augenblick verwirrter als je zuvor, denn er irrte noch immer im Dunkeln.

Plötzlich ging die Sonne auf. Doch hier im heiligen Bezirk war es kaum dieselbe grelle, unbarmherzige Sonne, die er aus der Wüste nur allzu gut kannte. Hier schien eine sanftere Sonne, die ein weiches, dunstiges Licht verströmte.

Tamino überlegte, ob die rätselliebenden Boten auch darin ein Symbol für die Erleuchtung sehen würden. Oder bedeutete es nur, daß die Sonne aufging, wie jeden Tag in der Welt draußen und vermutlich auch im Reich der Königin der Nacht? Auf jeden Fall war es jetzt noch wichtiger geworden, Papageno ausfindig zu machen und ein Versteck zu suchen, denn bald würden die Priester zur Stelle sein . . .

Und die Boten? Würden sie wieder auftauchen und noch weitere Rätsel stellen, wenn er die Flöte spielte? Sie waren wie von selbst verschwunden, vermutlich, weil sie glaubten, er habe fürs erste genügend Erleuchtung erfahren. Wenn er also jetzt noch einmal spielte, bedeutete das, ohne ihre zweifelhafte Führung, Erleuchtung zu suchen, oder, dachte Tamino spöttisch, lediglich Musik zu machen oder auch Papagenos Aufmerksamkeit zu erregen, der die Flötentöne vermutlich eher hören würde als sein Rufen. Vielleicht würde er sie aber auch nur für Vogelgezwitscher halten.

Was auch geschehen mochte, er würde es versuchen. Wenn die Boten es sich in den Kopf setzten – oder was immer sie anstelle von Köpfen hatten, denn Tamino war es bisher nicht gelungen, ihre Gesichter richtig zu sehen –, wieder aufzutauchen, wollte er sie einfach fragen, wo Papageno sei.

Tamino setzte die Flöte an die Lippen und begann zu spielen.

Tamino liebte Musik. Zu den Dingen, die er auf dieser Reise am meisten vermißt hatte, gehörten die Abende im kaiserlichen Palast, an denen die Musikanten seines Vaters spielten, sangen und tanzten. Diese Flöte hatte einen ausnehmend weichen, lieblichen und melodischen Klang; offensichtlich stammte sie aus der Hand eines Meisters. Sie war ein sehr kostbares Instrument, abgesehen von den magischen Eigenschaften, die sie vielleicht besaß. Tamino spielte eine schlichte Hirtenweise aus der fernen Heimat und überließ sich völlig der Musik.

Zu seiner Erleichterung war von den Boten nicht das geringste zu sehen. Doch nachdem er eine Zeitlang gespielt hatte, bemerkte er, wie sich eines der Tempeltore leise öffnete. Im Zwielicht konnte er nur undeutlich große, behaarte Gestalten erkennen, die leise die Stufen des Tempels herunterkamen und sich ihm näherten. Als die Melodie verebbte, verharrten sie regungslos. Tamino sah, daß es Männer waren – nein, eher Bären. Dichtes, wolliges Haar bedeckte ihre Körper. Ihre Nasen waren so lang, daß man sie als Schnauzen bezeichnen konnte, und sie hatten entstellte Hände – oder waren es Tatzen? Tamino machte große Augen. Dann bemerkte er einen großen, schlanken Mann, der ihn an ein Pferd erinnerte. Lange, spitze Ohren ragten über seinen Kopf und struppiges, tiefschwarzes Haar fiel ihm wie eine Mähne bis in den Nacken. Ein kleines, völlig behaartes Wesen schmiegte sich plötzlich an ihn – ein Biber? Ein Hasen-Halbling? Noch immer strömten weitere Wesen herbei und hörten staunend und verzückt Tamino zu. Er hätte nie für möglich gehalten, daß es so viele Arten von Halblingen gab. Die größeren, besonders die Bären, machten ihm Angst, denn sie waren so riesig und drängten sich um ihn. Doch am meisten beunruhigte Tamino, daß keines dieser Wesen einen Laut von sich gab. Konnten sie nicht sprechen oder waren sie stumm? Hatten ihre Schöpfer ihnen aus Gedankenlosigkeit oder gar Berechnung keine Stimme gegeben? Auch die kleineren Halblinge fand Tamino bemitleidenswert. Weshalb sollte sich jemand die Mühe gemacht haben, Halblinge zu schaffen, die ein unsinniges Zerrbild der Menschen waren? Welchen Nutzen konnten diese Wesen haben? Tamino streichelte den kleinen Hasen-Halbling, der sich an ihn schmiegte – und mußte sich in Erinnerung rufen, daß dieses Tier, dieses Spielzeug, ein vernunftbegabtes Wesen war und vermutlich so etwas wie ein Bewußtsein und eine menschliche Seele besaß. Er sollte es eigentlich – nein! ihn oder vielleicht sie – wie seinesgleichen behandeln . . .

Aber wie? Ein Wesen wie Papageno hatte wenigstens eine menschliche Gestalt und konnte sprechen – es fiel nicht schwer, ihn als das zu behandeln, was er war: ein menschlicher Geist in einem tierähnlichen Körper. Impulsiv achtete Tamino den Vogel-Mann wie jeden Menschen – intelligent oder einfältig – im Reich seines Vaters. Er war nicht zum

Herrschen erzogen worden, doch man hatte Tamino gelehrt, *für alle* im Reich seines Vaters Verantwortung zu tragen. Aber sein Vater hatte keine Hasen-Halblinge als Untertanen. Und er konnte mit dem armen Geschöpf nicht einmal reden, denn es verstand ihn nicht. Man hatte ihm gesagt, Menschen könnte man bilden und erziehen. Aber wie erzog man dieses Wesen? Vermutlich wie ein Haustier, wie eine Katze oder einen Hund. Man richtete es ab.

Aber diese Geschöpfe waren von Menschen, von vernunftbegabten Wesen geschaffen worden! In Taminos Kopf überschlugen sich die Gedanken. Seine Lippen zitterten, und die Musik brach ab. Die Halblinge gaben leise enttäuschte Laute von sich, doch Tamino brachte es nicht über sich, weiter zu spielen.

Bitter dachte er daran, was die Boten gesagt hatten: *Die Flöte wird dir Erleuchtung bringen.* Aber er war verwirrter als je zuvor. Weshalb? Was hatte die Menschen von Atlas-Alamesios dazu gebracht, solche Wesen zu erschaffen?

Ein Affe, der mit einer Königin Schach spielen konnte und sogar gewann . . . ja, vielleicht gab es dafür einen Grund . . . selbst für einen Vogel-Menschen, den man als köstlichen Spaß in Vogelfedern kleiden und beauftragen konnte, Vögel zu fangen, aus deren Federn man Ritualgewänder fertigte – falls sie nicht in den Kochtopf wanderten. Aber ein Hasen-Halbling, der nur mümmeln konnte . . . Er war kaum größer als ein drei- oder vierjähriges Kind. Welchen Platz sollte ein solches Wesen am Hof oder im Tempel einnehmen?

Erleuchtung? Nein, Tamino empfand eher Verzweiflung darüber, daß solche Kreaturen geschaffen worden waren. *Er* hatte es nicht getan, aber seine Vorväter, und so traf auch ihn der Vorwurf, daß solche Geschöpfe überhaupt existierten. Das Elend der Armen und Hungrigen wurde im allgemeinen damit erklärt, daß sie für ihren Lebensunterhalt und ihre Nahrung nicht genug arbeiteten; sie wären nicht fleißig genug, es fehlte ihnen an Geschick oder an Ausdauer, und sie machten sich nicht die Mühe, ihre Lage zu verbessern... Aber was konnte ein Bär-Halbling mit seinen Tatzen tun? Er konnte nicht einmal ein Feld bestellen und hatte doch menschliche Züge. Sein Geschick bei der Jagd nützte ihm wenig, selbst wenn man voraussetzte, daß sein Herr ihm erlauben würde, sich seinen Lebensunterhalt durch die Jagd zu sichern. Jeder dieser Halblinge war mehr oder weniger entstellt. Weshalb hatten die Menschen von Atlas-Alamesios die Folgen nicht bedacht, ehe sie solche Wesen schufen? Nun waren sie da und drängten sich auf den Stufen dieses heiligen Ortes.

Tamino steckte die Flöte mit zitternden Händen in das Futteral. Die Halblinge gaben leise Laute der Unzufriedenheit von sich; sie knurrten, brummten und winselten, doch keiner bedrohte ihn.

»Schon gut, schon gut«, murmelte Tamino, »für diesmal ist es genug. Vielleicht kann ich ein andermal wieder für euch spielen.« Er konnte nichts für sie tun. Seine Musik bereitete ihnen Vergnügen, doch das änderte nichts daran, daß man sie zu Menschen-Wesen gemacht hatte, die nicht menschlich genug waren.

Ein Halbling nach dem anderen schlich sich davon. Der seltsame kleine Hasen-Halbling blieb als letzter zurück. Zutraulich rieb er seinen weichen, flauschigen Körper an Taminos Beinen und sah ihn wehmütig mit seinen rosa Augen an.

Aber schließlich hüpfte auch er davon, und Tamino stand wieder allein auf den Tempelstufen. Er war so aufgewühlt, daß ihm die Suche nach Papageno beinahe widerstrebte, war doch auch Papageno ein Halbling, und er hatte gerade daran gedacht, daß solche Wesen nie hätten geschaffen werden sollen.

War es gerechtfertigt, konnte man je rechtfertigen, eine solche Tragik heraufbeschworen zu haben, nur um so treue Diener wie die Hunde-Halblinge zu haben? Tamino schämte sich, ein Mensch zu sein. Nur Menschen konnten so etwas tun.

Aber, wenn er an Papageno dachte, konnte er denn wirklich wünschen, daß es diesen bezaubernden und komischen Vogel-Mann nie gegeben hätte? Tamino kämpfte mit seinen widerstreitenden Gefühlen und kam zu keinem Schluß. In diesem Augenblick hörte er Papagenos Pfeife.

Alles Theoretisieren, ob Papagenos Dasein berechtigt war oder nicht, erwies sich nun als unerheblich. Er und der Vogel-Halbling befanden sich in derselben mißlichen Lage. Sie hatten sich in Feindesland, in der Umgebung von Sarastros Tempel, beide verirrt. Und wenn Sarastro für die Erschaffung der Halblinge verantwortlich war, die er gerade gesehen hatte, gab es einen Grund mehr, den Priesterkönig zu hassen. Er, Tamino, war für Papageno verantwortlich.

»Hier bin ich, Papageno«, rief Tamino und rannte auf die Töne zu.

Neuntes Kapitel

Als Monostatos verschwunden war, erhob Pamina sich vorsichtig und bedeutete Papageno, ihr zu folgen. Sie schlichen durch die Gärten und wurden nur von einem harmlosen Hunde-Halbling bemerkt, der schnüffelnd an den Rändern der Rasenflächen entlanglief und kleine Tiere aufstöberte.

Pamina blieb etwas hinter Papageno zurück und bemühte sich, leise zu gehen. Ihre Gedanken kreisten um den unbekannten Prinzen. Es hatte die Tochter der Sternenkönigin bisher nie sonderlich beschäftigt, daß sie sich eines Tages für einen Mann interessieren würde. Aber ihre Mutter hatte diesen Prinzen dazu ausersehen, Pamina zu retten. Rosige, liebliche Bilder stiegen in ihr auf, während sie sich andererseits sehr wohl darüber im klaren war, daß sie an ihren Retter dachte, damit Angst und Furcht Monostatos wegen sie nicht bedrängten. Der fremde Prinz war bislang nur ein angenehmer Tagtraum, Monostatos aber eine wirkliche Bedrohung.

Wenn es stimmte, daß Sarastro ihn zu ihrem Gemahl ausersehen hatte, dann mußte sie unverzüglich von hier weg. Würde der Prinz sie wieder zu ihrer Mutter bringen? Paminas Herz jubilierte bei dem Gedanken, bald wieder im vertrauten Palast ihrer Mutter zu sein.

Sarastro wäre bestimmt enttäuscht, wenn er wirklich ihr Vater war . . . Monostatos hatte immer gelogen, weshalb sollte er ausgerechnet in diesem Punkt der Wahrheit die Ehre gegeben haben? Andererseits – warum sollte er sie belogen haben? Aus reiner Bosheit und Grausamkeit, nur um sie zu verletzen und zu ängstigen?

Aber im Augenblick befanden sie sich nicht in Reichweite des verhaßten Monostatos . . . Prinz, Sohn der Großen Schlange, oder wie immer er sich jetzt nannte. Mochte er sich nennen, wie er wollte, Pamina wünschte nur das eine: Monostatos möge ihr nie mehr unter die Augen treten . . . Und wenn der Priesterkönig ihn zu seinem Boten erwählte, wollte sie auch nichts mehr mit Sarastro zu tun haben – Vater hin, Vater her.

Pamina lief jetzt auf den äußeren Rand des Gartens zu und ließ jede Vorsicht außer acht, nur um rasch den Weg zu erreichen, der sich jenseits der Hecken entlangzog. Sie wußte nicht, wo sie war, aber selbst wenn sie sich draußen, in Sarastros Reich, verirrte, war das besser, als in den prächtigen Gemächern gefangengehalten zu werden, auch wenn man sie wie einen Ehrengast behandelte. Früher oder später würden sie oder Papageno den Weg in die Freiheit und in den sicheren Palast ihrer Mutter, der Sternenkönigin, schon finden.

Der Vogel-Mann berührte sie an der Schulter.

»Wir können nicht einfach hier so herumlaufen«, flüsterte er, »Prinz Tamino muß irgendwo in der Nähe sein. Als wir hereinkamen, verloren wir uns . . . er hätte vernünftig sein und bei mir bleiben sollen«, fügte Papageno verdrießlich hinzu, »ich wäre nie so dumm gewesen, mich zu verirren.«

»Ganz bestimmt nicht«, gab ihm Pamina ernsthaft recht. Inzwischen war es so hell geworden, daß jeder, der vorüberkam, sie sehen konnte. »Doch nun hat er sich verirrt, und wir müssen Prinz Tamino finden, ehe wir von hier fliehen. Weißt du, wie wir das am besten anstellen?«

Als Antwort setzte Papageno seine kleinen Pfeifen an die Lippen und blies einen fröhlichen Vogelruf. In der Ferne hörten sie eine Antwort.

»Das ist der Prinz. Kommt hier entlang«, rief Papageno aufgeregt. Eilig liefen sie auf die Stimme zu und geradewegs einem Dutzend Halblinge in die Arme, die Seile und Netze trugen, als wollten sie auf die Jagd gehen. Einer von ihnen rief: »Da sind sie! Laßt sie nicht entkommen!«

Verzweifelt versuchte Pamina davonzulaufen, doch die Halblinge hatten bereits Papageno ergriffen, und zwei von ihnen packten auch sie.

»Laßt mich los!« schrie Pamina. »Man wird euch dafür bestrafen!« Sie konnte nicht glauben, was ihr geschah. Im Palast ihrer Mutter – an jedem Ort, an dem alles mit rechten Dingen zuging, hätte man einem Halbling, der einen Menschen gegen dessen Willen berührte, bei lebendigem Leib die Haut abgezogen. Die rauhen Pfoten der Halblinge an ihren Armen erschreckten sie. Ihr wurde schwindlig, und Pamina glaubte in Ohnmacht zu fallen, wenn nicht ihr Stolz gewesen wäre.

»Rührt mich nicht an! Nehmt eure Hände weg! Hilf mir, Papageno!«

»Glaubt Ihr, er kann Euch helfen? Oh, nein, Pamina«, hörte sie die vertraut-verhaßte Stimme. »Niemand außer mir kann Euch jetzt noch helfen«, fuhr Monostatos fort, »und meine Hilfe habt Ihr zurückgewiesen. Sie handeln auf meinen Be-

123

fehl. Ergreift sie!« befahl er den Halblingen, die zurückgewichen waren. »Fesselt sie!«

Pamina konnte es noch immer nicht glauben, als man eine ihrer Hände packte und eine Schlinge darum legte. Monostatos ergriff die andere.

»Komm, Pamina, meine süße Kleine, zwing mich nicht dazu«, murmelte er und beugte sich über sie. »Du weißt doch, daß du nicht entfliehen kannst. Also finde dich damit ab. Nichts wird dir geschehen, wenn du einsiehst, daß du für mich bestimmt bist. Du glaubst doch nicht, ich würde zulassen, daß sie meiner zukünftigen Gemahlin etwas antun? Komm, gib mir einen Kuß, wir wollen uns wieder versöhnen.«

Pamina spürte seine Lippen auf ihrem Mund und wandte sich mit der Kraft der Verzweiflung ab. Mit den Fingernägeln zerkratzte sie Monostatos' Gesicht, und er wich unter wütenden Flüchen zurück.

Auch Papageno wehrte sich heftig, warf den Halbling zu Boden, der versuchte, ihn festzuhalten und griff in fliegender Hast nach dem Glockenspiel, das ihm die Damen der Königin gegeben hatten. Von den Boten wußte er, daß es bei Gefahr zu benutzen sei . . . vielleicht würden die Glöckchen wie Taminos Flöte Hilfe läuten? Schnell glitten seine Finger über die Schellen.

Pamina hörte ein lustiges, fröhliches Läuten und fragte sich, was Papageno in den Sinn gekommen sei, in einer solchen Lage Musik zu machen. Doch schon nach den ersten Tönen ließ Monostatos sie los, wandte den Kopf ab und begann, während Pamina ihn verblüfft betrachtete, zu tanzen. Er sah sie nicht mehr, er sah nichts mehr, sein Oberkörper schwankte hin und her, Monostatos beschrieb mit merkwürdig gleitenden Bewegungen einen Kreis. Die Hunde-Halblinge sprangen zum Klang der Glöckchen um ihn herum. Papageno blinzelte und bewegte sich ebenfalls leicht im Takt der Musik und hörte nicht auf zu spielen.

Pamina hatte von alten Zaubern gehört, mit denen man Halblinge willenlos machen konnte, doch gesehen hatte sie so etwas noch nie. Unglaublich war, daß auch Monostatos, den sie als Halbling beschimpft hatte, diesem Bann unterworfen war. Papageno spielte immer weiter, und Pamina mußte mit aller Kraft an sich halten, um sich nicht selbst im Kreis zu drehen!

Schließlich tanzten die Halblinge einer hinter dem anderen unbeholfen davon.

Papageno ließ die Glöckchen erklingen, bis sie außer Sicht waren, und hörte dann auf. Pamina wollte tausend Fragen stellen. Wo und wie war Papageno zu dem Glockenspiel gekommen? Was hatte Monostatos und die anderen Halblinge dazu gebracht zu tanzen? Weshalb konnte der Zauber Papageno nichts anhaben? Doch im Augenblick war keine dieser Fragen wichtig. Wichtig war nur das eine: Sie mußten fliehen!

Dann hörte sie einen Ton, der Pamina vor Angst erstarren ließ. Die königlichen Fanfaren erklangen zum Beginn der Prozession! Sarastro und seine Priester würden auf diesem Weg zu den Sonnenaufgangszeremonien schreiten! Pamina blieb wie angewurzelt stehen. Es war zu spät, um davonzulaufen. Im Licht der aufgehenden Sonne sah sie das Glitzern der Ornate und Gewänder.

Man hatte sie bereits entdeckt.

Papageno wickelte das Glockenspiel in die Hülle, band es wieder an seine Hüfte und blickte auf. Er sah das Entsetzen in Paminas Augen.

»Was gibt es, Prinzessin?«

»Dort kommt Sarastro mit den Priestern«, flüsterte sie und nahm all ihren Mut zusammen. Papageno stand am ganzen Leib zitternd neben ihr, und die Federn auf seinem Kopf sträubten sich voller Furcht.

»Sarastro«, stöhnte er, »o je, was wird er mit uns tun? Was sollen wir ihm sagen?«

Pamina fürchtete sich fast ebensosehr wie der Vogel-Mann, aber sie erwiderte entschlossen: »Wir werden ihm die Wahrheit sagen.« Aufrecht erwartete Pamina die Priester.

Der vorderste hatte sie beinahe erreicht, als Sarastro, der inmitten seiner Vertrauten einherschritt, Pamina entdeckte und sie überrascht und mißbilligend ansah.

Natürlich ist er ungehalten, dachte sie, *ich habe versucht zu fliehen. Aber ich möchte jetzt wissen, ob Monostatos in seinem Sinn gehandelt hat.*

Sarastro trat auf Pamina zu und bedeutete den Priestern, an ihrem Platz zu bleiben.

»Pamina«, fragte er nicht unfreundlich, »was tust du hier zu dieser Stunde? Ich kann mir nicht denken, daß du an den Morgenriten teilnehmen möchtest. Vielleicht hast du...«

Unvermittelt brach Sarastro ab, denn hinter ihm erhob sich ein heftiger Tumult. Von Hunde-Halblingen umgeben, schleppte Monostatos einen Gefangenen herbei, einen jungen Mann, den Pamina noch nie gesehen hatte. Ein kurzer Blick auf Papageno, und sie wußte, daß es Prinz Tamino war – prächtig gekleidet und von der heftigen Gegenwehr etwas mitgenommen. Tamino war schön; er hatte ein edles Gesicht und bekümmerte Augen. Der Prinz war gekommen, um sie zu befreien – und nun war ihm das widerfahren. »Laßt ihn los!« befahl Pamina so gebieterisch, daß die Halblinge, die ihn festhielten, von ihm abließen, ehe sie wußten, wie ihnen geschah. Schnell trat sie auf den Gefangenen zu und streckte ihm die Hände entgegen.

»Ihr seid Prinz Tamino«, sagte Pamina leise und sah ihm in die Augen.

Er ergriff ihre Hände, zog sie an sich und erwiderte ihren Blick, als seien beide allein auf der Welt. Einen Blick lang sah sich Pamina in seinen Augen.

Dann packte Monostatos zu, riß sie heftig auseinander, und Pamina blickte in die gütigen blauen Augen des Priesterkönigs Sarastro.

Ein anderer Priester hatte das morgendliche Ritual übernommen. Pamina saß neben Sarastro auf einem Diwan; mit einer Handbewegung forderte er sie auf, sich von dem Obst, dem Wein und den Kuchen aus getrockneten Früchten und Honig zu nehmen, die auf einer großen Platte vor ihnen standen. Ängstlich fragte sie: »Ihr werdet doch nicht zulassen, daß dem armen Papageno ein Leid geschieht, nicht wahr? Und dem Prinzen auch nicht?« Schnell fügte sie hinzu: »Ich meine Prinz Tamino, nicht Monostatos«, nahm eine gedörrte Feige und kaute darauf herum, obwohl die Frucht in ihrem trockenen Mund wie Holz schmeckte.

»Ich weiß nicht, was man dir über mich erzählt hat«, sagte Sarastro, und seine Stimme klang freundlich. »Aber ich gebe dir mein Wort, ich habe nicht die Absicht, Papageno ein Leid zuzufügen und Tamino noch weniger. Der Prinz soll mein Ehrengast sein, weil er sich den Prüfungen zu unterziehen hat.«

»Ich war auch Euer Ehrengast«, erwiderte Pamina etwas bitter, »und mußte feststellen, daß ich Eure Gefangene bin.«

»Pamina ...« Sarastro seufzte und stützte das Kinn in die Hand. Dann sagte er: »Über die Meinungsverschiedenheiten, die ich mit deiner Mutter habe, will ich nicht sprechen; ich hatte gehofft, du würdest nie davon erfahren. Aber ich glaube, das wäre zuviel verlangt.«

»Darf ich Euch eine Frage stellen?« sagte Pamina, und der Priester nickte.

»Hier darfst du alles fragen, und ich verspreche dir, jede Antwort, die du bekommst, ist die Wahrheit.«

»Monostatos hat mir gesagt, Ihr seid mein Vater. Ist das wahr?«

»Ich fürchte ja, Pamina«, erwiderte Sarastro. »Aber ist dir das so unangenehm?«

Er sah sie freundlich an und schien ihr zuzuzwinkern. Es war bestimmt nichts Unerträgliches daran, diesen gelassenen und freundlichen Mann als ihren Vater anzuerkennen. Aber vielleicht war dann auch alles andere wahr, was Monostatos behauptet hatte. »Habt Ihr Monostatos meine Hand versprochen?« wollte sie wissen.

Sarastros Gesicht verriet eine gewisse Überraschung. »Nein«, erwiderte er, »möchtest du ihn zum Gemahl? Es ist wahr, ich habe ihm gesagt, wenn er alle Prüfungen erfolgreich besteht, wenn du einverstanden bist, würde ich Monostatos vielleicht erlauben, um deine Hand anzuhalten. Mehr nicht. Hat er dir das gesagt, Pamina?«

»Weshalb glaubt Ihr, habe ich versucht zu fliehen?« entgegnete sie.

»Ich hoffte, du würdest darüber sprechen.« Sarastro ließ sie nicht aus den Augen. Er betrachtete Pamina prüfend und wachsam. »Ich habe angeordnet, daß man dich zuvorkommend behandelt und dir alle Wünsche erfüllt. Hat jemand diesen Befehlen zuwidergehandelt?«

War es also möglich, daß Sarastro die Wahrheit nicht kannte? Als Pamina antwortete, zitterte ihre Stimme: »Ich versuchte ... ich versuchte zu fliehen, weil ich mich vor ihm fürchtete. Vor Monostatos. Er hat mich bedroht. Er sagte, ich sei ihm versprochen, und ich fürchtete ... ich fürchtete, es sei die Wahrheit. Er ... sagte es mit solcher Überzeugung und behandelte mich, als ob ...« Sie schwieg und suchte nach Worten, ». . . als sei ich bereits seine künftige Gemahlin.«

Sarastro sah ihr in die Augen. Pamina senkte den Kopf aus Furcht, sie würde weinen, und kämpfte gegen die Tränen, die ihr in die Augen traten. Dann spürte sie Sarastros Hand, der ihr sanft den Kopf hob, bis ihre Blicke sich trafen.

»Pamina, ist das wahr?«

»Ich kenne die Sitten hier nicht, aber ich würde mich nie soweit erniedrigen, deshalb zu lügen!« entgegnete Pamina plötzlich zornig.

Sarastro seufzte. »Es stimmt. Du kennst diesen Ort hier nicht. Und du kennst auch mich nicht. Es ist nicht deine Schuld. Ich frage dich noch einmal, Pamina. Wirst du deinen Vorwurf in Gegenwart von Monostatos wiederholen, wenn ich dich darum bitte?«

»Mit dem größten Vergnügen«, erklärte sie mit Nachdruck.

»Und wenn mir dieser elende Halbling in die Augen sehen

und es leugnen kann . . .« Pamina schwieg; sie zitterte am ganzen Leib vor Empörung, und Sarastro griff nach ihrer Hand.

»An deinen Augen sehe ich, daß du die Wahrheit sprichst, mein Kind. Ich kann nur sagen, daß ich sehr bedaure, daß du diese Prüfung hast erdulden müssen. Ich habe mich in Monostatos geirrt. Ich glaubte, als Sohn der Großen Schlange, die einmal mein Freund und ein geschworener Tempelbruder war, würde er sich ehrenhaft verhalten. Jeder kann sich irren. Ich bedaure nur . . . nun ja, das ist jetzt nicht wichtig.«

Sarastro seufzte tief, ehe er weitersprach: »Ich werde dem Prinzen Tamino dasselbe wie Monostatos versprechen. Wenn er die Prüfungen besteht, darf er um dich werben. Und wenn ich die Zeichen richtig deute, wirst du es ihm weniger verübeln als Monostatos, der seines Erfolgs so sicher war.«

Sarastro zwinkerte ihr wieder zu, und Pamina errötete. Also hatte er gesehen, wie sie Taminos Hände ergriff und ihn verteidigte.

»Tamino . . . Prinz Tamino«, verbesserte sie sich rasch, ». . . ist ein ehrenhafter junger Mann. Ich . . . werde ihn gern erhören, wenn er um meine Hand anhält.«

»Ja, er ist wirklich edel, und er scheint auch gut und tapfer zu sein«, pflichtete Sarastro ihr bei. »Aus diesem Grund habe ich ihn rufen lassen, mein Kind, denn ich hoffte, er würde dir gefallen.«

Sarastro tätschelte ihre Hand so freundlich, daß Pamina plötzlich ausrief: »O Vater . . . wenn Ihr wirklich mein Vater seid . . . warum darf ich nicht zurück zu meiner Mutter? Ich bin nicht unglücklich hier, nachdem ich weiß, daß Monostatos mir nicht mit Eurer Billigung und Zustimmung nachstellte. Es tut mir leid, daß ich Euch falsch beurteilte. Aber darf ich nicht nach Hause? Meine arme Mutter . . . sie wird vor Kummer sterben!«

Sarastro seufzte tief. Nach kurzem Schweigen erwiderte er: »Es tut mir leid, Pamina, aber das ist unmöglich. Du kennst deine Mutter nicht so gut wie ich . . . Sie ist eine herzlose, grausame und herrschsüchtige Frau. Unter ihrem Einfluß würdest du ebenfalls herzlos und böse werden. Ich kann nicht erwarten, daß du das alles weißt. Ich kann dich nur bitten, mir zu vertrauen. Zum Glück hat sie ihre Kälte und Grausamkeit nicht auf dich übertragen können, aber du warst ein Kind und wußtest nichts von Gut und Böse. Nun bist du eine Frau, und ich muß dafür sorgen, daß du auf den Pfad der Wahrheit und des Lichtes geführt wirst. Deine Mutter . . .«

»Sie ist meine *Mutter*«, erklärte Pamina ruhig und würdevoll. »Ich möchte nichts Schlechtes über sie hören.«

Sarastro legte den Honigkuchen, den er sich genommen hatte, unberührt wieder zurück und erwiderte: »Ich kann es dir nicht verübeln, daß du an deine Mutter glaubst, Pamina. Ich wünschte nur, du würdest mir vertrauen, doch ich vermute, ich muß mir dein Vertrauen erst noch verdienen. Doch nun zu Monostatos und dem Prinzen.«

»Und Papageno?«

»Ihm wird nichts geschehen«, versicherte Sarastro. »Der Vogel-Mann versuchte, dir zur Flucht zu verhelfen. Aber ich mache ihn nicht dafür verantwortlich, denn er war irregeleitet und begriff nicht, worauf er sich einließ. Ich möchte ihm ebenfalls erlauben, sich den Prüfungen zu unterziehen . . . wieviel weißt du über sie, Pamina?«

»Sehr wenig.«

»Zur richtigen Zeit wirst du alles erfahren. Doch soviel will ich sagen: Erweist sich Papageno als würdig, wird er eine Frau bekommen und darf sich mit dem Segen des Tempels mit ihr vermählen. Als ich dich deiner Mutter wegnahm, ließ ich auch deine treue Dienerin Papagena hierherbringen. Die Priesterinnen, die sich der weiblichen Halblinge annehmen, haben mit ihr gesprochen und sagen, sie sei aufrichtig, gut und tugendhaft. Es gibt nur noch wenige Vogel-Halblinge, vor allem solche, die intelligent genug sind. Ich hoffte, für die gute Papagena einen würdigen Partner zu finden. Papageno erscheint mir geeignet. Du kennst ihn besser. Was hältst du von ihm?«

»Ich mag ihn, Vater, und ich bin froh, daß Papagena in Sicherheit ist.« Mit Bestürzung wurde ihr klar, daß sie unbewußt gefürchtet hatte, Mutter würde ihren Zorn an Papagena auslassen, weil die Vogel-Frau bei ihr gewesen war, als man sie entführte.

Doch sofort fühlte Pamina sich wieder treulos. Billigte sie etwa Sarastros Meinung über ihre Mutter? Pamina wandte den Blick ab, nahm eine Handvoll Datteln und aß sie rasch.

Ein Priester stand außer Hörweite am anderen Ende des Raums. Sarastro hob die Hand und sagte mit lauter Stimme: »Bringt den Prinzen Tamino zu mir und auch Monostatos.«

Pamina aß die letzte Dattel, tauchte die Hände anmutig in eine Fingerschale, und augenblicklich stand ein Hunde-Halbling, der sie irgendwie an Rawa erinnerte, neben ihr und reichte Pamina ein kleines, duftendes Handtuch. Seit Jahren hatte sie kaum noch an Rawa gedacht. Mit Entsetzen wurde ihr jetzt klar, weshalb sie sich Sorgen um Papagena gemacht hatte und schämte sich plötzlich sehr, da sie sich eingestehen mußte, wie sehr sie darüber erleichtert war, daß Sarastro sich geweigert hatte, sie zu ihrer Mutter zurückzuschicken.

Pamina hatte Angst um Papagena gehabt. Aber in Wirklichkeit fürchtete sie sich vor ihrer Mutter und davor, was die Sternenkönigin zu ihr sagen würde.

Bald darauf betraten viele Priester, Diener, Halblinge und Menschen die Halle. Sarastro reichte ihr feierlich die Hand und geleitete Pamina zu einem Sitz, dann hob er die Hand, und Monostatos trat schnell vor.

»Mein Gebieter«, rief er, »in Euren Diensten habe ich diesen Eindringling im Tempelbezirk gefangengenommen!« und wies die Wachen an, Tamino vorzuführen. Sarastro schüttelte das Haupt, und sie ließen Tamino los. Dann winkte er Monostatos zu sich.

»Ich versichere Euch«, sagte Sarastro, »Ihr werdet belohnt werden, wie Ihr es verdient.«

Monostatos fiel auf die Knie, griff nach seiner Hand und bedeckte sie mit Küssen. »Mein Herr und Gebieter, Ihr seid zu gütig. Ich bin nicht würdig...«

»Euer Lohn ist wohl verdient«, unterbrach ihn Sarastro streng, entzog ihm seine Hand und befahl den Priestern: »Bringt ihn weg! Man soll ihn gehörig prügeln! Danach führt ihn zum Tor und werft ihn hinaus. Er darf nie wieder einen Fuß über die Schwelle setzen!«

»Mein Gebieter!« rief Monostatos empört, als man ihn packte. »Ihr habt versprochen, ich dürfe mich den Prüfungen unterziehen.«

»Das habt Ihr getan und schon die erste nicht bestanden. Damit sind Euch alle anderen verwehrt«, erwiderte Sarastro streng. Pamina hätte nie geglaubt, daß die freundliche Stimme vor Zorn wie Donner grollen konnte. »Ich habe Euch meine Tochter Pamina anvertraut, Monostatos, und Ihr habt die Probe nicht bestanden.«

»Oh, Herr, ich erhebe Einspruch! Pamina versuchte zu entfliehen. Und seht doch, ich habe sie daran gehindert. Ich habe meine Pflicht getan!«

»Nein, das habt Ihr nicht«, erwiderte Sarastro, »denn dies war die erste Prüfung. Ihr habt meine Tochter bedroht und belogen und damit das Vertrauen untergraben, das ich in Euch setzte. Bringt ihn hinaus«, fügte er energisch hinzu. Monostatos wehrte sich heftig und heulte und fluchte, als die Priester ihn aus dem Saal schleppten.

Sarastro bedeutete Tamino näher zu treten und fragte ihn: »Habt Ihr noch immer den Wunsch, Euch den Prüfungen zu unterziehen, mein junger Freund?«

Tamino konnte den Blick nicht von Pamina wenden. Er erwiderte: »Aus diesem Grund bin ich hierher gekommen, Herr.« Pamina lächelte ihm zu.

»Wenn es also Euer Wille ist«, sagte Sarastro, »soll es geschehen.« Auch er lächelte freundlich. »Führt ihn hinaus«, fuhr er zu den Priestern gewandt fort, »und bereitet ihn auf die Prüfungen vor. Er soll auf die Probe gestellt werden, wie es das Gesetz befiehlt.«

Taminos Augen hingen noch immer an Pamina. Er streckte die Hände nach ihr aus. Wie im Traum erhob sie sich und näherte sich ihm. Doch Sarastro schüttelte den Kopf, und die Priester griffen Tamino bei den Schultern – nicht grob, wie sie den sich wehrenden Monostatos gepackt hatten, aber doch bestimmt und entschlossen.

»Noch nicht«, erklärte Sarastro überraschend freundlich, »Ihr seid beide noch nicht würdig. Bringt den Prinzen hinaus.«

Tamino verneigte sich und ließ sich willig aus dem Saal führen. Sarastro streckte Pamina die Hand entgegen.

»Hab keine Angst«, sagte der Priesterkönig, »sie werden ihm nichts tun, das verspreche ich dir, mein Kind. Er hat mein Vertrauen. Und nun . . .« Sarastro winkte eine große, freundlich aussehende Frau in den Gewändern einer Priesterin herbei, »auch du mußt dich den Prüfungen unterziehen, Pamina, doch wenn du willst, darfst du vorher Papagena sehen und dich selbst davon überzeugen, daß es deiner treuen Dienerin gut geht.« Er gab ihr sanft einen Kuß auf die Stirn.

»Wir sehen uns wieder, wenn die Zeit gekommen ist, mein Kind. Habe Mut, ich vertraue auch dir. Ich weiß, daß du tapfer und aufrichtig bist. Verlasse dich auf die Stärken deiner Mutter, nicht auf ihre Schwächen, und du wirst die Probe bestehen. Nun geh, meine Tochter, bereite dich auf das Kommende vor. Du hast nichts zu befürchten. Es wird von dir nichts anderes verlangt, als dich auf dein wahres Wesen zu besinnen, das verspreche ich dir.«

Sarastro verneigte sich in seltsamer Feierlichkeit vor Pamina und ging inmitten seiner Priester davon. Pamina sah ihm nach. Sie wußte immer noch nicht, was geschehen würde, bis die große Priesterin sie sanft an der Schulter berührte.

»Prinzessin Pamina, kommt mit mir«, sagte sie freundlich. Paminas Augen suchten die Stelle, an der Tamino gestanden hatte, als man sie hinausbrachte.

Zehntes Kapitel

Tamino hatte eine Binde über den Augen. Auch wenn man sie ihm abnahm, glaubte er, würde er nichts sehen, denn durch ihre Falten drang nur Dunkelheit.

Man hatte ihm die Hände auf den Rücken mit einer weichen Schnur gebunden, doch Tamino fürchtete sich nicht.

Als die beiden Priester ihn aus der Halle führten und Sarastro davon sprach, daß man ihn auf die Probe stellen solle, hatte er etwas Angst gehabt. Der Priester-König wirkte freundlich und schien liebenswürdig. Doch Tamino wußte nicht, was ihn erwartete. Alles konnte Teil der Prüfungen sein. Beunruhigend war, daß Paminas Vater Monostatos so unnachgiebig bestraft hatte, und trotz seiner Vorurteile Sarastro gegenüber mußte er sich eingestehen, daß der Priester-König recht gehandelt hatte. Pamina vertraute ihm, und Tamino war bereit, sein Urteil über Sarastro zurückzustellen. Auch mußte Pamina nicht unbedingt sofort befreit werden, weshalb er sich ruhig den Prüfungen unterziehen konnte, die schließlich der Anlaß seines Kommens waren. Vielleicht würde er eines Tages die ganze Wahrheit erfahren, vielleicht sogar die ganze Wahrheit über die Königin der Nacht. Die Zeit würde kommen...

Sarastro hatte angeordnet, daß man ihn auf die Prüfungen vorbereite; zuerst brachten sie ihn in ein Gebäude, in dem, wie man Tamino erklärte, die jungen Priester lebten, und nahmen ihm seine Kleider ab – die kostbaren Gewänder, die ihm die Königin der Nacht gegeben hatte, waren im Kampf mit Monostatos' Männern zerrissen und durchlöchert worden. Man hieß ihn, sich in einem Teich mit kühlem Wasser zu waschen, und gab ihm ein schlichtes weißes Gewand, wie es die jungen Priester trugen.

Dann brachte man ihm eine Mahlzeit – Fladenbrote, Butter und einen Topf mit Honig, gekochte Eier, Früchte und einen Krug mit kalter Milch. Von allem gab es reichlich, und es schmeckte gut. Als ein alter Priester abräumte, nahm er auch die Flöte mit. Tamino wollte Einspruch erheben, doch der Mann lächelte ihn freundlich an.

»Hier braucht Ihr sie nicht«, sagte er, »zwar habt Ihr sie von jemandem erhalten, der kein Recht hatte, sie in Eure Hände zu geben, aber ich kann Euch versichern, daß Ihr sie zurückerhalten werdet, wenn die Zeit gekommen ist und Ihr bewiesen habt, daß Ihr würdig seid, sie zu spielen. Wartet hier, Prinz Tamino«, fügte er hinzu, »meditiert, bis der Mond aufgeht, dann wird man Euch holen.«

Der Priester ging, und Tamino versuchte zu meditieren. Doch immer wieder blickte er in Paminas Augen, und die Erinnerung, wie sie ihm bangend folgten, als man ihn wegführte, drängte sich auf... Schließlich schlief Tamino ein und erwachte erst, als es in seiner Zelle dunkel war. Beim Mondaufgang waren zwei Priester gekommen, die ihm schweigend eine Binde um die Augen legten und seine Hände fesselten. Er sah noch, daß einer der beiden jener alte Priester war, der ihn im Tempel der Weisheit begrüßt hatte...

Nun stand er in völliger Dunkelheit und hörte überall um sich leise Geräusche: das Rascheln von Gewändern, das gedämpfte Geräusch von Füßen, das Husten eines Mannes. Hände zogen ihn vorwärts und drückten ihn auf die Knie. Dann sah er durch die Augenbinde einen schwachen Lichtschimmer und hörte Sarastros Stimme, tief und mächtig klingend.

»Tamino«, sagte Sarastro, »ist es noch immer Euer Wunsch, Euch den Prüfungen zu unterziehen, um Erleuchtung und Weisheit zu erlangen?«

»Zu diesem Zweck bin ich hierhergekommen«, erwiderte Tamino, »und bin immer noch dazu entschlossen.«

»Ich weiß«, sagte Sarastro, »Ihr besitzt Mut, den Weisheit bisher noch nicht zügelte, und frage Euch, Prinz Tamino, vermögt Ihr Vorurteile beiseite zu schieben und alle Dinge genau zu prüfen, ehe Ihr urteilt?«

»Ich will es versuchen«, erwiderte Tamino.

Sarastro sprach in die Dunkelheit: »Brüder, jeder von euch hat das Recht, ihn nach seinem Gutdünken zu befragen. Wenn jemand seine Eignung für die Prüfungen unter Beweis stellen oder erproben will, dann spreche er jetzt oder er bewahre auf immer Schweigen.«

Eine Stimme fragte: »Prinz Tamino, Ihr seid der Sohn eines Kaisers. Sagt mir, was bedeutet es für Euch, ein Prinz zu sein?«

Tamino antwortete, was sein Vater ihm gesagt hatte, als er einmal diese Frage stellte.

»Mir wurde mehr gegeben«, erwiderte er, »und deshalb wird auch mehr von mir verlangt. Ich muß jedem der Untertanen meines Vaters ein Beispiel dafür sein, wie man leben soll, und ich darf von niemandem etwas verlangen, was ich nicht selbst zu tun bereit bin.«

Eine andere, rauhe, tiefe Stimme fragte: »Prinz Tamino, Ihr seid ein Prinz aus dem Reich des Westens. Könnt Ihr jeden Mann, gleich welcher Herkunft, als Bruder begrüßen, der die Prüfungen bestanden und in die Gemeinschaft unseres Tempels aufgenommen worden ist? Denn hier zählen nicht Geburt, sondern allein Verdienst und Tugend.«

Tamino antwortete nicht sofort. Dann sagte er: »Wenn man mir einen guten Grund dafür nennt, gewiß.«

Schweigen. Schließlich sagte Sarastro: »Gibt es weitere Fragen?« Und wieder herrschte Stille. Sarastro sprach: »Laßt uns fortfahren, wenn alles gesagt ist. Wer von euch will ihn führen?«

»Ich.« Es war die Stimme des alten Priesters, der Tamino im Tempel der Weisheit begrüßt hatte. »Ich werde ihn mit Freuden dem Licht zuführen.«

Sarastro fragte: »Tamino, werdet Ihr Euch seiner Führung überlassen und ihm auf dem Weg durch die Prüfungen gehorchen?«

»Wenn er nicht wieder von mir verlangt, Rätsel zu lösen«, erwiderte Tamino. Leises Lachen hallte von hohen Wänden wider.

»Werdet Ihr ihm blindlings gehorchen?« fragte Sarastro.

Tamino dachte nach und sagte schließlich: »Ich bin nicht sicher. Das klingt wie eine Fangfrage. Und wenn er von mir verlangt, etwas zu tun, von dem ich weiß, daß es falsch ist?«

»Falsch in wessen Augen?« wollte Sarastro wissen. »Wie ich höre, habt Ihr unserem Bruder gesagt, Ihr könntet richtig von falsch unterscheiden. Wie wollt Ihr beurteilen, ob etwas falsch ist, was er von Euch verlangt?«

Tamino biß sich auf die Lippen. »Ich versuche nicht . . .«, sagte Tamino, »mich als Richter aufzuspielen. Aber wie soll ich wissen, daß er nicht etwas Unrechtes von mir fordert, um mich zu prüfen. Gehorche ich ihm dann, tue ich das Falsche, widersetze ich mich, habe ich mein Wort gebrochen.«

Zu seiner Überraschung hörte Tamino zustimmendes Murmeln und Sarastro sagen: »Gut, ich stelle die Frage anders: Wollt Ihr ihm gehorchen, vorausgesetzt, er verlangt nichts von Euch, was Ihr vor Eurem Gewissen nicht verantworten könnt. Und werdet Ihr Euch auf seinen Rat und sein Urteil verlassen, wenn Ihr unsicher seid?«

»Oh, ja«, sagte Tamino erleichtert, »das will ich gern versprechen.«

»Dann, Prinz Tamino«, erklärte Sarastro mit seiner tiefen Stimme, »nehme ich Euch als Anwärter für die Prüfungen an, und wenn Ihr sie besteht, werdet Ihr in unsere Gemeinschaft aufgenommen. Nehmt ihn in Eure Mitte, meine Brüder! Wir wollen beten, daß er den Mut und die Kraft für die Prüfungen findet, denen er sich jetzt zu unterziehen hat.«

Tamino hörte wieder das Rascheln der Gewänder und spürte, wie jemand seine Hände ergriff. Zwei andere Hände segneten seine Stirn. Dann berührten ihn andere Hände, als wollten sie ihn heilen oder Segen spenden. Immer neue Hände legten sich auf ihn. Dann ertönte eine mächtige Stimme in der Dunkelheit. Sarastro begann zu singen, und die anderen stimmten mit ein:

Götter des Lichts, ehrfurchtgebietende Mächte der
Gnade,
Helft einem Menschen auf seinem Pilgerpfade,
Der hier vor Euren Pforten steht.
Behütet ihn in dieser dunklen, schweren Zeit,
Und geleitet ihn ans Ziel: zur Wahrheit!
Helft ihm, der den Segen der Weisheit erfleht,
Gebt, daß er das Recht erstrebt und nicht die Macht.
Zeigt ihm das ewige, strahlende Licht, in der Nacht.
Entzündet in ihm die Flamme der Wahrheit!

Der Gesang endete, und es herrschte einen Augenblick Stille. Dann sagte Sarastro sanft: »Gehe deinen Weg, Tamino!
Dein Mut und deine Weisheit mögen dich begleiten. Du
stehst blind und gebunden vor uns zum Zeichen, daß du
noch immer in der Dunkelheit der Welt wanderst und das
hellere Licht nicht kennst. Dich fesseln nicht äußere Bande,
sondern dein eigenes Unwissen. Doch du hast den Wunsch
nach wahrer Freiheit geäußert – befreit ihn also von den Fesseln der Unwissenheit.«
Das Band fiel von seinen Händen.
»Führt ihn hinaus«, sagte Sarastro, »die Prüfung beginnt.«
Jemand nahm Tamino die Binde von den Augen. Es war sehr
dunkel. Doch der Widerhall seiner Schritte verriet Tamino,
daß er in einem riesigen Gebäude war und Steine unter seinen Füßen hatte. Gedämpfte Laute drangen an sein Ohr. Als
sich seine Augen an die Dunkelheit gewöhnt hatten, entdeckte er Papageno, der ebenfalls eine Binde um die Augen
trug und den ein Priester führte.
Der Priester nahm Papageno gerade feierlich die Augenbinde

ab und sagte: »Mögen deine Augen das Licht der Weisheit erblicken.«

»Licht? Welches Licht?« brummte der Vogel-Mann, »ich sehe nichts.«

»Das Licht wird leuchten, wenn du seiner würdig bist«, sagte der Priester feierlich. »Vergiß nicht, die erste Prüfung verlangt von dir Schweigen und Gehorsam.«

»Dann sitze ich bis in alle Ewigkeit im Dunkeln«, erklärte Papageno mißmutig.

Taminos Geleiter berührte jenen leicht an der Schulter.

»Ihr müßt hierbleiben, Prinz Tamino, bis man Euch holt. Denkt über den Tod nach.«

Tamino wollte höflich antworten, dann fiel ihm ein, man hatte ihn ermahnt, zu schweigen, so daß eine Antwort vielleicht als Ungehorsam gelten würde, und verneigte sich nur förmlich.

Schwach drang das Licht herein, als die Tore sich öffneten und die Priester in wallenden Gewändern das Gewölbe verließen.

Tamino hörte Papageno mißmutig piepsen. Der kleine Vogel-Mann kauerte auf dem Boden, die mageren Arme um die Knie geschlungen.

»Tamino, warum sitzen wir jetzt hier in dieser schrecklichen Dunkelheit?«

Man hatte dem Prinzen befohlen, zu schweigen. Doch der Halbling schien Angst zu haben, und Tamino war für Papageno verantwortlich: Er hatte den kleinen Vogel-Menschen schließlich hierher gebracht.

»Sie wollen es so«, erwiderte Tamino freundlich, »und selbst ich, ein Prinz, muß gehorchen.«

Ein Blitz hinter hohen Fenstern zerriß die Dunkelheit. Papageno zuckte zusammen. Ein heftiger Donnerschlag ließ das Gebäude erbeben. Der Halbling schrie auf vor Angst und drängte sich an Tamino.

»Still, Papageno, es ist nur der Donner. Schämst du dich nicht! Du führtst dich wie ein Feigling auf!«

»Ich bin kein Prinz, ich muß nicht tapfer sein!« Papageno zitterte. Der Vogel-Mann hatte die Arme um den Körper geschlungen und fuhr bei jedem neuen Blitz zusammen, während das Gewitter draußen tobte.

Tamino ging zu einem der hohen Fenster und sah hinaus. Die Nacht war das geheimnisvolle Reich der Sternenkönigin, und er war auf ihre Bitte hin hierhergekommen. Aber alles schien sich ins Gegenteil verkehrt zu haben. Der ›böse‹ Zauberer Sarastro schien ein edler, gütiger Mann zu sein; wie es aussah, war Pamina, die ›unglückliche Jungfrau‹, guter Laune und hatte keineswegs das Bedürfnis, gerettet zu werden. Und außerdem lagen die Prüfungen in Sarastros Hand. Tamino fühlte, all das, woran er glaubte, wurde in Frage gestellt.

Im grellen Licht der Blitze war zu erkennen, daß sie sich in einer Gruft befanden. In den Nischen standen Sarkophage, bedeckt mit Schriftzeichen alter Sprachen, von denen Tamino noch nie etwas gehört hatte. Auf einer Säule sah er einen Schädel mit eingelegten Edelsteinen, die einen fahlen Schimmer verbreiteten. Von Kulturen oder Völkern mit einem solchen Totenkult hatte Tamino zwar gehört, aber wer waren diese Menschen, die vor so langer Zeit gelebt hatten. Was war mit ihnen geschehen? Weshalb hielt Sarastro jetzt seine Rituale in ihren Grabkammern ab?

Wer sie auch gewesen sein mochten, jetzt kannten nur noch die Toten ihre Namen. Und eines Tages, dachte Tamino, wird es dem Reich meines Vaters und Sarastros Volk – uns allen – nicht anders ergehen. Vermutlich hatte das der Priester gemeint, als er ihn aufforderte, über die Vergänglichkeit der Menschen nachzudenken. Insgeheim war er nicht unzufrieden mit sich.

Papageno kauerte wieder zitternd und ängstlich am Boden und starrte voller Entsetzen um sich.

»Welch ein schrecklicher Ort! Wenn sie keinen besseren Platz für die Prüflinge finden, würde ihnen nur recht geschehen, wenn überhaupt niemand käme.«

»Still, Papageno, man hat dir gesagt, du sollst schweigen und über die Sterblichkeit meditieren.«

»Nein, das hat man Euch befohlen«, erwiderte Papageno, »es ist schlimm genug, sterblich zu sein, ohne darüber meditieren zu müssen. Außerdem weiß ich nicht, wie man meditiert.«

Es fiel Tamino schwer, nicht zu lächeln. Er erklärte: »Sie wollen, daß du sehr, sehr ernsthaft darüber nachdenkst. Nichts anderes meinen sie damit.«

»Warum haben sie es dann nicht gesagt?« wollte Papageno wissen.

Tamino ersparte sich eine Antwort und begann, die Runen auf den Sarkophagen im zuckenden Licht der Blitze zu betrachten. Papageno schimpfte noch immer unzufrieden vor sich hin, aber Tamino achtete nicht weiter darauf. Die Zeit verstrich und schlich geräuschlos vorbei, während seine Augen sich an das Dunkel gewöhnten und er die mahnenden Erinnerungen an diese alte Kultur studierte, bis Tamino schließlich das Gefühl hatte, daß er und seines Vaters Reich, daß alle Völker, die er kannte, sehr klein waren angesichts der Größe und Erhabenheit der Zeit. War es von Bedeutung, würde es jemals für irgend jemanden von Bedeutung sein, ob ein kleiner Prinz – Tamino mit Namen – aus einem unbedeutenden Reich, auf einer winzigen Welt inmitten unzähliger Sterne lebte oder starb, ob jener die Prüfungen siegreich bestand und Pamina heiratete... oder ob er hier in der vergessenen Gruft eines Volkes verging, das gelebt und gelitten hatte, gestorben und verschwunden war? War irgend etwas von Bedeutung? Warum war er, Tamino, hier und unterzog sich unbekannten Prüfungen?

Er hatte sein Wort gegeben. War das aber Grund genug? All die Menschen dieser längst vergangenen Zeiten hatten sich unbekannten Zielen verschrieben und vergessene Absichten verfolgt, die jetzt niemandem mehr etwas bedeuteten. Es war auch nicht mehr wichtig, ob sie ihr Versprechen gehalten und in Ehren gelebt hatten oder wortbrüchig geworden und unbeachtet gestorben waren. Würde es in späteren Zeiten von Bedeutung sein, ob er die Prüfungen bestanden hatte oder nicht, ob er überhaupt am Leben gewesen war?

Ihm schwindelte, weil er plötzlich begriff, was Zeit bedeutete und was sie verschlang. Tamino preßte den schmerzenden Kopf gegen den kalten Stein. Warum war er hierher gekommen? Er wäre wahrscheinlich davongelaufen, hätte sich ihm eine Tür geöffnet.

Tamino wußte nicht, wie lange er so dasaß. Doch das Licht einer Lampe und das Geräusch von Schritten riefen ihn in die Gegenwart zurück. Die beiden Priester, die sie geleiten sollten, kamen zurück.

»Prinz Tamino«, sagte der Priester, den er als seinen Geleiter erkannte, »seid Ihr entschlossen, alles zu ertragen, was auch kommen mag?«

Tamino holte tief Luft, da er wußte, daß nun seine Entschlossenheit auf die Probe gestellt werden sollte. Einen Augenblick lang war ihm alles gleichgültig, aber er hatte sein Wort gegeben, und er würde es halten.

»Gewiß«, erwiderte er ruhig.

»So sei es. Die Prüfungen beginnen. Zunächst wartet Ihr hier bis Sonnenaufgang, oder bis ich komme und Euch an einen anderen Ort bringe. Es ist verboten, an diesem Ort mit einer Frau zu sprechen. Ich warne Euch, Ihr werdet Pamina vielleicht sehen, doch Ihr dürft weder direkt noch indirekt mit ihr sprechen. Es ist Euch auch nicht erlaubt, sie zu berühren. Versteht Ihr mich? Was auch geschehen mag: Kein Wort und keine Berührung, sonst . . .«, seine Stimme wurde lauter und drohender, »habt Ihr sie für immer verloren. Werdet Ihr uns gehorchen?«

Tamino schluckte. Es kam ihm alles albern vor. Doch wer war er, um über die Priester zu richten? Sie mußten wissen, was sie taten.

»Gewiß.«

»Mögen die Götter Euch helfen, standhaft zu bleiben, mein Sohn«, sagte der alte Priester, »gebt mir Eure Hand.«

Der andere Priester, ein kleiner kahlköpfiger, kurzsichtiger Mann mit einem kleinen struppigen Bart, beugte sich über Papageno. »Und du, mein Sohn?« fragte er, »wirst du die Prüfungen erdulden, selbst wenn sie dich an den Rand des Todes führen sollten? Wirst du gegen das Böse kämpfen, wo immer es dir begegnet?«

147

»Na ja«, erwiderte Papageno und schüttelte seinen Federschopf, »ich bin keine Kämpfernatur, und auch nicht sehr
mutig. Vielleicht sollten wir das Ganze lieber vergessen.«
»Wirst du dich nach besten Kräften um Weisheit und Erleuchtung bemühen?«
»Ich? Wozu?« wollte Papageno wissen, aber dann schluckte
er und sagte: »Entschuldigt... ich meine nein, vielen
Dank.«
»Sag mir«, fragte der Priester, und Tamino hörte überrascht,
wie sanft und geduldig die Stimme des Mannes klang, »was
wünschst du dir vom Leben, mein Sohn?«
Papageno stand auf und ging unruhig hin und her. »Also, ich
möchte genug zu essen und zu trinken haben und einen bequemen Platz zum Schlafen. Ich habe nichts dagegen,
schwer zu arbeiten, aber sonst wünsche ich mir nichts. Ach,
da ist noch etwas. Ich hätte gerne eine Frau, eine Freundin,
eine Gefährtin. Ich habe das Alleinsein satt. Und das, guter
und ehrwürdiger Vater, ist wirklich alles, was ich mir vom
Leben wünsche. Ich habe keine Sehnsucht nach Weisheit, Erleuchtung oder ähnlichen Dingen. Oh, bitte, ich möchte
Euch nicht beleidigen. Sicher sind das alles sehr gute Eigenschaften. Aber um die Wahrheit zu sagen, ich glaube, für
Leute wie mich sind sie nichts.«
Der Priester erwiderte: »Sarastro hat bereits eine Frau für
dich. Sie sieht dir sehr ähnlich bis hin zu den Farben der Federn. Doch du wirst sie nie zu sehen bekommen, wenn du
dich nicht den Prüfungen unterziehst.«
»Ich habe das Gefühl, dann bleibe ich besser ledig«, antwortete Papageno, sah aber neugierig zu dem Priester auf. »Sie
hat auch Federn?«

»Federn wie du.«

»Ich würde sie schon gerne sehen«, überlegte Papageno laut, »ich kenne niemanden, der so aussieht wie ich. Ist sie jung?«

»Jung und hübsch.«

»Und ich darf sie nicht einmal sehen, wenn ich mich den Prüfungen verweigere . . .« fragte der Vogel-Mann.

»Bestimmt nicht.«

»Na ja, in diesem Fall . . .«, ein Donnerschlag unterbrach Papageno. Er hielt sich die Ohren zu und rief erschrocken: »Ich bleibe besser ledig.« Dann erkundigte er sich: »Wie heißt sie?«

»Papagena.«

»Ich würde sie wirklich gerne sehen«, sagte Papageno, und ihm klapperten dabei die Zähne, »einfach so aus reiner Neugier.«

»Sehen darfst du sie«, erwiderte der Priester freundlich, »aber du darfst nicht mit ihr sprechen. Glaubst du, du kannst dich beherrschen und deine Zunge im Zaum halten? Wirst du mit keiner Frau sprechen, die du hier siehst?«

»Na ja, es wäre nicht das erste Mal, daß mir der Mund verschlossen ist«, sagte Papageno, »versuchen will ich es.«

»Ausgezeichnet«, sagte der Priester, »gib mir deine Hand.« Er drückte ihm fest und freundlich die Hand. »Vergiß nicht, es ist verboten, mit einer Frau zu sprechen, solange du hier bist.«

»Ich will mir alle Mühe geben.«

»Mehr verlangen wir nicht«, sagte der Priester und ging davon.

Tamino saß auf einer Steinbank und hörte das Klappern der

Sandalen der Priester auf dem Steinboden. Leise sagte einer der beiden zum anderen, und Tamino schien das Kopfschütteln beinahe zu sehen, mit dem jener seine Worte begleitete: »Sarastro selbst könnte aus ihm einen Eingeweihten machen.«

»Woher weißt du, daß dies beabsichtigt ist?« fragte der andere, den Tamino als ›seinen‹ Priester betrachtete. »Der Große Drachen war der letzte Halbling unter den Eingeweihten. Doch vielleicht besteht er die Prüfungen so gut, wie man es von ihm verlangt. Wir haben das nicht zu entscheiden.«

Sie sprechen also von Papageno, dachte Tamino und schämte sich beinahe, weil er sich so erleichtert fühlte. Hatte er wirklich angenommen, die Rede sei von ihm gewesen? Hieß das, sie vertrauten fest darauf, daß er in der Lage war, die Prüfungen zu bestehen? Diese erste Aufgabe schien ihm völlig unsinnig zu sein. Welchen Unterschied machte es, mit einem Mann oder einer Frau zu sprechen?

Vermutlich hatten sie ihre Regeln, und er wollte sein Bestes tun, um sie zu befolgen, ganz gleich, ob sie ihm vernünftig schienen oder nicht. Tamino war überzeugt, daß er ihre Absichten nicht besser verstand als Papageno.

Hier gab es ohnedies keine Frauen, und . . . es kam Tamino unwahrscheinlich vor, daß irgendeine Frau in diese Gruft gelangen konnte, die von den Priestern bewacht wurde. Unvorstellbar, daß irgend jemand hierherkam, wenn es nicht unbedingt sein mußte! Er hatte keine Lust mehr, sich Totenschädel und Dinge, die ihn an Tod und Vergänglichkeit erinnerten, anzusehen, die Überreste versunkener Kulturen und vergangener Zeiten . . . Er legte sich auf eine der Steinbänke und beschloß, eine Weile zu schlafen. Man hatte ihm geboten zu schweigen, doch niemand hatte von ihm verlangt, wach zu bleiben.

Tamino wußte später nicht, ob er tatsächlich geschlafen hatte. Papagenos Entsetzensschrei und ein grelles Licht, gleich einem Blitz, ließen ihn auffahren. Der Boden schien sich weit zu öffnen, Fackeln flammten auf, und plötzlich standen die drei Damen der Sternenkönigin in der Gruft.

»Prinz Tamino«, rief Disa, »die Königin zürnt Euch! Der böse Sarastro hat Euch in seinen Bann gezogen, und ihre Rache wird Euch treffen! Was habt Ihr zu Eurer Verteidigung zu sagen? Ihr hattet unserer Königin geschworen, ihre Tochter zu befreien?«

Tamino öffnete den Mund, um ihr zu widersprechen und sich zu rechtfertigen. Doch die Worte des alten Priesters fielen ihm ein, noch ehe die erste Silbe über seine Lippen kam: *Vergiß nicht, es ist verboten, mit einer Frau zu sprechen, solange du hier bist . . .*

Das war also der Grund für die Warnung! Tamino fragte sich, ob die Hofdamen der Sternenkönigin tatsächlich vor ihm standen oder ob die Priester es ihm nur vorgaukelten, um ihn auf die Probe zu stellen. Wieder einmal stellte er zufrieden fest, daß er ihnen offensichtlich auf die Schliche gekommen war, und wandte sich schweigend ab.

»Wie? Habt Ihr nichts zu Eurer Rechtfertigung zu sagen, Tamino? Was werdet Ihr der Königin antworten, wenn sie ihre Tochter von Euch fordert?« rief Zeshi, »man hat Euch Zauberwaffen mit auf den Weg gegeben, und Ihr sitzt hier und hört Euch die Reden eines Scharlatans an!«

Tamino schwieg beharrlich. Sie wandten sich Papageno zu.

»Papageno, was wird die Königin sagen, wenn sie erfährt, daß du Pamina hättest retten können? Die Prinzessin befand sich in deiner Hand, und du hast sie Sarastros Sklaven ausgeliefert!«

»Mir blieb eigentlich keine andere Wahl, Herrin Disa . . .«, begann Papageno.

»Sei still, Papageno! Denk an deinen Schwur!«

»Wenn du auf ihn hörst, bist du verloren, Papageno! Doch du bist der treue Diener der Sternenkönigin. Sie hat uns hierher geschickt, um dich zurückzubringen.« Tamino erinnerte sich, daß Papageno sie Kamala genannt hatte.

»Ich wollte niemals hierher kommen, versteht Ihr!« sagte Papageno, »aber Ihr habt mich gezwungen, den Prinzen zu begleiten. Und ich glaube, ich bleibe jetzt auch hier.«

»Papageno . . .«, mahnte Tamino und näherte sich ihm. Vielleicht konnte er dem kleinen Halbling helfen, sich wieder an sein Versprechen zu erinnern. »Sei still, mein Freund.«

Zeshi fragte: »Warum willst du hierbleiben, Papageno? Was kann Sarastro dir schon geben?«

Papageno erwiderte: »Sarastro hat mir eine Frau versprochen.«

»Oh, wenn du eine Frau willst«, sagte Zeshi, und ihre Stimme klang weich und verführerisch. Sie trat zu Papageno und legte ihm die Arme um den Nacken. Ihre schlanken, langen Finger liebkosten ihn. Sie glätteten die Federn auf seinem Kopf. Sie drückte sein Gesicht an ihre Wangen. Papageno blieb regungslos stehen, und Tamino mußte an einen Vogel denken, der im Bann einer Schlange stand – er hatte das einmal gesehen. Zeshi preßte ihren schlanken, anmutigen Körper an Papageno, und der Vogel-Halbling kam ihrer Bewegung entgegen und schien sich ihr zu überlassen. Zeshi lächelte und gab leise betörende Laute von sich.

Papageno stieß sie energisch mit beiden Händen von sich und sagte: »So habt Ihr mich im Palast der Sternenkönigin nie behandelt! Vermutlich ist das eine List, Herrin.« Er entfernte sich schnell von ihr, und Zeshi zischte vor Zorn. Kamala drohte ihm mit erhobenem Speer, aber Papageno ließ sich nicht einschüchtern und schrie beinahe:

»Ich merke, hier könnt Ihr mir nichts tun! Wenn es möglich wäre, Herrin Kamala, hättet Ihr es bereits getan!«

Mit einem ohrenbetäubendem Donnerschlag erloschen die Fackeln, und der Platz, an dem die drei Hofdamen gestanden hatten, war leer.

Papageno fiel stöhnend und jammernd zu Boden.

»Oh weh, oh weh!«

Tamino überlegte: Der kleine Halbling hatte sein Versprechen nicht gehalten, sondern sie mit Worten vertrieben. Immerhin war ihm das gelungen. Bestand etwa ein Unterschied zwischen seinen und Papagenos Prüfungen?

»Papageno, was machst du?«

Aus der Dunkelheit des Gewölbes drang eine klägliche, zitternde, aber entschlossene Stimme zu ihm.

»Ich falle in Ohnmacht . . .!«

Elftes Kapitel

Pamina lag auf dem Bett und blickte durch das Fenster in die stille Nacht zum Sternenhimmel hinaus. Dies war das Reich der Sternenkönigin, und nie hatte sie an ihrer Mutter gezweifelt. Die Gewißheit, daß Sarastro ihr Vater war, erfüllte sie zuerst mit Unglauben, dann mit Furcht und schließlich mit Verwirrung.

Er war kein Ungeheuer, wie man ihr beigebracht hatte. Er war auch kein Bösewicht. Im Palast der Sternenkönigin dachte sie nie an einen Vater. Er fehlte ihr auch nicht. Aber jetzt, nachdem sie Sarastro gesehen und mit ihm gesprochen hatte, wußte Pamina, sie hätte sich ganz bestimmt für Sarastro entschieden, wenn sie einen Vater haben mußte. Doch eine Frage quälte sie: Weshalb die Lügen ihrer Mutter über Sarastro? Weshalb sollte sie, ihre Tochter, ihn für einen bösen Zauberer halten?

Vielleicht liebt sie mich einfach zu sehr, dachte Pamina, *sie wollte mich vermutlich mit niemandem teilen, noch nicht einmal mit meinem Vater.* War dies wirklich der einzige Grund?

Jetzt befand sie sich in Sarastros Palast und wollte sich den Prüfungen unterziehen – Pamina wußte nicht warum, doch Sarastro hatte ihr erklärt, es sei eine notwendige Vorbereitung auf alles, was sie nach seinem Willen erwartete: das Erlangen von Weisheit – die Ehe mit Tamino. Pamina dachte an den Prinzen und an ihre kurze Berührung, an die Blicke, die sie tauschten. Ihr kam es vor, als kenne sie ihn schon seit hunderttausend Jahren und aus hunderttausend Leben... Es genügte, daß Tamino sich den Prüfungen unterziehen wollte; und sie würde bereitwillig und frohen Herzens an seiner Seite stehen, obwohl ihr der Sinn verborgen war.

Die Priesterin hatte Pamina in einem rituellen Bad gereinigt, die schönen seidenen Gewänder mitgenommen und ihr statt dessen eine grob gewebte, weiße, weite Tunika gegeben – das Gewand einer Novizin, wie sie erklärte –, und ihr auch gesagt, daß bei den Prüfungen jedem andere Aufgaben gestellt würden.

Was immer sie auch erwartete, Tamino mußte sich anders bewähren. Pamina bedauerte das. Sie hätte sich gern in allem bewährt, worin sich auch Tamino bewähren mußte.

Doch die Priesterin wollte ihre Fragen nach dem Beginn der Prüfungen nicht beantworten und sagte nur, alles würde zu seiner Zeit geschehen. Im Augenblick erwarte man nur Gehorsam von ihr. Auf alle weiteren Fragen erklärte sie nur freundlich:

»Prinzessin Pamina, was in den Prüfungen geschieht, darf nicht bekannt werden, sonst würden sie ihren Wert verlieren. Vergeßt nur das eine nicht: Es wird von Euch nichts anderes verlangt, als in Übereinstimmung mit der besten Seite Eures Wesens zu handeln.« Dann forderte sie Pamina auf, sich hinzulegen und zu schlafen. Die Priesterin umarmte sie schwesterlich – *nein*, dachte Pamina, *keine meiner Schwestern war je so freundlich zu mir. Ich weiß, daß sie mich als Thronerbin beneiden* – und ließ sie in dem dunklen Gemach allein. Die Lampe nahm sie mit.

Pamina versuchte folgsam einzuschlafen. Aber Taminos Gesicht stand ihr vor Augen, und sie dachte an den kurzen Augenblick, in dem ihre Hände sich berührten . . . Sie sollte aber jetzt nicht an Tamino denken, sondern an die Prüfungen . . . Würde sie Angst haben? Würde sie Schmerzen erdulden, ihren Mut und ihre Ausdauer beweisen müssen? Von all dem hatte sie nichts gelernt . . . Nach einer Weile fiel Pamina in einen unruhigen Schlaf.

Schritte und ein Schatten, der über ihr Bett fiel, weckten sie auf. Zuerst glaubte Pamina, eine Priesterin sei gekommen, um sie zu ihrer ersten Prüfung abzuholen. Aber nicht das Gesicht einer Frau beugte sich über sie, sondern die große, schlanke Gestalt eines Mannes. Voller Entsetzen und Abscheu erkannte sie Monostatos.

Er packte Pamina an den Schultern, preßte sein Gesicht auf das ihre; seine Lippen bedeckten ihren Mund, und sie konnte nicht atmen. Er küßte sie lange und leidenschaftlich. Pamina wehrte sich und versuchte, mit ihren schwachen Kräften seine Hände von ihren Schultern zu zerren. Doch seine Lippen lösten sich nicht von ihrem Mund. Mit dem ganzen Gewicht seines Körpers legte er sich auf sie, und Pamina erkannte entsetzt, was Monostatos vorhatte. Verzweifelt versuchte sie, ihm das Knie in den Leib zu stoßen, doch gegen seine Riesenkräfte konnte sie nichts ausrichten. Es gelang ihr schließlich, sich zur Seite zu wälzen. Pamina rang nach Luft und keuchte:

»Sarastro wird dir dafür bei lebendigem Leib die Haut abziehen!«

»Bist du so sicher, meine Kleine? Vielleicht bist du hinterher gar nicht so unzufrieden. Jedenfalls bin ich deinetwegen schon einmal geprügelt worden. Für meine Schmerzen will ich diesmal mehr als einen Kuß. Warum machst du es uns nicht leichter?«

»Nein!« keuchte Pamina und wehrte sich aus Leibeskräften. Lieber wollte sie sterben, wenn es sein mußte, als von dieser... dieser Kreatur vergewaltigt zu werden! Doch wie sehr Pamina auch kämpfte, Monostatos ließ nicht von ihr ab.

Pamina schrie um Hilfe, doch sie wußte, man hatte sie allein gelassen, denn die Anwärter für die Prüfungen blieben immer allein. Ihre Dienerinnen konnten sie hier nicht hören. Würde ihr niemand zu Hilfe kommen? Sie würde sich lieber von ihm umbringen lassen. Und wenn sie schon sterben mußte, würde sie sich gegen diese widerwärtige Kreatur in Menschengestalt wehren bis zuletzt. Die Kehle schmerzte Pamina vom Schreien, und ihr Herz klopfte wie rasend; sie spürte, wie ihre Kräfte nachließen. Und als Monostatos das weiße Gewand zerriß und triumphierend auf sie hinunter starrte, glaubte Pamina, sich übergeben zu müssen.

Ein Licht flammte auf, das sie blendete. Monostatos wurde, wie vom Blitz getroffen, in eine Ecke des Gemachs geschleudert. Sie hörte ihn aufschreien, unartikuliert, angsterfüllt und voller Schmerz. Er kauerte im gleißenden Licht auf dem Boden, und vor ihm stand majestätisch die Sternenkönigin.

»Mutter!« rief Pamina.

Das Gesicht der Sternenkönigin wirkte unter dem Kopfschmuck aus Eulenfedern blaß und kalt. Ihre Augen funkelten wie Sterne. Schluchzend warf sich Pamina in die Arme ihrer Mutter und spürte, wie sie sich einen Augenblick be sitzergreifend um sie schlossen. Doch dann glaubte sie, sich getäuscht zu haben, denn die Stimme ihrer Mutter klang kalt und unbeteiligt wie immer.

»Hat er dich verletzt, Pamina, oder nur erschreckt?«

Zitternd richtete Pamina sich auf. Das weiße Gewand hing in Fetzen an ihr herunter. Die Handgelenke schmerzten, und ihre Lippen bluteten. Sie fühlte sich krank und beschmutzt von seinen Küssen, von seinen gierigen Augen, die sich an ihrem nackten Körper geweidet hatten.

»Nur . . . nur erschreckt«, antwortete Pamina und hörte, wie ihre Stimme zitterte.

Die Sternenkönigin betrachtete stirnrunzelnd das zerrissene weiße Gewand. »Das kannst du nicht mehr tragen, Liebes«, sagte sie. Die Worte klangen zwar sanft, doch Pamina zuckte unter der Verachtung zusammen, die in der Stimme lag. »Such dir ein anständiges Gewand und ziehe es über. Ich habe dir viel zu sagen. Ich hätte geglaubt«, fügte sie mit beißendem Hohn hinzu, »im Haus des Sarastro würde man dich besser beschützen . . .«

Pamina wollte erklären, daß Sarastro keine Schuld traf, daß er Monostatos hatte auspeitschen lassen, weil er sich schon einmal gegen ihren Willen genähert hatte. Aber ein Blick in das Gesicht ihrer Mutter riet ihr zu schweigen.

In einer Truhe fand sie ein weites, seidenes Gewand, das sie überzog. Jetzt fühlte sie sich besser. In der zerrissenen Tunika war sie sich selbst vor den Augen ihrer Mutter nackt und schutzlos erschienen.

»Komm her und hör mir gut zu«, sagte die Sternenkönigin, »denn wir haben nicht viel Zeit. Du siehst . . .«, sie bewegte kaum merklich den Kopf in Richtung der zusammengekauerten Gestalt, um ihren Abscheu anzudeuten, »was *hier* aus dir wird.«

Pamina öffnete den Mund, um ihr zu widersprechen, denn Sarastro trug sicher keine Schuld daran. Doch die kalten Augen ihrer Mutter ließen sie unsicher werden. Vielleicht war dies ihre erste Prüfung gewesen? Gehorsam, wie sie es von Kindheit an gewohnt war, setzte sich Pamina auf den Rand des schmalen Bettes, faltete die Hände im Schoß und sah zu ihrer Mutter auf.

»Wo ist der junge Mann, den ich geschickt habe, um dich zu retten?«

»Er wartet bei den Priestern des Sarastro auf seine Prüfungen.«

»Das ist schlimmer, als ich befürchtete«, erwiderte die Sternenkönigin düster, »und wenn Sarastro und seine Priester mich hier entdecken, werden sie mich töten, denn hier besitze ich keine Macht.«

»Ich werde nicht zulassen, daß sie dir etwas antun«, versicherte ihr Pamina, »niemand tut mir hier etwas zuleide, Mutter. Und wenn ich bei dir bin, werden sie auch nicht wagen, Hand an dich zu legen.« Sie schluckte, »laß uns zusammen von hier fliehen, Mutter.«

»Dazu ist es nun zu spät«, erwiderte die Sternenkönigin und griff in die Falten ihres Gewandes. »Nimm das.«

Sie drückte Pamina einen Dolch in die Hand.

»Du wirst dich Sarastro bei den Zeremonien nähern und ihn damit töten.«

»Wie?« rief Pamina voll Entsetzen, »ich soll meinen Vater töten? Das kannst du doch nicht wirklich wollen!«

»Sei still!« herrschte die Sternenkönigin Pamina an, »die Priester der Sonne und Sarastro verachten mich seit vielen Jahren, und ich habe es erduldet. Doch heute habe ich beschlossen, daß du mich rächen sollst. Du bist meine Tocher, Pamina. Und Blutsbande binden Mutter und Tochter. Du wirst Sarastro töten, noch ehe die Sonne aufgeht, oder mir nie mehr unter die Augen treten und es wagen, mich noch einmal Mutter zu nennen! Höre meine Worte, vergiß sie nicht und gehorche, Pamina, oder du bist nicht länger meine Tochter!«

»Aber... Mutter, nein! Mutter, ich bitte dich... hör zu...«

»Kein Wort mehr!« Blitze umzuckten die Sternenkönigin, als sie mit versteinertem Gesicht vor Pamina stand. Dann verschwand sie mit einem Donnerschlag, und nur das schweigende Mondlicht fiel in den Raum. Pamina sah sich fassungslos um.

»Mutter...«, flüsterte sie. Hatte sie geträumt? Nein, ihre Finger umklammerten den Griff eines Dolchs.

»Nein«, flüsterte sie ungläubig, »ich soll meinen Vater töten?« Sie wußte, die Sternenkönigin haßte Sarastro. Unter dem Einfluß ihrer Mutter hatte auch sie ihn gehaßt. Sie konnte verstehen, daß die beiden in Fragen der Religion oder ähnlichem – Dinge, die für Pamina bisher nur wenig Bedeutung besaßen – nicht übereinstimmten. Aber sicher reichte es, daß sie getrennt voneinander lebten und jeder über sein Reich herrschte. Aber Mord? Alles in Pamina lehnte sich dagegen auf.

Ich kann nicht töten... nein, nein, selbst für meine Mutter nicht... auch wenn sie mich verstoßen sollte, dachte sie verstört und brach in Tränen aus.

Würde ihre Mutter sich wirklich von ihr lossagen? War das möglicherweise eine der Prüfungen? Man hatte sie nur auf die Probe gestellt, um herauszufinden, ob sie auf die Stimme ihres Gewissens hörte.

Doch sie hatte gelernt, an die absolute Gerechtigkeit ihrer Mutter zu glauben. Hatte sie möglicherweise versagt? Die Sternenkönigin konnte doch kein Unrecht begehen. Verdiente Sarastro nicht den Tod, wenn die Sternenkönigin sein Leben forderte? Konnte sie ihre Mutter enttäuschen, um das Leben des Mannes zu retten, der die Sternenkönigin haßte. Was bedeutete ihr Sarastro? Was bedeutete ihr ein unbekannter Vater im Vergleich zur Mutter, die sie ihr Leben lang geliebt, umhegt und umsorgt hatte?

Wieder sah sie Sarastros freundliche Augen, als sie fragte: »Seid Ihr mein Vater?« und hörte seine freundliche Antwort. Wie konnte sie ihn ermorden? Was hatte er getan, um den Tod zu verdienen? Sie wußte es nicht. *Wenn die Mutter wirklich glaubt, mein Vater verdient den Tod, dann soll sie ihn selbst umbringen und nicht mich dazu zwingen!*

Pamina hörte ein leises Geräusch, und ihr fiel ein, daß Monostatos immer noch in der Ecke kauerte, wohin ihn der Blitz geschleudert hatte. Langsam stand er auf und näherte sich ihr.

Pamina faßte den Dolch fester. Solange sie die Waffe in der Hand hielt, sollte er nicht wagen, sich an ihr zu vergreifen. »Bleibt stehen!« rief sie und spürte, wie ihre Stimme zitterte.

»Fürchtet Ihr mich, Pamina? Habt Ihr Angst vor mir? Oder ist es der Mord, den Ihr im Herzen tragt?« fragte Monostatos. »Schließlich bin ich kein gewöhnlicher Halbling, sondern der

Sohn des Großen Drachen, und ich weiß alles, was hier geschieht. Ich kann Euch und Eure Mutter retten. Aber Ihr kennt meinen Preis, Pamina.«

Sie hob schnell den Dolch. »Meine Mutter würde sich auf einen solchen Handel nie einlassen... und ich auch nicht!«

»Seid Ihr so sicher?« fragte er und kam näher, »den Dolch gebt Ihr besser mir...«

Monostatos streckte die Hand danach aus. Doch Licht flammte auf, und Sarastro stand in dem Gemach.

»Hinaus!« sagte er zu Monostatos, und der Halbling stürzte mit gesenktem Kopf davon.

»Vater...!« rief Pamina.

»Still, mein Kind. Hab keine Angst. Ich weiß alles.«

»Vater, ich flehe Euch an, bestraft meine arme Mutter nicht! Was sie auch getan haben mag, ich weiß, sie kann Euch nicht schaden! Und... und...«, die Kehle war ihr wie zugeschnürt; sie fürchtete, sie würde wieder weinen... »Ich bitte Euch, rächt Euch nicht an meiner Mutter. Sie ist außer sich, weil sie mich verloren hat...«

Sarastro zog sie sanft an sich: »Weine nicht, mein Kind«, tröstete er Pamina, »für Rache ist kein Platz in unserer Religion. Sie mag das Schlimmste tun, und ich kann sie nicht vor den Folgen schützen, die sie selbst heraufbeschworen hat. Aber ich versichere dir, ich werde nicht die Hand gegen sie erheben. Und sei es auch nur aus dem Grund, daß sie die Mutter meiner Tochter ist. Allein deshalb sind mir ihre Person und ihre Würde heilig. Auch um deinetwillen, Pamina, könnte ich ihr vieles vergeben. Du weißt es nicht, aber es war eine der ersten Prüfungen. Du solltest beweisen, daß du selbst dann noch Mitgefühl empfindest.« Er gab ihr einen sanften Kuß auf die Stirn.

Pamina verzog kaum wahrnehmbar die Lippen und fragte: »Gehörte es auch zu den Prüfungen, daß ich mich gegen Monostatos wehren mußte? Oder hätte ich ihm zu Willen sein sollen...?«

»Mein liebes Kind...«, Sarastro seufzte. »Nein, natürlich nicht, das kannst du mir glauben. Und ich verspreche dir, daß er dich nicht noch einmal berühren wird. Ich kann dir nicht sagen, wie leid es mir tut, daß du das erdulden mußtest. Ich gebe zu, daß ich ihn falsch eingeschätzt und ihm zu viel Vertrauen geschenkt habe. Ich bestrafe ihn nur ungern. Sein Vater war mein Freund, ein guter und vertrauenswürdiger Mann. Er war auch der Gemahl deiner Mutter, ehe ich sie kannte. Ich schätzte seinen Sohn höher ein. Nun, es läßt sich nicht ändern.« Sarastro seufzte wieder, betachtete das seidene Gewand, das Pamina auf die Bitte ihrer Mutter trug, und warf einen Blick auf die zerrissene Tunika am Boden.

»Deine Dienerinnen sind bis zum Ende der Prüfungen weggeschickt worden. Ich werde dafür sorgen, daß eine Priesterin sich deiner annimmt und dir ein neues angemessenes Gewand bringt. Ich will dir auch verraten, daß Papagena zu den Prüfungen zugelassen ist. Sie hat dir treu gedient.«

Pamina lächelte unsicher und sagte: »Papagena... ist ein Vogel-Halbling und nicht sehr... nicht sehr intelligent. Was geschieht, wenn sie die Prüfung nicht besteht, Vater? Man wird ihr doch nichts tun? Sie ist so ängstlich...«

»Mach dir keine Sorgen um Papagena, meine Tochter. Ein Halbling hat andere Prüfungen zu bestehen als du. Von ihr wird verlangt, daß sie sich den Umständen entsprechend

richtig verhält... nicht mehr. Du bist eine Prinzessin. Dir
wurde mehr gegeben, und deshalb wird auch mehr von dir
verlangt. Ich werde dir jetzt eine Priesterin schicken, die dich
ankleidet. Fürchte dich nicht, mein Kind...« Sarastro
schwieg, lächelte sie an und legte ihr ermutigend die Hand
auf die Schulter.

»Nein, ich werde nicht sagen, du sollst dich nicht fürchten,
denn im Verlauf der Prüfungen wirst du vielleicht große
Furcht erfahren. Aber soviel will ich dir sagen, meine Tochter: Stelle dich deinen Ängsten mutig. Du hast den Anfang
gemeistert, bleibe weiterhin tapfer. Höre auf die Stimme dei-
nes Herzens, und du wirst mit Sicherheit jede Prüfung bestehen, die dich erwartet.«

Zwölftes Kapitel

Papageno lag noch immer auf dem Boden und überließ sich der wohltätigen Ohnmacht. Tamino gähnte. Durch die hohen Fenster sah er den Morgen heraufdämmern.

Es war eine lange Nacht gewesen. Nach dem Eindringen der drei Hofdamen der Sternenkönigin hatte er nicht mehr schlafen können und hatte viel Zeit gehabt, um nachzudenken, an sich und seinen Ansichten zu zweifeln, an seiner Fähigkeit, die geheimnisvollen Prüfungen zu bestehen und hatte sich gefragt, ob Pamina wirklich etwas für einen Mann empfinden konnte, den sie nur ein paar Augenblicke zu Gesicht bekommen hatte. In dieser langen Nacht hatte es Stunden gegeben, in denen er wünschte, den Hof seines Vaters nie verlassen zu haben.

Zum ersten Mal hatte er Muße zu zweifeln. Die Reise war anstrengend gewesen, aber auch lohnend. Doch seit seinem Kampf mit dem Drachen im Land der Wandlungen hatten sich die Ereignisse überstürzt, und ihm war keine Zeit geblieben, darüber nachzudenken.

Als die Sonne hinter den hohen schmalen Fenstern auftauchte – sie befanden sich hoch oben über ihm, und er konnte nichts von der Umgebung draußen sehen –, fühlte Tamino sich sehr niedergeschlagen. Er sehnte sich nach der Zauberflöte, vermißte ihren Trost; er hätte musizieren können, anstatt hier sitzen und sich über sein Schicksal sorgen zu müssen.

Aber würden die Priester sie ihm wirklich zurückgeben? Schließlich stammte sie aus dem Reich der Sternenkönigin, und wie wenig er auch über Sarastros Reich wußte, so war ihm doch klar, daß die Sternenkönigin hier nicht in hohem Ansehen stand. Und man hatte ihm gesagt, er habe sie von jemandem erhalten, der nicht berechtigt sei, sie ihm zu geben – vermutlich meinten die Priester die Boten, aber vielleicht war es auch ein Vorwurf gegen die Sternenkönigin –, und deshalb würde man sie ihm wahrscheinlich auch nicht wieder bringen ... Wodurch hatte er eigentlich eine so mächtige Zauberwaffe verdient?

Es wurde heller, und Tamino sah, daß Papageno auf dem Steinboden schlief. Die Sonne stieg höher, und als ihre Strahlen die Augen des Halblings trafen, begann jener sich zu regen.

»Prinz Tamino?«

»Ich bin hier, Freund Papageno.«

Der Halbling richtete sich auf und rieb sich den Rücken. »Hier hält man nicht gerade viel von bequemen Betten für die Gäste. Sagt mir, waren die drei ... waren sie wirklich hier, oder habe ich schlecht geträumt?«

Tamino hatten ähnliche Gedanken bewegt.

»Ich bin nicht sicher, Papageno. Aber wenn du schlecht geträumt hast, habe ich es auch.«

»Ich möchte wissen, wann es Frühstück gibt.« Der Halbling schüttelte seinen Federschopf. »Es ist wirklich kaum zu glauben. Wenn ich die Sonne sehe, sage ich mir, daß ich eigentlich draußen im Wald sein sollte, um meine Fallen für die

Vögel zu stellen. Aber dann sehe ich mich um und finde mich an diesem Ort. Ich, Papageno! Und ich soll mich den Prüfungen der Priester unterziehen. Ich – und Prüfungen!«
Der Vogel-Mann schien völlig fassungslos zu sein. »Genauso gut könnten sie mir sagen, ich soll Priester werden oder etwas Ähnliches. Was habe ich denn hier verloren?«
Tamino wußte nicht genau, ob Papageno diese Frage ihm stellte oder von den schweigenden Göttern eine Antwort verlangte. Doch der Halbling sah ihn erwartungsvoll an, als vertraue er darauf, daß Tamino die Frage beantworten könne. Sollte er gestehen, daß er ebenso verwirrt war wie Papageno? Oder sollte er, wie man es von einem Prinzen erwartete, den Vogel-Mann ermahnen, durchzuhalten und mutig zu sein, wie man ihm geraten hatte?
Tamino fiel eine Frage ein, die die Priester ihm gestellt hatten, als sie über seine Eignung für die Aufnahme in ihre Bruderschaft entschieden. *Bist du bereit, jeden Mann, unabhängig von Rang und Geburt, als Bruder zu behandeln?* Tamino wußte nicht, ob sich das auch auf Halblinge bezog, die vermutlich keine Menschen waren.
Aber wenn es darum ging, wäre ihm Papageno – Mensch oder nicht Mensch – als Bruder lieber gewesen als manche Männer am Hof seines Vaters. Der kleine Vogel-Mann war wenigstens freundlich und ohne Arg.
Tamino erwiderte: »Das frage ich mich auch . . . ich meine, was ich hier tue. Im allgemeinen . . .« Tamino sprach langsam, als suche er jedes einzelne Wort, ». . . glaube ich, folge ich meinem Schicksal, wohin es mich auch führt. Ich habe auch nie mehr darüber nachgedacht als du, und das ist die Wahrheit.«

Papageno klang enttäuscht, als er sagte: »Ihr seid ein Prinz, und ich habe felsenfest geglaubt, daß Ihr wißt, was Ihr tut. Und Ihr wollt mir erzählen, daß Ihr einfach so dahinlebt wie ich und tut, was man Euch sagt?«

»Ein Prinz ist auch nur ein Mensch, Papageno.« Und Tamino dachte bei sich: *Wenn ich je daran gezweifelt habe, so belehrt mich diese Reise eines Besseren.* »Mein Vater ist der Kaiser des Westens, und alle Menschen sind verpflichtet, ihm zu gehorchen. Selbst seine Söhne. Seine Söhne ganz besonders, denn sie sollen anderen ein gutes Beispiel geben.«

»Oh!« Tamino begriff, daß dies eine neue Vorstellung für Papageno war. »Ich habe immer geglaubt, Prinzen seien etwas anderes. Was hat man davon, ein Prinz zu sein, wenn man doch wie alle anderen gehorchen muß?«

Das ist eine gute Frage, dachte Tamino. Allerdings überraschte es ihn, daß Papageno sie stellte. Er war nur allzu bereit gewesen, den Halbling als unklug abzutun. Sicher, der Vogel-Mann war einfältig, doch wenn es um ernsthafte Dinge ging, erwies er sich keineswegs als Narr und besaß eine unglaubliche Fähigkeit, die richtigen Fragen zu stellen.

»Das weiß ich auch nicht, Papageno. Vielleicht nichts.« Erleichtert stellte Tamino fest, daß Papageno seine Federn schüttelte und offensichtlich auf einen anderen Gedanken gekommen war.

»Ich möchte gerne wissen, wann es hier Frühstück gibt.«

»Auch das weiß ich nicht, Papageno. Vielleicht gehört das Fasten zu den Prüfungen.«

»Ich habe gleich gewußt, daß die Prüfungen nichts für meinesgleichen sind«, murrte Papageno. »Das Essen ist ganz gut hier, aber die Mahlzeiten sind viel zu selten.«

»Gib die Hoffnung nicht auf«, tröstete Tamino ihn lachend. »Schau dir den Himmel an. Die Sonnenaufgangszeremonien sind bestimmt noch nicht zu Ende. Vielleicht beschließen sie danach, daß wir ein Frühstück verdient haben. Jedenfalls bin ich sicher, daß sie uns früher oder später etwas zu essen bringen. Du kannst doch noch nicht so hungrig sein.«

»Oh, doch. Wenn ich mich fürchte, bekomme ich immer Hunger«, schimpfte Papageno.

Natürlich blieb beiden nichts anderes übrig, als zu warten, und wenigstens darin waren sie gleich. Es war heller Tag. Dann verdunkelten Wolken die Sonne, und nach einiger Zeit hörte Tamino Donnergrollen und sah auch einen Blitz. Tamino mußte daran denken, wie die Damen der Sternenkönigin mit einem Donnerschlag verschwunden waren. Es regnete in Strömen, und Papageno jammerte: »Sie haben uns vergessen.«

»Das glaube ich nicht«, beruhigte ihn Tamino. »Früher oder später werden sie schon kommen.«

»Vermutlich später«, sagte Papageno leise und begann auf seiner Lockpfeife zu blasen.

Doch die Wolken verzogen sich, und die Sonne fiel wieder auf den Boden, und schließlich hörten sie das Geräusch näherkommender Schritte.

»Wir haben Glück«, rief Papageno, »vielleicht gibt es jetzt Frühstück.«

Aber nur eine gebeugte, verschleierte Gestalt trat in die Gruft. Ohne Tamino zu beachten, ging sie geradewegs auf Papageno zu und sagte mit lieblicher, melodischer Stimme: »Man hat mich beauftragt, dir die Zauberglöckchen zurückzubringen.«

171

Und was ist mit meiner Flöte? dachte Tamino und wollte schon danach fragen. Doch noch ehe er ein Wort hervorbringen konnte, warf die Gestalt die Schleier zurück, und vor ihnen stand eine Frau mit faltigem Gesicht, zahnlosem Mund und einem gekrümmten alten Körper.

Trotzdem, dachte Tamino, *es ist eine Frau, und die Regeln der Prüfung verbieten mir, mit ihr zu sprechen.*

Papageno nahm das Glockenspiel an sich. »Ich bin froh, es wieder zu haben«, erklärte er herausfordernd. »Bei den vielen Gefahren, die hier lauern, hätte ich es allerdings schon früher brauchen können.«

»Aber man sagt, du seist sehr mutig«, sagte die alte Frau mit brüchiger Stimme.

»O ja«, erwiderte Papageno.

Tamino fuhr zusammen. Der alberne Bursche begann schon wieder zu prahlen und brach damit seinen Schwur. Er flüsterte ihm energisch zu: »Still, Papageno! Du hast dein Versprechen schon einmal gebrochen und mit den Damen der Sternenkönigin gesprochen. Man gibt dir aber noch eine Chance! Sei vorsichtig.«

»Ich habe meinen Eid nicht gebrochen!« erwiderte Papageno heftig. »Ihr haltet sie doch wohl nicht für *Frauen?* Nein, die Damen der Sternenkönigin sind böse Geister aus der Unterwelt. Sie sind Dämonen, jawohl, das sind sie. Und die Priester haben nichts davon gesagt, daß wir nicht mit Dämonen sprechen dürfen!«

Tamino mußte gegen seinen Willen lachen. Papageno wußte doch auf alles eine Antwort. Vermutlich würde das sein Untergang sein. Aber er war nun einmal wie er war, und Papageno mußte sein Schicksal auf sich nehmen.

Die Alte fragte: »Kann ich etwas für dich tun, mein Schatz?«

»Na ja, gegen ein Frühstück hätte ich nichts einzuwenden«, erwiderte Papageno, »oder gegen ein Glas Wein.«

»Oh, nichts ist leichter als das«, sagte die Alte, zog einen Weinschlauch unter ihrem Mantel hervor, füllte ein Glas und hielt es Papageno entgegen.

»Ah, bist du auch Mundschenk für all die Helden, die sich den Prüfungen unterziehen?«

»Nein, nein, nicht für alle«, erwiderte die Frau, »ich bin nur gekommen, weil mein künftiger Gemahl hier irgendwo sein muß.«

»Oho, du hast einen Geliebten, Mütterchen?« erkundigte sich Papageno.

»Aber ja«, antwortete sie mit süßer Stimme. Tamino hätte schwören mögen, daß sich unter dem Mantel ein junges Mädchen verbarg; und doch sah ihr Gesicht wie ein Totenkopf aus, uralt und wie aus Stein.

»Und was tust du sonst hier?«

»Ich singe, spiele Flöte, das Glockenspiel und die Harfe, ich tanze und jongliere . . .«

»Du jonglierst?« Tamino hörte, wie Papageno sich verschluckte. »Na das möchte ich gern einmal sehen, Mütterchen.«

»Wenn du möchtest, bitte . . .« Die Alte griff nach dem Glockenspiel und begann mit den Glöckchen, dem Weinschlauch und einem Stiefel, den Papageno noch nicht wieder angezogen hatte, zu jonglieren. Tamino staunte über ihre Fertigkeit; die Alte war so geschickt wie ein junges Mädchen.

»Wie alt bist du, Mütterchen?« wollte Papageno wissen.

173

Die Frau kicherte, und wieder erklang eine mädchenhafte Stimme.

»Zwanzig Jahre und ein Tag.«

»Das«, bemerkte Papageno, »muß ein sehr langer Tag gewesen sein.«

»Das kann man wohl sagen. Aber mein Geliebter ist so verständnisvoll und reizend, ihm macht das gar nichts aus.« Die Alte hob den Weinschlauch vom Boden auf und gab Papageno das Glockenspiel zurück. Dann griff sie nach dem Stiefel und warf ihn Papageno mit einer schelmischen Geste zu.

»Dein Liebhaber muß wirklich ein netter Bursche sein«, erklärte Papageno. »Ist er so jung und reizend wie du, Mütterchen?«

»Oh, nein. Man hat mir gesagt, daß er älter ist«, erwiderte sie. »Beinahe zehn Jahre älter als ich.«

»Ich bin sicher, ihr seid ein reizendes Paar.« Papageno hatte den Wein in seiner Hand völlig vergessen, hob nun das Glas an die Lippen, nahm einen Schluck und sagte: »Ich kenne nicht viele Leute in dieser Gegend, aber man kann ja nie wissen . . . Wie heißt er denn?«

»Papageno«, antwortete sie klar und deutlich. Der Vogel-Mann prustete heftig und goß sich den Wein über das Hemd.

»Wie?« fragte er, »soll das ein Scherz sein?«

»Keineswegs. Sarastro hat versprochen, daß du mein Gemahl wirst. Ich bin deine Papagena, verstehst du?«

Papageno schluckte schwer. »Was für ein Streich ist das nun wieder?« murmelte er, blinzelte und blickte der Alten offen ins Gesicht.

»Nun ja, ich habe mir eine Freundin und Gefährtin gewünscht. Ich habe nicht gesagt, daß sie jung oder hübsch sein soll. Sarastro erzählte mir... na ja, ich vertraue ihm. Wenn er sagt, du bist die Frau, die er mir versprochen hat, wird er wohl wissen, was er tut. Ich freue mich, dich kennenzulernen, Müt... ähmm... Papagena«, sagte Papageno tapfer und streckte ihr die Hand entgegen.

»Du bist ein lieber Mann, ganz wie sie mir versprochen haben«, erwiderte die Alte mit der Stimme eines jungen Mädchens. Die Gestalt unter dem schwarzen Mantel schimmerte einen Augenblick auf, die Alte war verschwunden, und ein junges, anmutiges Mädchen stand an ihrer Stelle.

Es sah genauso aus wie Papageno, hatte auch einen rotgelben Federschopf, war aber jünger. Tamino hielt sie nicht für hübsch: Ihre Nase war schnabelähnlich gebogen, ihre Augen glitzerten und blickten durchdringend. Aber Papageno stand wie verzaubert vor ihr.

»Papagena!« rief er, und augenblicklich versank der Raum in Dunkelheit, und sein Ruf verwandelte sich in eine verzweifelte Klage.

Dreizehntes Kapitel

Tamino blickte zum Himmel hinauf und dachte, es müsse spät am Morgen oder bereits Mittag sein, denn inzwischen verspürte er ebenfalls Hunger. Doch auf seiner langen Reise hatte er sich angewöhnt zu fasten, und so stellte er sich darauf ein, den Hunger so lange zu übergehen, wie die Priester von ihm verlangen würden. Papageno saß völlig verzweifelt auf dem Boden und schwieg zum ersten Mal, seit Tamino ihn kannte, freiwillig. Er rührte die magischen Glöckchen nicht an und hatte sich noch nicht einmal dazu aufgerafft, den zweiten Stiefel anzuziehen. Tamino begann, sich Sorgen um den Vogel-Mann zu machen. Endlich ging die Tür auf.

»Wie steht es mit Euch, Prinz Tamino? Seid Ihr immer noch entschlossen, auszuharren?« fragte der eine Priester.

»Bis jetzt habe ich nichts erlebt, was mich umstimmen könnte«, erwiderte Tamino ruhig.

»Und du, Freund Papageno?« fragte der andere Priester. »Was hast du in dieser langen Nacht erlebt?«

Papageno hob nicht einmal den Kopf, als er antwortete: »Ich bin sicher, Ihr wißt ebensogut wie ich, was geschehen ist. Ich vermute, ich habe eure Prüfungen nicht bestanden. Ich bin eben doch nur ein geschwätziger Dummkopf. Ich habe mir alle Mühe gegeben, aber das reicht eben nicht.« Er blickte auf und sah dem Priester in die Augen.

»Es ist Eure Schuld, wißt Ihr«, fuhr er fort, »Ihr erwartet etwas von mir, für das ich einfach nicht geschaffen bin. Ich habe Vögel für die Sternenkönigin gefangen und gezähmt. Und einigen habe ich das Sprechen beigebracht. Das konnte ich ganz gut. Doch nachdem die Vögel erst einmal sprechen konnten, gelang es mir nicht mehr, sie zum Schweigen zu bringen, oder sie zu lehren, zur richtigen Zeit die richtigen Dinge zu sagen, oder zu schweigen, wenn es angebracht war zu schweigen. Wahrscheinlich bin ich auch so ein Vogel. Nachdem ich es nun einmal kann, kann ich nicht mehr damit aufhören. Ich habe mir diese Prüfungen nicht ausgesucht und Euch gleich gesagt – wie Ihr Euch erinnern werdet –, daß ich mir wenig Hoffnung mache, sie zu bestehen.«

»Das stimmt, mein Sohn«, erwiderte der Priester freundlich, »ich kann mich nicht über dich beklagen. Wenn du dich also den Prüfungen nicht gewachsen fühlst, dann sage mir, was erwartest du vom Leben?«

»Im Augenblick? Im Augenblick möchte ich frühstücken. Bis jetzt habe ich nur ein Glas Wein getrunken, und er muß mir wohl zu Kopf gestiegen sein, denn sonst würde ich vermutlich nicht so mit Euch reden, Ehrwürdiger Vater. Wenn ich Euch beleidigt habe ...«

Der Priester legte ihm die Hand auf die Schulter. »Du kannst mich nicht beleidigen, mein kleiner Bruder, wenn ich dich auffordere, die Wahrheit zu sagen und du mir aufrichtig antwortest. Du sollst dein Frühstück gleich bekommen.« Er winkte, und im nächsten Augenblick erschien ein junger Priester mit einem Tablett voll leckerer Dinge, die einen köstlichen Geruch verbreiteten: warme Honigkuchen und knusprige, mit Nüssen bestreute Hörnchen. Er stellte es vor Papageno ab.

»Stille deinen Hunger, mein kleiner Bruder. Aber verrate mir doch, hast du nicht noch einen anderen Wunsch?«

»Im Augenblick nicht«, erwiderte Papageno, »aber ich kenne mich gut genug, um zu wissen, daß es in kurzer Zeit tausend Wünsche sein werden. Aber warum fragt Ihr? Was hilft es, darüber zu reden? Ich danke Euch für das Frühstück, Ehrwürdiger Vater. Und da ich Eure Prüfungen nicht bestanden habe, nehme ich an, daß ich nun zu meiner kleinen Hütte im Wald zurückkehren muß. Das ist kein schlechter Platz zum Leben. Nur . . .«, Papageno brach ab und legte ein Stück Honigkuchen beiseite, das er gerade hatte essen wollen. Tamino sah Tränen in seinen Augen.

»Was bekümmert dich, Papageno?« fragte der Priester.

»Also«, sprudelte Papageno hervor, »ich bin es leid, von diesen Dämonen in Gestalt hübscher Damen gequält zu werden. Ich habe nichts dagegen, schwer zu arbeiten, aber ich möchte es in Ruhe und Frieden tun und nicht fürchten müssen, daß sie mich verspotten, wenn ich mein Bestes getan habe. Und ich hätte auch gern Papagena bei mir. Ich wäre sogar mit der alten Frau zufrieden, wenn Ihr nicht erreichen könnt, daß man mir das junge Mädchen gibt. Die Alte wäre zumindest eine lustige Gefährtin. Ich glaube, weil ich meinen Mund nicht gehalten und mit der jungen Dame gesprochen habe, bestand ich die Prüfungen nicht und bin deshalb ihrer nicht würdig. Aber warum fragt Ihr nicht sie . . . ich meine Papagena . . . nach ihren Wünschen? Sollte sie nicht auch ein Wort dazu sagen dürfen?« Papageno sah den Priester eindringlich an. Er hatte das Frühstück völlig vergessen.

»Papagena durfte sich äußern wie du, und sie hat sich für dich entschieden«, erwiderte der Priester. »Bleib standhaft,

denn sie kann immer noch die deine sein. Aber...«, seine
Stimme klang wieder ernst und mahnend, »... die Freuden
der Weisheit, die den Eingeweihten vorbehalten sind, wirst
du vielleicht nie kennenlernen.«

»Na ja...« Papageno blickte scheu zu ihm auf, »... ich möchte ja nichts über das Leben sagen, für das Ihr Euch entschieden habt, Vater, aber für mich ist das so völlig in Ordnung.«

»Gut, so sei es«, sagte der Priester und lächelte Papageno an.
»Sei standhaft, vielleicht liegen noch andere Prüfungen vor
dir. Aber an diesem Punkt ist es nur richtig, daß die, die sich
für die weltlichen Dinge entschieden haben, von denen getrennt werden, die Weisheit suchen. Prinz Tamino, verab-
schiedet Euch von Eurem Gefährten.«

»Aber«, sagte Tamino, »was wird mit ihm geschehen? Ich bin
für ihn verantwortlich, denn ich habe ihn in diese Lage gebracht.«

Der Priester, den Tamino als seinen Führer betrachtete, fragte
leise und freundlich: »Vertraut Ihr Sarastro, mein Bruder?«
Und Tamino wußte plötzlich, dies war wieder eine Prüfung,
und er freute sich darüber, daß er es erkannte.

»Papageno...«, Tamino streckte ihm die Hand entgegen und
drückte die kleinen, trockenen Finger des Halblings, »... ich
bin sicher, sie werden gut für dich sorgen. Wenn die Prüfungen hinter mir liegen, und ich sie nach dem Willen der Götter
überlebe... werde ich dich besuchen und mich selbst davon
überzeugen, daß es dir gutgeht. Paß auf dich auf, kleiner Bruder. Die Götter mögen dich beschützen.«

Papageno sah ihn nachdenklich an. »Ich glaube, Ihr werdet
ihre Hilfe nötiger haben als ich, mein Prinz.« Dann umarmte

er Tamino. »Laßt Euch von ihnen keine Angst einjagen oder etwas zuleide tun. Wenn Ihr mich braucht, dann . . .«, Papageno dachte nach, nahm die Lockpfeife von seinem Hals und gab sie Tamino, ». . . pfeift nur darauf. Ich werde kommen und alles tun, um Euch zu helfen. Vielleicht bin ich nicht sehr gut, wenn es gegen Drachen geht, aber wenn Ihr jemand zum Reden braucht, ich bin zur Stelle.«

Tief bewegt nahm Tamino das Pfeifchen entgegen, das neben den grobgewebten Kleidern, die er trug, Papagenos einziger Besitz zu sein schien, und sagte: »Ich werde dich ganz bestimmt aufsuchen, um sie dir zurückzugeben, mein kleiner Freund.«

Die Priester gingen mit Papageno davon; Tamino kaute lustlos an einem der Honigkuchen, die Papageno nicht gegessen hatte und überlegte, wann die wirklichen Prüfungen beginnen würden. Es dauerte lange, bis die Tür sich wieder öffnete. Pamina kam in das Gewölbe. Sie trug ein einfaches weißes Kleid, das seinem Gewand glich. Neugierig blickte sie sich um und wirkte etwas erschrocken, als sie die Totenköpfe und die Sarkophage sah; doch als sie Tamino entdeckte, leuchteten ihre Augen.

»Mein Prinz, man schickt mich, um Euch die Zauberflöte zurückzubringen«, sagte sie und streckte ihm die seidene Hülle mit dem Instrument entgegen.

Voller Glück erinnerte sich Tamino, daß man Papagena geschickt hatte, um Papageno das Glockenspiel zurückzubringen. Das mußte bedeuten, man hatte ihn und Pamina füreinander bestimmt, wie Papagena und den Vogel-Mann. *Wenigstens stellen sie mich nicht mit irgendwelchen albernen Verkleidun-*

gen auf die Probe, dachte Tamino und nahm sich vor, im Gegensatz zu dem einfältigen Papageno sein Versprechen zu halten und zu schweigen. Da Pamina das Gewand einer Novizin trug, mußte sie den Sinn dieser Prüfung ebenfalls verstehen und begreifen, weshalb er nicht mit ihr sprach. Und als Sarastros Tochter verstand sie das alles wahrscheinlich ohnehin viel besser als er.

Tamino nahm die Flöte entgegen und vermied dabei, Pamina in die Augen zu sehen. Er wollte sich nicht leichtsinnig zu einer Äußerung hinreißen lassen, weil er wußte, aus Freude über ihren Anblick würde er sich vielleicht doch nicht beherrschen können, vor allem, weil sie ihm die Flöte brachte.

Tamino hatte sich bemüht zu verstehen, was es mit der Flöte auf sich hatte. Der alte Priester, sein Begleiter, hatte ihm gesagt, er würde die Prüfungen von Erde, Wasser, Luft und Feuer zu bestehen haben. Möglicherweise stand die Nacht in der Gruft, umgeben von den Symbolen des Todes und der Sterblichkeit, für das Element Erde, dem sie alle entstammten, und zu dem sie alle zurückkehren mußten. Tamino wußte es nicht genau, doch nahm er an, der Priester würde es ihm erklären, wenn die Zeit gekommen war.

War seine Liebe zu Pamina vielleicht die Prüfung des Feuers? Er sehnte sich verzweifelt nach ihr; er wollte bei Pamina sein, mit ihr sprechen, sie fragen, ob sie soviel für ihn empfand wie er für sie. Er wollte wissen, ob sie vielleicht nur in eine Ehe mit ihm einwilligte, weil sie sich dem Willen von Vater und Mutter beugte. Würde er sie unter diesen Voraussetzungen wollen, oder wollte er sie auf jeden Fall?

Tamino spürte eine sanfte Berührung am Arm.

»Tamino«, bat Pamina sanft, »bitte sag etwas.«

Er schüttelte stumm den Kopf und versuchte immer noch, sie nicht anzusehen, doch einen Blick aus den Augenwinkeln konnte er sich nicht versagen. Bei ihrer ersten Begegnung hatte Pamina seidene Gewänder getragen, und in ihren Haaren funkelten Edelsteine. Sie war ihm als Prinzessin gegenübergetreten, als Tochter der Sternenkönigin und des mächtigen Priester-Königs Sarastro. Nun war sie wie er in ein schlichtes, grobgewebtes weißes Gewand gekleidet, die langen blonden Haare fielen ihr glatt und ohne jeden Schmuck über die Schultern und reichten ihr beinahe bis zur Hüfte. *Vor den Mysterien*, dachte er, *sind wir wieder gleich*. Tamino lächelte sie an und schüttelte den Kopf.

»Machst du dich lustig über mich?« bestürmte ihn Pamina. »Wir müssen miteinander reden. Wir haben soviel zu besprechen. Ich muß wissen, ob du diese Ehe wirklich willst, oder ob du mich nur willst, weil die Wahl meines Vaters auf dich gefallen ist, und du einwilligst, weil ich die Tochter des mächtigen Priester-Königs bin. Weißt du überhaupt, daß Sarastro mehr als ein Priester ist? Er ist der Sonnen-König und herrscht über ganz Atlas-Alamesios. Willst du mich deshalb, oder lockt dich diese Stadt mit all ihrem Glanz und Reichtum?«

Es klang mitleiderregend. Tamino öffnete den Mund, um sie zu beruhigen. Den Thron von Atlas-Alamesios zu besteigen? Was konnte ihm, dem Sohn des Kaisers im Westen, an einem Thron liegen, den *sie* erben würde! Er wollte Pamina, Pamina ...

Aber nein. Die Hofdamen der Sternenkönigin hatten alles getan, um ihm Angst einzujagen, und Papagena hatte Papageno auf die Probe gestellt. So versuchte Pamina an seine Gefühle zu appellieren und wollte ihn zum Reden bringen. Nein, er würde sich nicht überlisten lassen! Er wollte Pamina nicht verlieren, indem er unüberlegt die Regeln übertrat, die für die Prüfung galten. Tamino griff nach der Flöte, setzte sie an die Lippen und begann zu spielen.

Lieblicher Klang erfüllte das stille Gewölbe, und die Sonnenstrahlen umtanzten die Totenköpfe auf den Säulen. Die Musik erfüllte ihn mit Frieden, und Tamino versuchte, seine ganze Liebe für Pamina, sein Vertrauen und das Wissen, daß sie nur durch Gehorsam zusammenkommen konnten, in sein Spiel zu legen. Und während die Töne in dem sonnenüberfluteten Raum aufstiegen, fragte er sich, ob dies vielleicht die Prüfung der Luft war.

Denn durch die Luft, die sie atmeten, würden sie miteinander reden. Wenn ihnen im Augenblick, und sicher nur für den Augenblick, die Sprache verboten war und sie darauf verzichten mußten, dann konnte er dem magischen Medium Luft seine Liebe und seine Sorge um Pamina anvertrauen und durch die Töne der Flöte zu ihr sprechen.

Zauberflöte, sprich für mich. Singe ihr von meiner Liebe. Sage Pamina, sie möge mir vertrauen, bis die Prüfungen hinter uns liegen, und dann, wenn die Götter es wollen, werden wir fortan hier zusammen leben.

»Tamino!« Dieser gequälte Aufschrei brachte ihn dazu, die Flöte abzusetzen und sie anzusehen. »Bitte, hör auf zu spielen. Sieh mich an, rede mit mir! Ich kann es nicht ertragen, daß du mich nicht einmal ansiehst. Ich dachte, du liebst mich. Oder hat man sich einen Spaß mit mir erlaubt? Hat man mich belogen?«

Paminas Augen füllten sich mit Tränen; Tamino sah sie aufsteigen und fließen. Er war zutiefst bekümmert (hatte man ihr denn nichts von der Prüfung gesagt?) und wünschte verzweifelt, er könnte die Flöte beiseite legen und ihr alles erklären. Schon sah Tamino, wie er Pamina in die Arme nahm und sie zärtlich hielt, als sei sie etwas sehr Zerbrechliches und Kostbares – ein Juwel, das er durch Zufall auf seinem Weg ins Unbekannte gefunden hatte ... Er würde von seiner Liebe sprechen und sie bitten, ihm zu vertrauen.

Doch das durfte er nicht. Wenn man Pamina nichts über die Prüfungen gesagt hatte, so mußte man sie als Tochter eines Priesters zumindest darauf vorbereitet haben, daß ihr Vertrauen auf die Probe gestellt wurde.

Tamino sah sie weinen. Er hätte nie gedacht, daß ihm die Tränen einer Frau so sehr zu Herzen gehen würden. Vielleicht war dies die Prüfung des Feuers, denn während er die weinende Pamina beobachtete, empfand er einen brennenden Schmerz in seiner Brust. Am Hof seines Vaters hatte man ihn gelehrt, alles ruhig und ohne unangebrachte und unwürdige Gefühle zu ertragen, doch in diesem Augenblick würde er nichts lieber tun, als die Flöte fallenzulassen, Pamina in die Arme zu nehmen und sie zu küssen, bis ihre Tränen versiegten und sie die Gründe für sein Schweigen gehört hatte.

Aber dann werde ich sie verlieren, wie Papageno Papagena verloren hat, dachte Tamino, und Papagenos verzweifelter Aufschrei beim Verschwinden Papagenas klang ihm im Ohr. Seine Finger glitten über die Flöte, er hielt den Kopf gebeugt und wagte nicht, Pamina noch einmal anzusehen. *Sie muß meine Liebe doch in der Musik hören*, dachte er verzweifelt. *Sie muß mich doch auch ohne Worte verstehen. Warum muß es zwischen uns Worte geben?*

185

»Tamino, liebst du mich nicht mehr?« Ihre Worte schnitten ihm ins Herz. Er biß sich auf die Lippen und schmeckte Blut. Selbst wenn sie nicht wußte, daß es sich um eine Prüfung handelte, ging das sicher zu weit. Wie konnte man von ihm verlangen zuzusehen, wie Pamina litt?

Doch was hätte die Prüfung genützt, wenn sie leicht gewesen wäre? Tamino drängte seine Tränen zurück und spielte weiter, entschlossen, Pamina nicht mehr anzusehen.

»Tamino!« Diesmal rief sie seinen Namen voller Angst. Er spürte, wie ihre zierlichen Hände ihm die Flöte zu entwinden versuchten und ließ das Instrument fallen. Er würde nicht mit Pamina kämpfen und versuchen, ihr die Flöte wieder abzunehmen.

Sie haben nur gesagt, ich darf nicht mit ihr sprechen. Sie haben nichts davon gesagt, daß ich sie nicht küssen darf, dachte er und kämpfte gegen die Versuchung, genau das zu tun. Sein Atem ging schwer, doch die Worte des alten Priesters klangen in seinen Ohren: *Du darfst sie nicht berühren oder mit ihr sprechen.* Keuchend vor Anstrengung und Qual riß er sich los und wandte ihr den Rücken zu. Er hörte, wie sie in einer Mischung aus Zorn und Pein aufschluchzte, dann schnelle Schritte, und eine Tür fiel ins Schloß.

Weinend sank Tamino zu Boden.

Vierzehntes Kapitel

Wild schluchzend stürmte Pamina aus dem Gewölbe. Alle ihre Hoffnungen hatten sich zerschlagen. Tamino war nicht zu trauen; er hatte sie zurückgewiesen. Auch Sarastro war nicht mehr zu trauen. Er hatte sie zu Tamino geschickt, damit sie ihm die Flöte bringe, und sie dieser grausamen und entsetzlichen Zurückweisung ausgesetzt.

Sie hatte begonnen, den Vater zu lieben und ihm zu vertrauen. Was blieb ihr jetzt noch?

Was soll ich tun? überlegte Pamina, *in das Reich meiner Mutter zurückkehren?* Aber die Sternenkönigin hatte sie verstoßen, von ihr verlangt, Sarastro zu töten oder sich nicht mehr als ihre Tochter zu betrachten.

Mutter kann es nicht wirklich so meinen, dachte Pamina. Wie konnte sie die Tochter verstoßen, die sie zur Thronfolgerin und Erbin erkoren hatte? Doch die Erinnerung an den kalten, bösen Blick der Sternenkönigin ließ sie erschauern.

Arme Mutter! Haß und der Gedanke an Rache haben dich zum Wahnsinn getrieben. Trotzdem fürchtete Pamina der Sternenkönigin unter die Augen zu treten ohne den Dolch, an dem Sarastros Blut klebte – und wußte doch, sie würde nie die Hand gegen ihren Vater erheben.

Pamina hatte den Dolch noch immer im weiten Oberteil ihres Gewandes verborgen. Sie scheute sich, ihn in ihren Gemächern zu lassen, da zu befürchten stand, daß jemand ihn entdeckte. Pamina betrachtete ihn bitter. Vielleicht sollte sie sich lieber selbst . . .

Hätte ihre Mutter doch der gemeinsamen Flucht aus Sarastros Reich zugestimmt! Dann wären sie jetzt im sicheren Palast der Sternenkönigin, in dem sie geboren worden war.

Pamina mußte sich entscheiden. Sie konnte nicht länger durch die Gärten von Sarastros Tempel irren. Seit man sie hierhergebracht hatte, war sie noch nie jenseits der Mauern gewesen. Pamina wußte nicht einmal, ob sie den Weg nach Hause finden würde. Jetzt war sie in einem Garten mit vielen Palmen, und an manchen hingen Büschel reifer Datteln. Die Mauern der Gebäude strahlten weiß in der Sonne und blendeten sie – oder standen Tränen in ihren Augen? Pamina trocknete sie mit ihrem weißen Gewand und sah sich um.

Sie entdeckte eine Treppe, die zu einem der höchsten Dächer hinaufführte. Vielleicht konnte man von dort oben über die Mauern blicken, und sie würde den Weg zum Palast der Sternenkönigin finden. Ihre Mutter konnte doch keinen Mord wünschen, konnte doch nicht die jüngste Tochter verstoßen, weil diese sich weigerte, ihren Vater zu töten? Nein, so grausam und ungerecht konnte die Sternenkönigin nicht sein. Aber der Dolch in ihrer Hand – er war wirklich –, und sicher hatte sie die Worte ihrer Mutter richtig verstanden.

Entweder haben sie Haß und Rachegedanken zum Wahnsinn getrieben, oder ich werde wahnsinnig, weil ich immer wieder daran denke, dachte Pamina.

Es war eine schmale, steile Treppe, die sich an einer schwindelerregend hohen Mauer nach oben wand. Pamina hatte Angst, nach unten zu sehen und preßte sich beim Hinaufsteigen an die Mauer. Entschlossen wandte sie den Blick vom äußeren Rand der Stufen ab und hielt ihn fest auf ihre Füße gerichtet. Schließlich endete die Treppe, und Pamina trat auf das flache Dach.

Hier oben war offensichtlich ein Zufluchtsort vor der größten Hitze des Tages. Große Pflanzen in Töpfen standen herum und in ihrem Schatten Ruhebetten und niedrige Sitze. In der Mitte plätscherte ein kleiner, kühlespendender Springbrunnen. Eine hohe Umfassungsmauer versperrte stellenweise die Aussicht, doch Pamina entdeckte eine winzige Plattform, von der man die ganze Stadt überblickte. Pamina ging hinüber und sah deutlich den Palast ihrer Mutter, gar nicht so weit entfernt, obwohl er, wie sie wußte, am Rand der Wüste von Atlas-Alamesios lag.

Sie konnte ihn mühelos erreichen . . .

Pamina war, als sollte sie augenblicklich hinuntersteigen, zum nächstgelegenen Tor gehen und auf die große breite Straße, die sie von hier oben deutlich sah. Doch sie zögerte.

Sarastro würde sie sicher nicht mehr zwingen hierzubleiben, nachdem Tamino sie abgewiesen hatte und sie dem Vater nicht länger von Nutzen war. Er konnte sie nicht mehr mit dem Prinzen aus dem Westen vermählen . . . Außerdem machte das schlichte weiße Gewand sie zu einer von vielen Novizinnen, so daß sie unbemerkt gehen und kommen konnte wie alle, die ihren Pflichten genügten.

Vom Dach aus sah Pamina eine lange Prozession sich durch die Straßen winden. Überrascht zählte sie an ihren Fingern nach: Ja, heute war Neumond, und heute fanden die Opfer statt. Hörner dröhnten; sie hörte die rituellen Klageschreie der Trauernden, die vom Rauch der heiligen Kräuter wie betäubt waren, und sie sah die Opferpriesterinnen ihrer Mutter mit den großen Messern. Das war sicher alles richtig und gut, es entsprach der Ordnung der Welt... Als man sie hierhergebracht hatte, hatte sie Sarastro gefragt, wann die Opfer stattfänden und zu ihrem Schrecken gehört, daß in Atlas-Alamesios nicht geopfert wurde. Ihre Mutter, die Sternenkönigin, hatte ihr gesagt, Sarastro sei von den Göttern verlassen und ein Teufel – Pamina sah es nun. Er vernachlässigte die erste Pflicht der Menschen, den Göttern durch reichliche Opfer zu danken, nicht als Halblinge geboren zu sein...

Pamina wußte inzwischen, daß sie nach Sarastros Antwort zum ersten Mal einen eigenen Gedanken gefaßt hatte, anstatt das Wort der Sternenkönigin als Wort der Götter hinzunehmen. Was hatte Sarastro gesagt?

Pamina, mein Kind, warum sollten die Götter uns nötig haben, um ihnen die Halblinge zu opfern? Sie sind es, die Menschen und Halblinge geschaffen haben. Wenn die Götter den Halblingen das Leben schenken, können sie es auch beliebig vielen nehmen. Halblinge leben nicht annähernd so lange wie wir. Warum sollten wir ihr Leben noch mehr verkürzen? Wir opfern in diesem Tempel weder Mensch noch Halbling, meine Tochter, sondern ehren die Götter durch Gebete und Lobpreisungen sowie durch das Versprechen, daß wir das Leben, das sie uns geschenkt haben, so tugendhaft führen wollen wie nur möglich.

Damals hatte diese Vorstellung Pamina sehr erschreckt; doch während sie nun die Prozession beobachtete, die sich durch die Straßen zog – aus dieser Höhe wirkten die Priesterinnen, die Klagefrauen und die gefesselten Opfer wie winzige Puppen –, erschien sie ihr merkwürdig. Auf einem hohen Wagen entdeckte sie eine Gestalt in dunklen Gewändern – vermutlich eine ihrer Halbschwestern.

Aber sie waren auch Halblinge, wie konnten sie Vergnügen daran finden, Geschöpfe wie sie selbst zu opfern, die sich nur in einer weniger glücklichen Lage befanden? Paminas Kopf schmerzte – von dem gleißenden Licht, von ihren Tränen, vor Verwirrung? Plötzlich erinnerte sie sich zum ersten Mal seit Jahren wieder an die Nacht, in der Rawa verschwunden war.

Die Sternenkönigin hatte ihr damals das Versprechen gegeben, Rawa nicht als Rattenfängerin in die Ställe zu schicken, und Pamina war der Meinung gewesen, sie habe der Hunde-Frau eine andere Aufgabe außerhalb des Palastes zugewiesen. Pamina hatte nicht daran gezweifelt, daß ihre Mutter ein gegebenes Versprechen hielt, und deshalb unterlassen, Nachforschungen anzustellen. Jetzt aber wurde ihr klar, daß sie die Wahrheit immer geahnt haben mußte: Man hatte Rawa an Papagenas Stelle geopfert!

Wie hatte sie so blind sein können, das Naheliegende nicht zu sehen? Aber sie war immer blind gewesen, das dumme Kind, für das Disa sie hielt. Nach sieben Jahren nützte es wenig, Tränen um Rawa zu vergießen; sie hatte nicht einmal gewußt, daß damals die Wahl zwischen Rawa und Papagena bestand. Papagena war ihr lieb und teuer, aber Rawa . . . war ihr eine Mutter gewesen, sie hatte nie eine andere Mutter gehabt. Die Sternenkönigin war ihr nie eine wirkliche Mutter gewesen, wenn man davon absah, daß sie Pamina geboren hatte. Weshalb empfand sie aber diesen schmerzlichen Verlust, wenn sie sich daran erinnerte, wie ihre Mutter sie flüchtig in die Arme geschlossen hatte?

Die Prozession entschwand ihren Blicken, aber Pamina folgte ihr in Gedanken durch die großen Tempeltore bis zum Opferaltar. Das Blut, das um die Mittagszeit floß – man hatte sie gelehrt, daß es die Sonne nährte, ihr ermöglichte, auch weiterhin zu scheinen – welche Torheit, welch ein albernes Märchen! Und dennoch hatte sie nie daran gezweifelt. Hätten die zahllosen Priesterinnen ihre Pflicht einmal nicht erfüllt, Pamina hätte bereitwillig das Messer ergriffen, um das Opfer in der vorbestimmten Weise zu vollziehen.

In Sarastros Palast hatte sie Bilder von der Sonne und den Welten gesehen, die um sie kreisten, und der Priester-König hatte ihr erklärt, die Sonne sei ein riesiger Feuerball am Himmel und würde weiterbrennen, unabhängig von dem, was die Menschen und Halblinge taten oder nicht taten. Die wahren Götter, so sagte er, seien die Mächte der Ordnung, die sicherstellten, daß Sonne, Mond und Sterne an ihren vorbestimmten Plätzen leuchteten . . . Wie unwissend sie doch noch immer war!

Ihr Platz war also nicht mehr im Palast der Sternenkönigin, doch auch nicht mehr in Sarastros Tempel, nachdem Tamino sie zurückgewiesen hatte. Was für ein Leben konnte es noch für sie geben? Und wohin sollte sie sich wenden?

Pamina stand auf der Plattform und schaute über die Stadt. Warum, überlegte sie, haben Sarastros Priester diesen Aussichtspunkt geschaffen, der ihnen den Blick in eine Stadt ermöglicht, deren Sitten und Gebräuche sie verabscheuen? Aber wieso konnten sie hier leben und diese schrecklichen Dinge mit ansehen, ohne dagegen einzuschreiten? Die Stadt verschwamm vor ihren Augen. War sie denn wirklich so nahe?

Pamina hörte vor den Tempelmauern heiseres Gebell. Ein junger Hunde-Halbling rannte rufend durch eine schmale Gasse; leises, lockendes Winseln ertönte, und sie entdeckte eine junge Hunde-Frau. Der Hunde-Halbling blieb stehen, erwiderte das Winseln, lief zurück, packte die Frau und zerrte sie in den Staub. Sie beschnüffelten sich, umkreisten sich und lagen dann bellend und stöhnend auf dem Boden. Ein Vorübergehender schimpfte, weil sie ihm den Weg versperrten, und versetzte ihnen einen Fußtritt, doch ineinanderverschlungen, hatten sie alles um sich herum vergessen.

Natürlich! So machten es Hunde-Halblinge eben! Und das war gut so, weil man dadurch genügend Halblinge für die Opfer hatte. Was hätte man sonst tun sollen, wenn diese Quelle versiegte? Pamina hatte auch gelernt, daß es ein Verbrechen sei, gegen den Willen der Götter die Paarung der Hunde-Halblinge zu verhindern, weil man sie dann um ihre Opfer betrog.

Aber wenn die Götter keine Opfer brauchten... Pamina meinte, der Kopf müßte ihr zerspringen. Und aus irgendeinem Grund schämte sie sich für die junge Hunde-Frau. Hätte man ihnen wirklich nichts anderes beibringen sollen, als sich brünstig im Straßenstaub zu wälzen? Sicher gab es für sie eine bessere Aufgabe. Und ihre Schwester Kamala... Pamina hatte gehört, wie sie mit der unersättlichen Lust der Stier-Halblinge geprahlt hatte, die man manchmal züchtigen mußte, damit sie taten, was man von ihnen erwartete. Damals empfand Pamina nur Ekel und hatte sich geschworen, sich nie zu solchen Dingen herzugeben. Doch erst jetzt, in diesem Augenblick, empfand sie Scham für ihre Schwester.

Ähnlich hatte sie auch Monostatos gepackt, wild und ungestüm, ohne sich darum zu kümmern, ob sie wollte oder nicht.

Pamina spürte, wie ihr die Schamröte ins Gesicht stieg.

Hatte sie das auch von Tamino erwartet oder gewünscht?

Pamina sah ihn wieder vor sich, im schlichten weißen Gewand der Novizen, wie er entschlossen ihren Blick vermied und auf der Flöte spielte, die sie ihm überbracht hatte. Tamino spielte, als hoffte er, die Töne könnten ihr etwas mitteilen. Warum hatte sie es nicht sofort erraten? Das Gewand des Novizen hätte es ihr sagen müssen – dies war eine Art Prüfung oder Herausforderung, der er sich stellen mußte. Zweifellos hatte man ihm verboten, mit ihr zu sprechen oder sie zu berühren, und er unterzog sich gehorsam der gestellten Aufgabe. Jetzt, als sie Taminos Gesicht wieder deutlich vor sich sah, entdeckte Pamina die Qual darin, begriff, wie er sie angefleht hatte, ihm zu vertrauen, und sie hatte ihn enttäuscht. Sicherlich hatte sie wieder bei einer Prüfung versagt. Und vielleicht hatte sie Tamino jetzt für immer verloren. Wie konnte sie sich auch nur so töricht benehmen?

Paminas Hand umklammerte den Dolch. Alles hatte sie verloren – alles, nur das nicht.

»Nein«, hörte sie eine Stimme hinter sich, »er ist auch nicht für dich bestimmt. Hast du gesehen, weshalb du hier heraufgestiegen bist, meine Tochter? Und verstehst du nun?«

Pamina drehte sich um und sah Sarastro vor sich.

»Oh, Vater, warum habe ich das erst jetzt gesehen? Und warum...?« Pamina traute plötzlich ihren Sinnen nicht mehr. »Warum liegt die Stadt meiner Mutter so nahe? Wie war es möglich, daß ich von dort niemals den Tempel des

Lichts gesehen habe, weder vom Palast aus, noch wenn ich mit der Prozession durch die Straßen zog?«

»Unter anderem deshalb, weil du nicht danach Ausschau gehalten hast«, erwiderte Sarastro lächelnd und streckte die Hand nach dem Dolch aus. »Nein, ich glaube nicht, daß du ihn noch brauchst, um ihn gegen mich oder dich selbst zu richten. Er stammt aus dem Reich deiner Mutter, dem Reich der Täuschungen, und deshalb siehst du Dinge, die es nicht gibt. Aber du siehst sie durch das Licht, dem wir hier dienen. Deshalb siehst du die Wahrheit und nicht länger nur das, was man dir erlaubt zu sehen. Gib mir den Dolch, Pamina, denn an ihm haftet der böse Zauber aus dem Reich der Sternenkönigin. Und nun sieh die Stadt, wie sie wirklich ist.«

Pamina legte folgsam den Dolch in Sarastros Hand. Und sobald sie ihn losließ, schien sich ein Nebel von ihren Augen zu heben, und hinter den Mauern des Tempelbezirks erstreckten sich Wälder, soweit das Auge reichte. In weiter Ferne, am Horizont ragten die Türme einer Stadt auf, deren Konturen Pamina gut kannte, denn dort hatte sie einmal gelebt.

»Aber wie . . . weshalb schien sie so nahe zu sein?« stammelte sie.

»Du hast gesehen, was dich beschäftigte und was du gelernt hattest, nicht zu sehen«, erklärte Sarastro ruhig. »Mit dem Dolch in der Hand hättest du von dieser Mauer geradewegs in den Palast deiner Mutter gelangen können, wenn es wirklich dein Wille gewesen wäre. Aber du stehst im Reich der Wahrheit, und deshalb hast du nur die Wahrheit gesehen. Ich will dich nicht fragen, was es war.« Sarastro warf einen flüchtigen Blick über die Wälder, wo Pamina noch kurz zuvor gesehen hatte, wie die Priesterinnen unglückliche Opfer durch die Straßen der Stadt der Sternenkönigin schleppten. Pamina sah den großen Kummer in seinen Augen. Seufzend schob Sarastro den Dolch in sein Gewand.

»Du mußt mir nichts sagen, mein Kind. Vergiß nicht, ich habe sie auch einmal geliebt«, erklärte er. »Ich glaubte, sie sei so gut, wie sie schön ist, und ich konnte es lange nicht ertragen, sie im klaren Licht der Wahrheit zu sehen.« Sarastro seufzte noch einmal tief und wandte den Wäldern – oder der Stadt der Sternenkönigin? – den Rücken zu. Pamina blickte nicht noch einmal über die Mauer.

»Komm, meine Tochter«, sagte er freundlich, »es ist eine der ersten Lektionen, die man hier lernt: nicht an die Fehler der Vergangenheit zu denken, es sei denn, man hat die Möglichkeit, sie wiedergutzumachen. Und dieser Zeitpunkt, wenn er je kommen wird, ist noch fern. Tamino hat die erste Prüfung mit Erfolg bestanden. Komm und sprich mit ihm, denn wenn eure Leben sich wirklich verbinden sollen, müßt ihr euch den anderen Prüfungen gemeinsam stellen. Und Tamino sehnt sich sehr nach dir.«

Sarastro legte ihr die Hand auf die Schulter und führte Pamina zu der schmalen Treppe.

Fünfzehntes Kapitel

»In einem habt Ihr recht«, sagte Sarastro, »die ersten Prüfungen, die Ihr bestanden habt, waren grundsätzlicher Natur. Eure Selbstbeherrschung, Euer Mitgefühl und Eure Standhaftigkeit wurden auf die Probe gestellt . . . nicht zuletzt auch Gehorsam und Bereitschaft, Befehlen zu gehorchen. Doch sie sind ohne größere Bedeutung. Hätte man festgestellt, daß Euch diese Eigenschaften fehlen, wärt Ihr zu den ernsthaften Prüfungen, die nun folgen, gar nicht zugelassen worden.«
Er sah Tamino feierlich über den Tisch hinweg an, auf dem die Reste einer schlichten Mahlzeit standen. Mit Mühe versuchte der Prinz, seinen Worten zu folgen, denn Pamina saß an der Stirnseite des Tisches . . . ihre Blicke trafen sich selten, doch die Wangen der Prinzessin überzog eine sanfte Röte. Wenn man ihnen wenigstens eine einzige Umarmung gestattet hätte . . .
Aber in gewisser Hinsicht schien es richtig, daß man es nicht erlaubte. Als Sohn des Kaisers hatte sich ihm keine Frau je verweigert, wie flüchtig sein Interesse an ihr auch gewesen sein mochte. Mit Pamina war es anders. Tamino verstand nicht warum, aber er wußte, er war bereit – nein, er hatte die feste Absicht –, sein Leben mit ihr zu gestalten. Küsse, Umarmungen und Liebesschwüre konnten noch eine Weile warten. Er betrachtete das Grübchen an ihrem Mundwinkel,

mußte dabei an das Innere einer Rose denken und stellte fest, daß er es gerne küssen würde . . . Entschlossen wandte er seine Aufmerksamkeit wieder dem Priester-König zu.

Pamina fragte:»Und was wird mit Papageno geschehen?«

Sarastro lächelte:»Ich glaube, es hat sich gezeigt, daß ihm die höheren Stufen der Weisheit nicht bestimmt sind. Doch er hat Charakter und ein gewisses Maß an Entschlossenheit bewiesen. Ich vermute, mit Papagena an der Seite wird er unbeschadet seinen Weg gehen. Ich hoffe es aufrichtig.«

»Ich auch«, stimmte ihm Pamina aus vollem Herzen zu, »mir liegt viel an Papagena, und ich habe gelernt, Papageno zu schätzen.«

»Ich ebenfalls«, erklärte Tamino, »vermutlich brauchte er mehr Mut, sich den Damen der Sternenkönigin zu widersetzen, als ich, um mich des Drachens zu erwehren.«

»Natürlich, denn die Damen waren die ›Drachen‹, mit denen sein Geist und seine Gedanken zu kämpfen hatten«, erwiderte Sarastro.

»Standen sie in der Gruft wirklich vor uns, oder waren sie eine Täuschung, ein Teil der Prüfung?« wollte Tamino wissen.

Sarastros Lippen verzogen sich zu einem leichten Lächeln.

»Mein Sohn, Ihr seid noch nicht berechtigt, in die Geheimnisse der Bruderschaft einzudringen«, erklärte er freundlich. Die Zurechtweisung war kaum zu spüren, doch unverkennbar. Tamino senkte den Kopf und starrte auf die Brotkrümel und Obstschalen auf dem Tisch.

Pamina fragte:»Und was soll mit Monostatos geschehen?«

»Man hat ihn von den Prüfungen ausgeschlossen und ihm unter Androhung der Todesstrafe verboten, je wieder einen

Fuß über die Schwelle des Palastes zu setzen«, antwortete Sarastro traurig. »Es tut mir leid um ihn. Ich habe dir schon gesagt, sein Vater war einst mein Freund, und ich habe mehr von dem jungen Mann erwartet. Es ist die erste Prüfung für einen Halbling. Ich glaube, er hat nicht aus Triebhaftigkeit versagt oder aus der Unfähigkeit innezuhalten und zu überlegen – wie es Papageno vielleicht hätte geschehen können... ich halte Monostatos für sehr intelligent. Er mag ein Halbling sein, aber er ist wissender als viele Menschen. Und dennoch hat er nicht mehr Selbstbeherrschung bewiesen als die Hunde-Halblinge, die du gesehen hast, Pamina.«

»Ich fürchte, ich verstehe Euch nicht«, sagte Pamina, und auch Tamino sah ihn verwirrt an.

»Beide habt ihr diese Prüfung bestanden, die Prüfung der Erde«, sagte Sarastro feierlich, »deshalb darf ich mit euch darüber sprechen, denn sie ist wichtig für eure Verbindung. Die Menschlichkeit, die ein Menschenwesen vom Tier unterscheidet – und dies gilt für Menschen und Halblinge gleichermaßen –, beweist sich durch die Vernunft, die den tierischen Trieb beherrscht. Pamina, für die Hunde-Halblinge war im Augenblick nichts wichtiger als der Drang, sich zu paaren. Man hat ihnen nie beigebracht, ihn zu zügeln, oder Zeit und Umstände zu berücksichtigen. Ich glaube nicht, daß es Monostatos an Selbstbeherrschung fehlt. Doch die Umstände waren dazu angetan, ihn in Versuchung zu führen, und er versagte. Monostatos überließ sich seinen Trieben wie die Halblinge, die er ebenso verachtet wie du...«

»Ich verachte sie nicht«, unterbrach ihn Pamina, »sie tun mir nur leid, denn sie wissen es nicht besser. Wie kann man von ihnen etwas erwarten, was man sie nie gelehrt hat?«

Sarastro blickte Pamina traurig an. »Das ist der Grund für meinen Streit mit deiner Mutter, Pamina. In ihrem Reich lernen die Halblinge nichts anderes. Monostatos besitzt, wie ich gesagt habe, die Intelligenz für weit mehr, doch sein Stolz machte ihn unfähig weiter zu denken, und ließ ihn niedrig werden. Stolz... er glaubte, er sei zu meinem Erben und zu deinem Gemahl bestimmt, und deshalb versagte er.« Sarastro seufzte. »Selbst Papageno, der nicht halb so intelligent ist wie Monostatos, bestand diese erste Prüfung. Ich war nicht sicher, daß er Papagena nicht anrühren würde, oder an sie glaubte, als sie so häßlich zu ihm kam und keineswegs seinen Wünschen entsprach. Doch Papageno verhielt sich vernünftig, behielt einen klaren Kopf und zeigte wenigstens in einem gewissen Maß Gehorsam. Seine Bescheidenheit half ihm, während Monostatos, der glaubte, nicht versagen zu können, sich seinem Stolz überließ.«

»Was wird aus Monostatos werden?« fragte Pamina, »oder ist das ein Geheimnis Eurer Bruderschaft, und es ist mir nicht erlaubt, mich danach zu erkundigen, mein Vater?«

»Ich habe keinen Einfluß mehr auf sein Schicksal. Aber ich mache mir Sorgen. Er wird in das Reich deiner Mutter zurückkehren. Wenn die Große Schlange stirbt, wird er vermutlich das Erbe seines Vaters antreten, und sein Reich ist nicht klein. Er hat die Prüfungen nicht bestanden, und die höheren Stufen der Weisheit bleiben ihm für immer verschlossen. Deshalb fürchte ich, er wird großen Schaden anrichten. Doch vielleicht hat sein Vater immer noch einen gewissen Einfluß auf ihn. Möglicherweise lernt er noch Selbstbeherrschung und Disziplin. Ich weiß nicht, was im Land der Großen Schlange vorgeht. Die Sternenkönigin hat Dunkelheit über dieses Reich gelegt, und ich kann nicht unter den Schatten sehen. Ich kann nur sagen, daß der Große Drachen einmal weise und mutig war und sich ohne Furcht in das Land der Wandlungen begeben konnte. Seit dieser Zeit habe ich ihn nur noch selten gesehen.«

»Man sollte meinen«, sagte Pamina, »daß in einem Reich, in dem ein Halbling herrscht, dafür gesorgt wird, daß die Halblinge erzogen und gebildet werden, damit sie den Menschen in nichts nachstehen.«

»Das dachte ich auch einmal«, erwiderte Sarastro, »ehe er unter den Einfluß deiner Mutter geriet, Pamina. Ich glaube, vielleicht war es die Absicht der Gestalter... daß die Menschheit vielfältig sein sollte. Das Vogel-Volk und das Schlangen-Volk und auch die einfacheren Völker sollten entsprechend ihren Fähigkeiten erzogen und zur Weisheit geführt werden. Aber leider sehen die beiden das anders, deine Mutter und der, den man die Große Schlange nennt. In ihren Augen sind die Halblinge von den Gestaltern geschaffen worden, um als Sklaven zu leben. Davon lassen sie sich nicht abbringen.«

»Aber er ist selbst ein Halbling!« rief Pamina.

Sarastro seufzte und zitierte leise: »*Am Anfang war die Schlange, und man sagt, daß ihre Hände den Gestaltern bei der Erschaffung der Menschen halfen.* Für die Große Schlange, Pamina, gibt es zwei Arten von Menschen: wir und das Schlangen-Volk. Alles andere sind niedere Tiere und nur zu dem Zweck erschaffen, den wahren Menschen zu dienen. Sie halten jeden Versuch, das Wohlergehen der Halblinge zu fördern, für Rührseligkeit, für Heuchelei. Sie können sich nicht vorstellen, daß ich daraus nicht irgendeinen Nutzen ziehen will.

Aber genug davon«, fügte Sarastro entschlossen hinzu, »du wirst alle diese Dinge lernen, wenn die Zeit gekommen ist. Jetzt sollten wir von den Prüfungen sprechen, die euch erwarten. Die Prüfung der Erde liegt hinter euch, die Probe der Vernunft, die man so in Worte fassen könnte: *Ich beherrsche das Tier in mir. Es begleitet mich durch mein Leben, doch ich bin der Herr und nicht sein Sklave.*«

»Ist es erlaubt, sich nach der Art der Prüfungen zu erkundigen?« fragte Tamino.

»Ich kann nur sagen, ihr müßt zeigen, daß ihr die Elemente Luft, Wasser und Feuer meistert«, antwortete Sarastro. »Man hat Euch mit der Flöte eine mächtige Zauberwaffe anvertraut, Prinz Tamino. Mehr darf ich nicht sagen.« Der Priesterkönig schob den kleinen Tisch beiseite und erhob sich.

»Man wird euch bei Mondaufgang zum Ort der Prüfung bringen. Da ihr euch fürs Leben binden wollt, hat man beschlossen, daß ihr euch den Prüfungen gemeinsam unterziehen dürft. Jeder von euch besitzt Stärken, die vielleicht die Schwächen des anderen ausgleichen.« Sarastro ergriff Taminos Hand und drückte sie fest. Dann beugte er sich zu Pamina hinab und gab ihr einen flüchtigen Kuß auf die Wange. »Habt Mut, meine Kinder. Meine Gebete werden euch begleiten. Ich wünschte, es wäre mir erlaubt, euch größere Hilfe zu geben.«

Sarastro wollte sie verlassen, drehte sich plötzlich um und kam zurück. In seinen Worten lag fast sichtbare Erregung, als er sagte: »Pamina, sei vorsichtig! Deine Mutter wird vielleicht vor nichts zurückschrecken, um deinen Sieg zu verhindern. Ich bitte dich, unterschätze sie nicht oder werde aus Mitleid sorglos. Deine Mutter war die erste und bisher einzige Frau,

die sich den höheren Prüfungen unterziehen durfte. Ich . . .«,
einen Augenblick lang konnte Pamina nicht hören, was Sarastro sagte, obwohl seine Lippen sich bewegten.
Schließlich verstand sie ihn.
»Ich habe einen gefährlichen Fehler begangen, der beinahe
großes Unheil angerichtet hätte. Ich unterschätzte ihren
Stolz auf diese Leistung. Vielleicht wird sie . . .«, er brach ab,
»das sollte ich nicht sagen. Vergib mir. Ihre Person ist mir
heilig. Doch wenn sie versucht, dir zu schaden . . .«
Pamina öffnete den Mund, um zu widersprechen, ließ es
aber sein. Sie spürte, welcher Kampf in Sarastro tobte. Und
einen Augenblick lang wußte sie nicht, wen von ihren Eltern
sie am meisten bemitleidete.
Tamino erinnerte sich an Papagenos Frage: *Was nutzt es, ein
Prinz zu sein, wenn man wie jeder andere Befehlen gehorchen muß?*
Sarastro war ein Priesterkönig, der Meister dieser Bruderschaft, die der Weisheit diente. Trotz allem und trotz seiner
heldenhaften Bemühungen, es zu verbergen, wurde er wie
jeder andere Sterbliche von widersprüchlichen Gefühlen
und Verpflichtungen gequält. Wie Papageno wollte er nach
dem Sinn fragen, der hinter allem lag, wenn die Weisheit, die
man in den Prüfungen erlangte, den Eingeweihten nicht klü-
ger machte als zuvor, wenn es um die eigenen Gefühle
ging.
Er hatte hier schon viel gelernt. Aber vielleicht war er, verglichen mit dem Mann, der vor ihm stand, nicht gescheiter als
Papageno. Tamino senkte den Kopf, um die Qual in Sarastros
Augen nicht länger sehen zu müssen. Als er wieder aufblick-
te, war der Priesterkönig gegangen, und sein Geleiter, der
alte Priester, stand vor ihm.

»Prinz Tamino«, fragte der Priester förmlich, »seid Ihr bereit, die Prüfungen fortzusetzen?«

»Ich bin bereit.«

»Prinzessin Pamina«, fragte der Führer förmlich, »man hat mich angewiesen, Euch zu sagen, daß Ihr nicht verpflichtet seid, die Prüfungen zu beenden. Ihr seid von den Wegen der Erde frei, und von Frauen wird in diesem Tempel nicht mehr verlangt. Ihr könnt in Ehren verzichten, und man wird Euch Priesterin und Prinzessin nennen. Aber es ist der letzte Punkt, an dem ihr umkehren könnt. Wenn Ihr einen Schritt weitergeht, seid Ihr verpflichtet, Euch allen anderen Prüfungen zu unterziehen. Und man wird Euch erst entlassen, wenn Ihr sie bestanden oder dabei den Tod gefunden habt.«

Pamina blickte zu Tamino auf, und er sah, wie sie schluckte. Ihre Kehle bewegte sich kaum merklich unter dem weißen Leinen. Dann erwiderte sie förmlich: »Wohin mein Herr und künftiger Gemahl geht, Priester, da will auch ich hingehen, selbst wenn mich dieser Weg in den Tod führt.«

»So sei es. Niemand darf Euch dieses Recht verwehren, edle Pamina«, erwiderte der Priester. »Tamino, erlaubt Ihr, daß Pamina auf diesem Weg an Eurer Seite geht?«

Er hielt Paminas kleine Hand und spürte, wie ihre Finger leicht zitterten. Tamino erinnerte sich, wie lächerlich ihm die Prüfungen bisher vorgekommen waren, und überlegte, ob dies einfach eine weitere Probe der Bereitschaft, des Gehorsams und des Muts sei – angebliche Hindernisse, die verschwanden, wenn er sich ihnen mutig stellte. Doch in Sarastros Gesicht hatte eindeutig Furcht gelegen, und das sagte ihm, daß alles Bisherige nicht mehr als ein Vorspiel zu den wahren Prüfungen war. Er wollte Pamina bitten, in Sicherheit hier zurückzubleiben, während er die Gefahren allein auf sich nahm. Von Frauen verlangte man sicher nicht, daß sie Weisheit unter Todesgefahr erwarben. Wozu brauchten sie überhaupt Weisheit? Ja, die Sternenkönigin hatte sich diesen Prüfungen unterzogen. Doch war sie dadurch ein besserer Mensch geworden? Scheinbar hatte nur ihr Stolz davon profitiert.

Pamina war die Tochter der Sternenkönigin. Wäre es nicht besser, ihr Stolz würde nie erwachen, nie herausgefordert? »Pamina...«, begann Tamino und verstummte. Vertraute er ihr oder nicht? Liebte er sie oder fürchtete er ihr Wesen, das sich unter der Oberfläche verbarg? Fürchtete er sie, weil sie die Tochter der Sternenkönigin war?

Tamino sprach und spürte, wie sein Atem unregelmäßig ging, als sei er zu schnell gelaufen: »Das muß Pamina selbst entscheiden. Sie ist meine künftige Gemahlin, nicht meine Sklavin. Ich habe kein Recht, ihr meinen Willen aufzuzwingen. Welche Wahl sie auch trifft, ich billige sie. Wenn sie sich dafür entscheidet, an diesem Punkt umzukehren, werde ich ihr nie einen Vorwurf daraus machen, das schwöre ich.«

Er fühlte, wie sich ihre Finger in seiner Hand spannten. Pamina erklärte entschlossen: »Ich habe meine Wahl getroffen.«

»So sei es«, sagte der Priester. »Reicht euch die Hände, Tamino und Pamina«, und lächelte, als wisse er genau, daß sie sich bereits an den Händen hielten.

»Ich entlasse euch also in die Prüfung. Ihr müßt das Element Luft meistern. Mögen die hohen Wächter der Winde euch schützen.«

Der Priester klatschte in die Hände. Ein Donnerschlag ertönte, der Palast war verschwunden. Tamino hielt Pamina immer noch an der Hand, doch ein Sturm zerrte an seinem Gewand, zerzauste seine Haare. Eiskalte Luft umtobte sie wie ein Wirbelsturm. Unwillkürlich griff er angsterfüllt nach Pamina, denn er war sicher, der Wind würde sie ihm entreißen.

»Pamina, halte dich an mir fest!« rief er. Doch der Wind verschluckte seine Stimme. Durch die peitschenden Böen hindurch spürte Tamino, wie ihre Arme sich eng um ihn schlangen, während sie beide heftig hin- und hergerissen, gestoßen und gezerrt wurden. Schwere schwarze Sturmwolken nahmen ihnen die Sicht, und ein dunkler Nebel umgab sie.

Für einen kurzen Augenblick rissen die dahinjagenden Wolken auf. Sie sahen, daß sie hoch in den Bergen über einer Schlucht auf einem Felsabsatz standen, wo der Sturm sie umtoste. Sie versuchten, sich gegen die steile Felswand zu pressen, um nicht das Gleichgewicht zu verlieren. Eine Böe riß Pamina den Umhang vom Leib und wirbelte ihn davon. Er flatterte wie ein riesiger weißer Vogel, schlug wie mit Flügeln und flog über den sturmgepeitschten Himmel, ehe er in den Abgrund stieß. Pamina drückte sich zitternd an Tamino. Jeder neue Windstoß schien sie beide vom Vorsprung fegen und in den Abgrund schleudern zu wollen, hinunter in die schroffe Schlucht tief unten.

»Wo sind wir?« schrie Pamina Tamino ins Ohr, der sie im Heulen des Windes kaum verstand. »Was ist geschehen?«

Die Prüfung der Winde, dachte Tamino. Und worin bestand sie? Lebend hier wegzukommen, ehe sie in den Abgrund gerissen wurden?

Sechzehntes Kapitel

Der Morgen brach an. Nachdem die Priester Tamino weggeführt hatten, war Papageno die halbe Nacht durch die Gärten gewandert. Hinter jeder Wegbiegung hoffte und erwartete er insgeheim, Papagena zu begegnen. Tief enttäuscht und untröstlich fand er schließlich einen großen Baum, unter dessen schützenden Zweigen er sich müde in das trockene Laub am Boden legte. Er wünschte sich in seine kleine Hütte im Wald zurück. Was sollte er mit Weisheit und ähnlichen Dingen anfangen? Mit welchem Recht erwartete er, Sarastro würde sein Wort halten? Die Damen der Sternenkönigin hatten es nie getan. Sie versprachen ihm immer alles mögliche, doch an seiner Lage änderte sich nie etwas. Er selbst hatte sein Versprechen auch nicht halten können. Man hatte ihn vor den Folgen gewarnt, wenn er in der Gruft mit einer Frau sprach. Und obwohl er Tamino selbstbewußt erklärt hatte, die Damen der Sternenkönigin seien keine Frauen, sondern Dämonen, wußte er sehr wohl, daß er sich nicht richtig verhalten hatte. Er trieb seine Späße und lachte mit der alten Frau, die sich plötzlich in seine Papagena verwandelte. Weil er die Gesetze gebrochen und mit ihr gesprochen hatte, entriß man sie ihm wieder. Vermutlich würde er sie nie wiedersehen...

Er war eben nur ein Halbling, der zu nichts anderem als zu einem Sklaven taugte. Man hatte ihm eine Chance gegeben, und er erwies sich ihrer nicht würdig. Mit welchem Recht beklagte er sich also? Man gab ihm die Möglichkeit, Tamino auf einem wirklich aufregenden Abenteuer zu begleiten, und er hatte nicht durchgehalten. Papageno machte sich eine kleine Mulde im Laub, kuschelte sich hinein und fiel in einen tiefen Schlaf.

Als er aufwachte, war es heller Tag. Er sah zwei junge Priester, die einen Weg fegten. Warum verrichteten nicht Halblinge solche Arbeiten? dachte er und fragte sich, ob sie einen guten, treuen Diener brauchen konnten. Denn das zu sein und nicht mehr traute Papageno sich zu.

Die Sternenkönigin würde ihn nicht wieder in ihre Dienste nehmen, selbst wenn er wagte, zurückzukehren. Er hatte gehofft, der Prinz würde ein gutes Wort für ihn einlegen. Doch Prinz Tamino war mit seinen eigenen Angelegenheiten beschäftigt und suchte vermutlich irgendwo nach Weisheit, ohne einen Gedanken für ihn übrig zu haben, wo er doch freiwillig niemals hierher gekommen wäre. Papageno fühlte sich sehr staubig, sehr müde, ihm schmerzten alle Glieder nach der Nacht unter dem Baum, und er war sehr hungrig.

Papageno stand auf, reckte sich und schüttelte die Federn auf seinem Kopf. Was würde der Prinz jetzt an seiner Stelle tun? Prinz Tamino kümmerte sich wenig um Dinge wie Essen oder ein ordentliches Bett. Aber was würde er tun, wenn ihm etwas daran läge? Papageno konnte niemanden fragen, er mußte das Beste aus seiner Lage machen. Vorsichtig kam er aus seinem Versteck hervor. Die beiden jungen Priester hatten ihre Arbeit beendet und waren gegangen. Papageno tauchte den Kopf in den Springbrunnen. Danach fühlte er sich besser. Er schüttelte das Wasser aus den Federn, strich die Tunika glatt und berührte dabei die Zauberglöckchen, die er am Gürtel trug.

Also kann ich doch nicht völlig versagt haben, dachte er, *sonst hätten sie mir dieses Zauberinstrument nicht gelassen,* setzte sich mit gekreuzten Beinen ins Gras, holte das Glockenspiel aus der Hülle, betrachtete den geschnitzten Rahmen, die silbernen Glöckchen und den feinen, kunstvoll gearbeiteten Draht, an dem sie hingen und dachte daran, wie er Monostatos und die Wachen durch sein Spiel in die Flucht geschlagen hatte. Als Tamino das erste Mal die Flöte gespielt hatte, tauchten die Boten oder Engel oder was immer sie auch waren, auf und brachten ihm etwas zu essen.

Vielleicht würden sie auch erscheinen und ihm etwas zu essen bringen, wenn er die Glöckchen klingen ließ. Wenn sie Engel oder etwas Ähnliches waren, fanden sie sich möglicherweise sogar bereit, ihm zu sagen, was er als Nächstes tun sollte – zur Sternenkönigin zurückkehren und wie gewohnt Vögel fangen? Vielleicht wußten sie auch, ob Sarastro und die Priester einen ehrlichen, fleißigen Mann brauchen konnten... Papagenos Finger glitten zögernd über die Glöckchen, dann begann er zu spielen.

Wenn sie nicht wollten, daß ich es benutze, hätten sie es mir nicht gegeben...

Die Glöckchen klangen fröhlich und beschwingt. Papageno hätte am liebsten getanzt. Ein sanfter Windstoß fuhr durchs Gras. Papagenos Augen wurden einen Augenblick lang von der Sonne geblendet, und plötzlich tauchten in ihrem goldenen Licht die drei Boten vor ihm auf.

»Du hast das Element Erde gemeistert, Bruder Halbling«, sagte einer von ihnen – oder war diese merkwürdige Stimme der Singsang von drei Stimmen? Wie üblich konnte Papageno sie nicht deutlich sehen, die Gestalten schienen sich zu verändern und zu verschwimmen. »Wir, deine Brüder vom Element der Luft, sind gekommen, um dir zu helfen, soweit es in unseren Kräften steht.«

Papageno kratzte sich am Kopf. »Was habe ich getan, was sagt ihr?« fragte er verwirrt.

»Du bist Meister über das Element Erde«, erwiderten die Boten, »und deshalb kannst du in vernünftigen Grenzen alles verlangen, was zur Erde gehört. Was möchtest du haben?«

Papageno blinzelte und dachte darüber nach. Dann sagte er: »Ich glaube, Essen ist etwas sehr Irdisches. Wie wäre es damit? Im Grunde sind mir Früchte lieber, aber wenn ich nur Dinge haben kann, die in der Erde wachsen, na ja, süße Kartoffeln, Möhren und Erdnüsse sind genauso gut. Glaubt ihr, man könnte das auf das Element Wasser ausdehnen, meine Freunde, denn ich würde auch gerne etwas trinken? Quellen und Brunnen gehören schließlich auch zur Erde.«

Einen Augenblick lang glaubte Papageno, der Wind streiche durch die Zauberglöckchen. Dann erkannte er, daß die Boten lachten. Doch sie lachten anders als die Damen der Sternenkönigin. Sie machten sich nicht über seine Unwissenheit lustig, denn in ihrem Lachen schwang das Bewußtsein mit, daß alles auf dieser Ebene des Daseins Anlaß zu Humor und Lachen gab.

»Beginnen wir damit«, sagten die Boten, »von Essen und Trinken lebt der Körper. Und der Körper ist dem Element Erde zugeordnet, kleiner Bruder. Du hast dich als ihr Meister erwiesen, denn dein Geist weist dich als Mensch aus, als Herr über das Tier in dir. Gib dem Tier, was ihm zusteht, Papageno. Aber würdest du dein Mahl nicht lieber mit der Gefährtin teilen, die du dir gewonnen hast?«

Papageno schluckte heftig und sagte: »Ich weiß nicht, wovon ihr redet.«

»Du hast gezeigt, daß du das erste Element meisterst«, antworteten die Boten mit dieser Stimme, die wie ein Gesang klang. »Deshalb hast du dir das Recht auf ein menschliches Leben erworben. Weißt du, wer wir sind, Papageno?«

»Ihr habt mir gesagt, ihr seid Boten. Ich halte euch für Engel«, antwortete Papageno.

»Wir sind Halblinge wie du«, erwiderte einer der Boten. Und Papageno kam es vor, als sei der Sprecher ein halbwüchsiger Junge mit Federn, wie er sie selbst hatte. »Wir sind Luftgeister und konnten weder das Element Erde meistern, noch konnten wir fliegen, denn unsere Flügel tragen uns nicht.« Die flimmernde goldene Gestalt drehte sich um, und Papageno sah lange, schleppende Flügel vom Rücken des Boten herabhängen. »Von allen nutzlosen Halblingen«, sprach der Bote weiter, »waren wir die geringsten. Deshalb schenkte uns Sarastro mit seinen Zauberkräften die Freiheit der Luft, damit wir Botschaften überbringen und Zauberlieder singen können, denn die Luft trägt die Musik und das Verlangen. Sag uns, kleiner Bruder, hast du nur das Verlangen nach Essen und Trinken?«

Papageno blinzelte. Vermutlich hänselten sie ihn doch nur, wie die Damen der Sternenkönigin es getan hatten. Seine Augen füllten sich mit Tränen.

»O doch! Aber es nützt nichts, darüber zu sprechen, denn ich weiß, ich kann es nicht bekommen. Ich habe alle Regeln übertreten, und vermutlich werde ich sie nie wiedersehen.«

Das Lachen der Boten klang wie seine silbernen Glöckchen. Papageno begriff, daß sie auch diesmal nicht über ihn lachten.

»Du bist ein Dummkopf, kleiner Bruder«, sagte einer der Boten, »was nützt dir dein Menschsein, wenn du nicht die menschliche Sprache benutzt, um zu erbitten, was du dir wünschst? Das Element Luft herrscht nicht nur über die Musik, sondern auch über die Sprache und den Gesang. Du hast nicht bekommen, kleiner Bruder, was du dir am sehnlichsten wünschst, weil du zu bescheiden bist, danach zu fragen. Spiel auf deinen Zauberglöckchen, Papageno, und sieh, wer kommt und dir das Mahl bringt, zu dem nicht nur Essen und Trinken gehört, um die Fülle des Lebens zu feiern.«

Papageno griff nach dem Glockenspiel und begann, ein Lied zu spielen. Zuerst klang es wie der Ruf seiner Lockflöte, doch dann drang eine fröhliche Melodie durch den schönen Morgen. Ihm fiel nicht auf, daß die drei Boten verschwanden. Plötzlich hörte Papageno ein lustiges Pfeifen. Papagena stand vor ihm.

Papagena, ein junges Mädchen und ohne alle Verkleidungen! Sie trug ein einfaches grünes Gewand, und auf ihren bunten fedrigen Haaren lag ein weißer Blütenkranz.

Zärtlich rief sie: »Papageno . . .«

Endlich verstand Papageno. Er sah sie durch einen Schleier von Tränen und stammelte: »Pa . . . pa . . . pa . . . pagena!«

Liebevoll lächelnd ahmte sie ihn nach: »Pa . . . pa . . . pa . . . papageno?« und streckte ihm die Hand entgegen.

»Ich habe den Wein, den du nicht trinken konntest«, sagte sie
weich, »und Früchte und Nüsse. Da drüben steht mein kleines Haus. Die Priesterin hat mir gesagt, daß ich dich dorthin
bringen darf. Es wird unser kleines Nest sein.« Sie lächelte
ihn scheu an.

»Willst du mit mir kommen?«

Sie mußte auf seine Antwort nicht lange warten. Papageno
griff nach ihrer ausgestreckten Hand, und zusammen liefen
sie fröhlich durch die Bäume . . .

Siebzehntes Kapitel

Pamina wurde deutlich bewußt, daß dies ihre erste Umarmung war, als sie sich an Tamino klammerte, während der tosende Wind drohte, sie beide in den Abgrund hinunterzuschleudern, wo sie auf den Felsen zerschmettert liegenbleiben würden. Bisher hatte sie nicht mehr gekannt als die kurze, ehrfurchtsvolle Berührung seiner Lippen auf ihrer Hand, und sie dachte angstvoll daran, daß es gut auch ihre letzte Umarmung auf dieser Welt sein konnte.

Mein Vater hat mich davor gewarnt, daß die Prüfungen mich in den Tod führen können. Doch wenn ich sterben muß, sterbe ich wenigstens in seinen Armen. Wieviel lieber würde ich in seinen Armen leben.

Sie klammerte sich noch fester an Tamino und preßte sich gegen die Felswand in ihrem Rücken. Als der Sturm einen Augenblick nachließ, schob Tamino sie in eine schmale Felsspalte.

»Die Flöte«, rief sie und versuchte, ihren Kopf weit genug seinem Ohr zu nähern, um das wilde Brausen zu übertönen. »Die Flöte . . . die Zauberwaffe der Luft . . . spiel die Flöte, Tamino!«

Er sah sie ungläubig an, klammerte sich aber trotzdem mit einer Hand an den Stein und versuchte mit der anderen, die Flöte aus ihrer seidenen Hülle am Gürtel zu ziehen. Im nächsten Augenblick erfaßte der Wind das Tuch und entführte es durch die Luft. Es segelte hinunter in die endlose Schlucht und flatterte wie ein Vogel zwischen den spitzen Felszacken. Mit äußerster Anstrengung versuchte Tamino, die Flöte an die Lippen zu setzen, denn die Böen drohten immer wieder, sie ihm zu entreißen. Er stemmte sich mit gespreizten Beinen gegen den Felsen und preßte die Schultern mit aller Macht gegen den Stein. Pamina wollte nicht in der sicheren Spalte bleiben, und ohne einen Blick in die Tiefe zu werfen, schob sie sich vor und versuchte, Tamino mit ihrem Körper Schutz zu geben. Mit einer kurzen ärgerlichen Geste bedeutete er ihr, in den spärlichen Schutz des Felsens zurückzukehren, doch Pamina achtete nicht darauf.

»Spiele, spiele die Flöte!«

Selbst im Windschatten ihres Körpers fiel es Tamino nicht leicht, die Flöte an die Lippen zu setzen. Pamina zitterte in der eisigen Kälte und spürte die quälende Langsamkeit jeder seiner Bewegungen. Der schneidende Wind nahm ihnen den Atem, und der erste Versuch entlockte dem Instrument nur einen kurzen dünnen Ton, den der Sturm verschluckte.

Aber schließlich erklang eine leise, friedliche Melodie, so ruhig, daß sie nur in Fetzen im tobenden Sturm zu hören war. Tamino spielte weiter, während er sich mit eiserner Kraft gegen den Felsen preßte. Schließlich drangen die Töne auch an Paminas Ohr – zunächst kurz und abgerissen und dann, als der Wind sich allmählich legte, länger und länger.

Nach einiger Zeit übertönten die Flötenklänge den Wind; der brausende Sturm wurde zu einem leichten Wind, und schließlich ließ Tamino erleichtert die Flöte sinken. Pamina holte tief Luft und sah sich um.

Sie standen hoch oben auf einem schmalen Felsvorsprung. Unter ihnen fiel der nackte Felsen in unermeßliche Tiefen ab. Ganz unten auf dem Grund schimmerte blaß und kaum sichtbar ein Fluß. Wenige Schritte vor ihnen war der Stein geborsten, und ein paar Brocken hatten sich bereits gelöst. Über ihnen erhoben sich die unersteigbaren Bergspitzen. Immer noch fegten einzelne Windböen die Steilwand hinunter, die allerdings nicht mehr stark genug waren, sie mitzureißen.

Tamino fragte:»Und was jetzt?«

Pamina antwortete mit unsicherer Stimme:»Wir scheinen wenigstens einen Teil vom Element Luft gemeistert zu haben. Aber deshalb sind wir nicht besser dran als vorher.«

Tamino wagte sich vorsichtig bis zum Rand des Vorsprungs, ging auf die Knie und beugte sich darüber, während Pamina mit angehaltenem Atem zusah.

»Hier führt kein Weg hinunter«, sagte er schließlich.»Nach oben klettern können wir aber auch nicht. Ich glaube, dort drüben ist ein Pfad...« Tamino beugte sich soweit vor, daß Pamina fast das Herz stehenblieb.»... aber selbst wenn es ein Pfad ist, müßten wir zuerst hinunterkommen. Klettern können wir nicht, die Wand ist so glatt wie Glas, und zum Springen ist kein Platz.«

»Es muß einen Weg geben«, sagte Pamina.»Ich weiß, die Prüfungen sind gefährlich, doch viele aus der Bruderschaft haben sie bestanden. Und meine Mutter ebenfalls. Ja, sie sind gefährlich, lebensgefährlich sogar, wie wir gesehen haben. Aber es muß möglich sein, sie zu bestehen. Welchen Nutzen hätten sie sonst? Wenn es anderen gelungen ist, muß es auch für uns einen Weg geben.«

Tamino dachte nach und erklärte: »Ich bin sicher, du hast recht, Pamina. Aber ich kann mir nur schwer einen Ausweg vorstellen. Sollen wir uns Flügel wachsen lassen und hinunterfliegen, um unsere Meisterschaft über das Element Luft unter Beweis zu stellen? In diesem Fall fürchte ich, hat Sarastro meine Fähigkeiten überschätzt, denn ich bin nicht der Sohn eines Zauberers und habe auch nie gehört, daß in meiner Familie jemand jemals Zauberkräfte besessen hätte.«

»Wenn man von uns Zauberkräfte erwartet«, überlegte Pamina laut, »hätte man sie uns wohl zuerst beigebracht.«

Tamino hielt die Flöte in der Hand und dachte nach. Schließlich sagte er: »Sarastro verabschiedete sich mit den Worten, die Flöte sei eine mächtige Zauberwaffe. Sie besänftigte den Sturm und hat uns vermutlich davor bewahrt, in den Abgrund geschleudert zu werden. Ich will noch einmal spielen und sehen, was geschieht. Sie hat uns bereits geholfen, und niemand hat gesagt, daß wir sie nur einmal benutzen dürfen. Wenn sie eine Waffe der Luft ist, und man uns keine andere gegeben hat . . . erwartet man vielleicht von uns, diese Aufgabe mit ihrer Hilfe zu meistern.«

Er setzte die Flöte an die Lippen.

Zuerst spielte er eine langsame und getragene Weise. Pamina blickte zu den Berggipfeln auf und erinnerte sich daran, daß ihr Mantel wie ein Vogel davongeflogen war. Nur ein Vogel konnte von hier entkommen. Welche andere Möglichkeit gab es inmitten dieser himmelhohen felsigen Wände?

Tamino hatte gesagt, daß in seiner Familie niemand magische Kräfte besäße und er nicht der Sohn eines Zauberers sei. Aber sie war die Tochter der Sternenkönigin, und ihr Vater war der mächtigste Zauberer von ganz Atlas-Alamesios.

Eine andere Melodie erklang. Die Töne schienen den kreisenden Wirbeln über den Gipfeln zu antworten, die beinahe sichtbar in den Luftströmungen dahintrieben, tanzten und sich ständig veränderten. Pamina streckte die Arme aus und stellte ohne Überraschung fest, daß ihr an den Fingern lange Schwungfedern wuchsen. Schwarze Federn schienen ihren ganzen Körper zu umhüllen, und sie klammerte sich mit Krallen an den Felsen. Tamino fuhr erschrocken zurück, als sie einen Vogelfuß ausstreckte.

Sie blickte in die beinahe sichtbare Luft vor sich, sah die Windsäulen, die Aufwinde warmer Luft und die verstreuten Wolken, die über die Gipfel zogen. Jetzt kann ich fliegen, und weshalb sollte ich mich mit einem Schwächeren belasten? In Gedanken schwang sie sich hoch in die Lüfte. Der Wind ergriff sie, und sie überließ sich ihm, schwebte dahin in ihrer schwindelerregenden Freude, die Luft zu meistern. Wenn Tamino ihr nicht folgen konnte, hatte er eben Pech, doch er wäre nicht der erste, der die Prüfungen nicht überlebte.

Doch dann durchzuckte sie ein menschlicher Gedanke. *Ich habe geschworen, diesen Weg an seiner Seite zu gehen, und er hat mich nicht im Stich gelassen.* Eine Erinnerung beschäftigte den Vogel: Tamino schob ihren zarten menschlichen Körper in die sichere Felsspalte, damit sie nicht in die Tiefe geschleudert wurde.

Doch den Vogel erfaßte die betörende Ekstase der Winde; seine Schwingen sehnten sich nach der Freiheit des Himmels. Pamina wußte, sie mußte schnell handeln, sonst würde der Geist der Vogelgestalt, die sie angenommen hatte, ihre menschliche Erinnerung auslöschen, und sie würde nicht mehr an Tamino denken können. Sie öffnete den Mund – den

Schnabel –, doch sie stieß nur einen hohen Adlerschrei aus. Enttäuscht schlug sie mit den Flügeln. Sie hatte die menschliche Sprache verloren. Sie wollte mit den Krallen nach ihm greifen, aber Tamino wich entsetzt zurück, und sie fürchtete, er würde über den Rand in den Abgrund stürzen. Sie konnte sich mit ihm nicht verständigen, und die Felsplatte war für sie beide auf die Dauer nicht groß genug.

Wenn er sich doch nur an die Flöte erinnern und ihr vertrauen würde . . .

Wie als Antwort auf diesen Gedanken setzte Tamino die Flöte an seine Lippen und begann zu spielen. Für Paminas geschärfte Sinneswahrnehmungen klang die Musik fast unerträglich laut. Doch dann hörte sie zu ihrem Erstaunen Worte in den Tönen. *Das sollte mich nicht überraschen,* dachte sie, *die Zauberflöte ist das Instrument der Luft.*

»Geliebte Pamina, bist du es wirklich? Fliege davon, rette dich! Ich besitze keine Zauberkräfte, und wenn ich schon den schrecklichen Abstieg über die Felsen versuchen muß, dann belastet mich dabei wenigstens nicht die Angst um deine Sicherheit. Vielleicht solltest du die Flöte mit dir nehmen, denn wenn ich abstürze, wird die Flöte nicht mit mir fallen und zerbrechen.«

»Nein!« ertönte es in einem langgezogenen, schrillen Schrei. Pamina wagte nicht, mit den Flügeln zu schlagen, aus Furcht, Tamino über den Rand zu stoßen. Sie breitete die Schwingen aus, spürte, wie sie länger und länger wurden; ihr Körper wuchs, und in verzweifeltem Aufbegehren *zwang* sie ihm aus tiefstem Herzen die Worte auf: *Tamino! Halte dich an mir fest. Schlinge deine Arme um meinen Hals!*

Hatte er sie verstanden? Tamino bückte sich und riß einen

Streifen von seinem Gewand ab – seinen Mantel hatte der
Sturm ebenfalls davongetragen. Schnell wickelte er ihn um
die Flöte und befestigte sie an seinem Gürtel. Ängstlich
stellte er sich vor Pamina und legte ihr die Arme um den
Hals. Sie konnte seine Hände durch ihre Federn nicht spüren, doch als sie annahm, er habe sich an ihr festgeklam-
mert, breitete sie die großen Flügel aus und erhob sich in die
Luft.

Er war schwerer, als sie geglaubt hatte, und Pamina spürte,
wie sie sank und sank. Sie schlug heftig mit den Flügeln,
um Höhe zu gewinnen. Dann erfaßte sie ein Luftstrom und
trieb sie nach oben. Höher und höher stieg sie, bis über die
Gipfel der Berge. Einen Augenblick lang sah Pamina nach
unten, und vor ihren scharfen Vogelaugen breitete sich ganz
Atlas-Alamesios aus. Dort lag es, von der Stadt ihrer Mutter
bis zum Tempel des Sarastro und zu den glühenden Wüsten
im Land der Wandlungen, wo sie noch nie gewesen war.

Zuerst glaubte sie, eine Wolke ziehe über den Himmel, eine
lange dunkle Wolke, die an schleppende Flügel erinnerte.
Pamina flog auf diese Wolke zu, die sich wie der lange
Schatten eines Geiers über Sarastros Stadt breitete, und ach-
tete kaum mehr auf Taminos Gewicht, der sich an ihren
Hals klammerte. Dann hörte sie die Stimme:
»Pamina, Pamina, mein liebes Kind . . .«
Die Stimme ihrer Mutter! Jetzt sah Pamina, daß die Wolke
sich wie ein dunkles Gewand hinter einem blassen Glanz
herzog, in dem sie die geliebten Züge der Mutter entdeckte.
Die Sternenkönigin flog neben ihr. Sie flogen Seite an
Seite.
»Du hast gelernt zu fliegen, du hast dein Erbe als meine

Tochter und Thronfolgerin angetreten, teures Kind. Komm, wir wollen zusammen in meine Stadt zurückkehren.«

Aus alter Gewohnheit schlug Pamina gehorsam diese Richtung ein.

»Was für eine erbärmliche Last hängt an deinem Hals? Wirf ihn ab, mein Kind, ihn wirst du in meiner Stadt nicht mehr brauchen. Aber gib mir zuerst die Flöte, sie gehört mir. Man hat mich durch eine List dazu gebracht, sie diesem Verräter zu geben, der schwor, dich zu retten und zu mir zurückzubringen. Sarastro hat nicht das geringste Anrecht darauf.«

Nein? Er hat sie doch geschnitzt, Mutter! Er hat aus ihr das Zauberinstrument gemacht, das sie ist. Und du hast sie bei deiner Flucht aus seinem Tempel gestohlen! Pamina fragte sich nicht, woher sie das alles wußte.

Pamina hörte den Schrei eines Adlers, die zornbebende Stimme ihrer Mutter, und wußte nur noch, daß sie umkehrte, sich dem Wind anvertraute und vor dem unheimlichen Schatten des Wolkenvogels floh, der sie mit Sturmesschwingen verfolgte. Taminos Gewicht hing immer noch an ihr, zog sie immer tiefer nach unten, so daß sie sich nicht frei bewegen, nicht so schnell fliegen konnte, wie sie wollte.

Pamina! Laß ihn los! Laß ihn fallen! Das geht nur uns beide an, Mutter und Tochter. Er hat mit unserem Streit nichts zu tun . . .

»Er ist mein künftiger Gemahl«, versuchte sie zu antworten, hörte die Worte aber nur als schrillen, gespenstischen Raubvogelschrei. Im Reich der Sternenkönigin, im Reich der Luft, konnte sie sich der Mutter nicht stellen und gegen sie kämpfen. Es mußte ihr gelingen, sich in Sicherheit zu bringen.

Schnell änderte Pamina die Richtung, flog in die Schatten der Felswände zurück und hoffte, dort Schutz zu finden. Sie glitt tief, tief hinunter in die Bergschluchten und suchte einen Weg in Sarastros Reich, während ihr die verzweifelte Stimme der Mutter in den Ohren klang:

Pamina, Pamina, mein Liebes, warum hast du mich verraten?

Paminas Flügelschläge wurden langsamer, sie erlahmte, und jede Bewegung versetzte ihr glühende Stiche ins Herz. Taminos Gewicht war eine quälende Last. Und da war noch etwas. Unaufhaltsam zog sie die Flöte nach unten; ihr entströmten schmerzhafte Lichtfunken, die schwer, schwerer als Taminos Körper an Pamina hingen. Sie schüttelte sich vor Qual und Pein und hörte Taminos Entsetzensschrei. Nein, sie durfte sich nicht befreien; sie mußte diese Bürde tragen, die sie nach unten zog, bis sie schließlich wie ein Stein ins Meer fiel. Pamina sah das Meer schon unter sich. Würde sie hineinstürzen und mit Tamino in seinen Tiefen versinken? Jetzt flog sie im Schatten der langen Wolke, in der sie das Gesicht ihrer Mutter erkannt hatte, ein dunkler Schleier legte sich über ihre Augen, und sie sah blasse Funken. Aber vor ihr leuchtete ein Licht, das Licht von Sarastros Tempel. In verzweifelter Anstrengung schlug Pamina heftiger mit den Flügeln; der Schatten hatte sie fast eingeholt, und sie wußte, wenn er sie völlig bedeckte, würde sie ihm nie mehr entfliehen können. Der Schatten senkte sich, stieß auf sie hinunter. Pamina flog über ein Lichtband, und plötzlich war der Schatten verschwunden. Sie glitt noch tiefer hinunter und landete auf dem flachen Dach, auf dem sie mit dem Dolch ihrer Mutter gestanden und die Opferprozession gesehen hatte. Die Vogelgestalt fiel von ihr ab, und erschöpft sank Pamina zu Boden. Taminos Körper milderte den Aufprall, und sie spürte nicht einmal die Hände der Priester, die sie aufhoben.

Achtzehntes Kapitel

Man ließ ihnen Zeit und Ruhe, um sich von den Prüfungen zu erholen. Tamino fürchtete sich fast vor Pamina. Nur zu gut stand ihm der Schrecken über ihre Verwandlung vor Augen, als sie Flügel ausbreitete und zu einem gewaltigen Adler wurde, sich weiter veränderte, wuchs und wuchs, bis sie groß genug war, um ihn davonzutragen und mit ihm aus der Steilwand in Sicherheit zu fliegen . . .
Wenn er Pamina jetzt ansah, konnte er sie sich nicht mehr in dieser Gestalt vorstellen.
Als Meister der zwei von vier Elementen brauchten sie nicht länger die Gewänder von Novizen zu tragen; nachdem Pamina gebadet hatte, kleidete man sie in ein schweres Gewand aus grobgewebter weißer Seide mit einem braunen und einem blauen Band um die Hüfte. Tamino hatte erfahren, als der Priester ihm einen ähnlichen Gürtel umlegte, daß die Farben für die Elemente Erde und Luft standen. Man hatte Paminas blonde Haare gebürstet und zu einem Zopf geflochten. Sie sah sehr jung und immer noch sehr kindlich aus. Doch bei der Prüfung der Luft hatte sie sich als mächtige Zauberin erwiesen.
»Ich wußte nicht, daß du dazu fähig bist . . . ich meine, dich in einen Vogel zu verwandeln«, sagte Tamino unbehaglich.
»Ich auch nicht«, erwiderte sie mit einem Lächeln.

»Ich glaube, du hättest die Prüfung allein bestanden, Pamina, ich nicht. Du hast mich gerettet, als ich keinen Ausweg mehr wußte.«

Ihre Finger glitten über das Band an ihrer Hüfte, das auch Tamino trug, und sie antwortete: »Nein. Ich hätte nichts tun können, wenn du nicht die Flöte gespielt hättest. Ohne dein Spiel wäre ich mit dir dort zugrunde gegangen. Wir haben die Prüfung gemeinsam bestanden, und das war richtig so.«

Er fühlte sich ganz klein vor ihren arglosen blauen Augen. Sie war eine mächtige Zauberin, und er? Einen Augenblick lang glaubte Tamino, sie fürchten zu müssen, denn sie war die Tochter der Sternenkönigin und besaß unheimliche Kräfte. Er hatte nicht geahnt, daß sie so stark und mächtig war. Aber schließlich hatte er sich in Pamina verliebt, noch ehe er sie zum ersten Mal wirklich und leibhaftig sah. Und wenn er sich ihrer würdig erweisen und übernatürliche magische Kräfte erwerben mußte, dann waren die Prüfungen sicher der erste Schritt auf diesem Weg.

Aber Tamino hatte Angst. Die erste Prüfung, die Prüfung der Erde, war so einfach gewesen, doch die Prüfung der Luft hatte sie beide an den Rand des Todes gebracht, und er hätte nie geglaubt, mit dem Leben davonzukommen. Seit seinem Kampf gegen den Drachen im Land der Wandlungen hatte er sich nicht mehr so gefürchtet.

Tamino sah Pamina an. Sie wirkte ruhig, doch wußte er noch gut, wie sie in ihrer Vogelgestalt gezittert hatte, als er sich an sie klammerte. Er war als Prinz erzogen worden und hatte gelernt zu jagen, zu kämpfen und Gefahren zu begegnen, sie aber war eine zarte, junge Frau, die zuvor noch nie auch nur die geringste Gefahr oder Angst gekannt hatte. Er sehnte sich mit ganzem Herzen danach, sie zu beschützen.

Er hatte Pamina die Möglichkeit zur Umkehr geboten und gelobt, ihr nie einen Vorwurf daraus zu machen, doch sie hatte sein Angebot abgelehnt. Also mußte Pamina ihren Weg weitergehen, und sie würden sich den kommenden Prüfungen gemeinsam stellen . . .

Tamino wünschte, er würde wagen, sie in die Arme zu nehmen. Im tobenden Sturm hatte er es getan, um sie zu schützen, und auch dann wieder bedenkenlos, als ihn Pamina in Vogelgestalt aus schwindelerregender Höhe zur Erde hinunter trug. Selbst jetzt jagte ihm der Gedanke an diesen Flug durch den grenzenlosen leeren Raum, über die Wolken und Berggipfel hinweg, die atemberaubend tief unter ihm lagen, Angst ein. Er hatte sich an sie geklammert -- wie in einem Alptraum spürte Tamino immer noch die Federn, und er wünschte nichts mehr, als ihren Körper, ihre Brüste zu berühren, um sich zu versichern, daß es nur eine Illusion gewesen war. Er wollte wissen, ob sie den warmen Körper der wirklichen Pamina besaß, die er so liebte.

»Was jetzt?« fragte Tamino laut, und als habe man die Frage gehört – wer weiß, dachte er, vielleicht ist es so –, öffnete sich die Tür, und sein Geleiter kam herein.

»Habt ihr euch erholt, meine Kinder? Ihr habt noch etwas Zeit, niemand verlangt, daß ihr euch neuen Prüfungen stellt, ehe ihr wirklich ausgeruht seid.«

Tamino spürte, wie ihm ein Schauer über den Rücken lief. Welche Proben warteten noch auf ihn? Was auch immer, Warten würde sie nicht leichter machen.

»Wenn Pamina soweit ist, ich bin bereit.«

Sie wechselten einen kurzen Blick, als Pamina die Augen hob, und Tamino sah die Angst, die in ihnen stand. Sie hatte bei der letzten Prüfung soviel Kraft und Macht bewiesen, daß es ihm nicht in den Sinn gekommen war, Pamina könnte sich ebenfalls fürchten. Sie hatte wenigstens handeln können, während er alles hatte über sich ergehen lassen müssen. Es war ihm einfach nicht in den Sinn gekommen, daß Pamina nicht aus Kraft und Zuversicht heraus gehandelt haben könnte, sondern aus Verzweiflung und Angst.

Doch ihre Stimme klang ruhig und fest, als sie sagte: »Die Prüfung wird durch Warten nicht leichter. Ich bin bereit.«

»So sei es denn.« Der Priester hob die Hände zu einer kurzen Anrufung und sprach: »Ich überantworte euch den Prüfungen des Wassers.«

Tamino konnte mit Mühe ein Zusammenzucken unterdrükken, als der Priester in die Hände klatschte. Doch diesmal gab es keinen Donnerschlag. Stille umgab sie und ein sehr sanftes Geräusch: der eintönige Klang fallenden Regens.

Stunden später trieb Tamino hilflos und ohne Ziel dahin; Wasser drang ihm in die Augen, in den Mund, und das Klatschen und Brausen der hohen Wellen betäubte ihn. Natürlich. Die Prüfung der Luft hatte sie unvorbereitet dem Ansturm der Winde in der Felswand ausgesetzt. Doch jetzt füllte Salzwasser seinen Mund . . .

Tamino versuchte zu schwimmen. Neben ihm trieb hilflos Pamina und kämpfte gegen den Ansturm der Wellen. Unwillkürlich griff er nach ihr und hielt ihren Kopf über Wasser. Pamina keuchte, prustete, rang nach Luft und hustete, dann stieß sie sich ab und schwamm neben ihm. Die Haare klebten ihr im Gesicht und sie schüttelte sie heftig, um wieder sehen zu können.

»Ich will dich nur warnen«, keuchte Pamina, und Tamino wunderte sich, daß er durch das Tosen der Wellen ihre Stimme so deutlich hörte. »Selbst wenn du die Flöte spielst, werde ich mich nicht in einen Fisch verwandeln und dich an Land bringen.«

Tamino mußte lachen und spuckte prustend Wasser. »Ich wäre eigentlich jetzt an der Reihe. Aber ich fürchte, ich beherrsche die Kunst, mich zu verwandeln, nicht. Was für eine Prüfung ist das? Sollen wir an Land schwimmen?«

»An welches Ufer? Tamino, ich weiß nicht mehr als du. Ich wünschte wirklich, sie würden uns vorher sagen, worin die Prüfung besteht, und uns Gelegenheit geben, zu lernen, was wir tun müssen!« Pamina mußte husten. »Ich kann mir nicht vorstellen, daß es für unsere geistige Entwicklung von Bedeutung ist, ob wir schwimmen können oder nicht. Hast du die Flöte?«

Tamino griff mit einer Hand an den Gürtel.

»Ja. Aber sie ist naß.« Vorsichtig legte er sich auf den Rücken, und es gelang ihm, sie von seiner Hüfte zu lösen. »Ich dachte, sie sei das Zauberinstrument der Luft. Wie soll sie uns mitten auf dem Meer helfen?«

»Ich weiß nicht. Aber wenn wir sie nicht bei uns haben sollten, hätte man sie dir nicht mitgegeben«, erwiderte Pamina.

Das klang vernünftig, dachte Tamino. Aber wie sollte er im Wasser treibend Flöte spielen, und was würde geschehen, wenn es ihm tatsächlich gelang? Tamino zögerte; er wollte nichts Falsches unternehmen. Er glaubte ebensowenig wie

229

Pamina daran, daß ihre Schwimmkünste auf die Probe gestellt werden sollten. In der Steilwand war es auch nicht darum gegangen, Felsen zu erklettern. Jetzt – bei dieser Prüfung – mußte es also um mehr gehen, doch er konnte sich nicht vorstellen worum.

»Kannst du überhaupt schwimmen?« fragte Tamino. »Es macht nichts, falls du es nicht kannst«, fügte er hinzu und hielt mit der freien Hand ihren Kopf über Wasser. »Doch wenn du schwimmen kannst, bleibt uns mehr Zeit, darüber nachzudenken, was man von uns erwartet.«

»O ja, schwimmen kann ich«, antwortete Pamina. Als ich klein war, betreute mich eine Hunde-Frau, die brachte mir das Schwimmen bei, noch ehe ich richtig laufen konnte. Arme Rawa«, fügte sie hinzu, und Tamino wünschte, Paminas Gedanken teilen zu können, als er ihr trauriges Gesicht sah.

»Du mußt mich nicht über Wasser halten, Tamino. Ich kann schwimmen wie ein Otter-Halbling oder wie das Meer-Volk.«

Ungern ließ er Pamina los. Wenn sie beide diese und alle anderen Prüfungen überlebten, lag ein ganzes Leben vor ihnen. Die Flöte in seiner Hand mußte der Schlüssel sein. Ein- oder zweimal waren die Boten erschienen, als er spielte. Vielleicht wollte man mit dieser Prüfung feststellen, wann sie den Boden unter den Füßen verloren – das hatten sie jetzt im wahrsten Sinn des Wortes getan – und ob sie im richtigen Augenblick um Hilfe baten.

Tamino versuchte, sich im Wasser aufzurichten, damit die Wellen ihn nicht ständig überfluteten, und er die Flöte an die Lippen setzen konnte. Als er hineinblies, ertönte ein glucksender, wäßriger Laut . . .

Nach einiger Zeit gelang es ihm, einige wenige Töne hervorzubringen, die sich schließlich zu einer zaghaften Melodie vereinten.

Zunächst geschah nichts. Tamino kam es höchst albern vor, wie er mitten auf dem Meer herumschwamm und Flöte spielte. Die Wellen klatschten ihm gegen das Kinn und überfluteten die Flöte, so daß hier nur ein Gurgeln erklang.

Aus weiter Ferne, durch das Rauschen der Wellen hindurch hörte er plötzlich etwas, das ihn beinahe an Stimmen erinnerte. War es Gesang? Nein, mehr ein Pfeifen, wie Papagenos Lockruf, aber trotzdem auf unbestimmte Weise verschieden. Mit einem klatschenden Geräusch tauchte in Taminos Nähe ein Gesicht aus dem Wasser auf – ein rundes Gesicht mit Schnurrhaaren wie eine Katze. Bis auf die flache Nase und die feuchten, großen dunklen Augen unter schönen langen Wimpern war es mit einem weichen Pelz bedeckt.

Pamina flüsterte: »Ein Robben-Halbling!«

Laut sagte sie: »Kannst du uns ans Ufer bringen, Schwester aus dem Meer?«

Tamino begriff nicht, woher Pamina wußte, daß es sich bei dem Meerwesen um eine Frau handelte. Vielleicht war es eine Eingebung...

Die halbmenschliche Frau zog sich argwöhnisch zurück, planschte in den Wellen, blinzelte, um ihre großen schönen Augen vom Wasser zu befreien und sprach: »Land? An Land machen sie Sklaven aus uns. Hier draußen im Meer haben die Menschen uns immer in Frieden gelassen. Was tut ihr hier, wohin sich nie ein Mensch verirrt?«

»Ich gehöre nicht zu den Leuten, die euch versklaven wollen«, entgegnete Tamino; ihm war der argwöhnische Blick der Robben-Frau auf die Flöte nicht entgangen.

»Du hast uns damit gerufen, und mir blieb keine andere Wahl, als zu kommen.«

Und plötzlich fielen Tamino wieder die vielen Halblinge ein, die sich um ihn geschart hatten, als er auf den Stufen des Tempels spielte. Die Flöte besaß – wie Papagenos Zauberglöckchen – Macht über die Halblinge.

Doch worin bestand die Prüfung? Sollte er seine Macht beweisen und den Halblingen dieses Elements seinen Willen aufzwingen? Wenn er die Flöte spielte und von der Robben-Frau verlangte, sie ans Ufer zu bringen, sie wäre bestimmt nicht in der Lage, sich zu weigern. Ihm entging nicht, daß Pamina die Kräfte verließen. Noch schwamm sie klaglos neben ihm, aber in ihren Augen konnte er die Anstrengung lesen, und ihre Bewegungen wurden langsamer.

»Ich kann schwimmen«, sagte er, »aber ich weiß nicht, wo das Land liegt. Trotzdem...« Tamino überlegte. Was erwartete man von ihm? Die Robben-Frau hatte sich etwas treiben lassen und schwamm jetzt in Kreisen um die beiden herum. Ganz in ihrer Nähe tauchte ein anderer Kopf aus dem Wasser, ein Gesicht wie das ihre, nur größer und breiter und mit einem dichteren Schnurrbart. Schaudernd dachte Tamino daran, daß männliche Robben bis zu viermal größer als weibliche waren. Vielleicht traf das auf Robben-Halblinge ebenfalls zu? Tamino umklammerte die Flöte. Konnte er sich mit ihrer Musik gegen die Halblinge wehren, falls sie ihn angreifen würden?

Und wieder hörte er den pfeifenden Gesang. Dann teilte sich

das Wasser, und drei glatte, unbehaarte graue Gestalten sprangen hoch aus den Wellen und drängten sich zwischen ihn und Pamina. Ein Mann, noch ein Mann und eine Frau; und sie waren alle drei nackt, hatten große runde Augen und riesige Nasen und glitten scheinbar mühelos durch die Wellen, verständigten sich mit durchdringenden Pfeiflauten in einer Sprache, die Tamino nicht verstand, und einer der Männer fragte die Robben-Frau: »Schwester, was sind das für Leute, und was wollen sie im Reich der freien Völker des Meeres?«

Tamino hörte die Drohung in den Worten. Ein Halbling, ein Delphin-Halbling, der noch nie etwas mit Menschen zu tun gehabt hatte; das verriet sein Kopf, den er stolz aus dem Wasser hob.

»Menschen«, sagte er, »es besteht ein Alter Krieg und ein Alter Vertrag zwischen uns und euch. Habt ihr das vergessen? Wir haben die Freiheit von euch errungen und müssen nicht länger in den stehenden Gewässern eures Landes leben. Wir sind nicht mehr Sklaven eurer schrecklichen Flöten, die uns zwangen, Edelsteine und Perlen aus den verborgenen Gründen des Meeres zu holen. Dafür haben wir geschworen, nie mehr Nahrung von euch zu nehmen, weder in guten oder schlechten Zeiten, noch euch jemals darum zu bitten. Ihr habt uns das Versprechen gegeben, nichts mehr von uns zu verlangen, so wie wir nichts mehr von euch fordern. Um unseren guten Willen zu beweisen, haben wir die großen Haie vernichtet, die eure Strände bedrohen, damit eure Kinder sich dort gefahrlos tummeln können. Und als weiterer Beweis unseres guten Willens teilen wir uns mit euch die Fische des Meeres. Weshalb mißachtet ihr diese Vereinbarung und dringt in unsere Welt ein? Ihr wißt genau, daß wir uns nicht gegen die Flöte wehren können, die du in der Hand hältst. Wenn du sie spielst, kann sich niemand von uns im Meer deinen Befehlen widersetzen.«

»Das wußte ich nicht, glaube mir«, sagte Pamina. »Wir hatten nicht die Absicht, euch Befehle zu erteilen, als wir euch riefen.« Sie rang nach Luft und griff nach Tamino.

»Weshalb seid ihr dann hierhergekommen?« wollte der riesige Delphin-Mann wissen. »Ihr befindet euch in unserem Reich, nicht wir in eurem«, grollte er und schwamm schnell und angriffslustig auf Tamino zu, den plötzlich eine große Welle unter sich begrub. Als er wieder auftauchte, blinzelte er, weil ihm das Salzwasser in den Augen brannte.

Dann sah er, daß Pamina sich kaum noch über Wasser halten konnte, und setzte schnell die Flöte an die Lippen. Die Halblinge hatten es selbst zugegeben, die Flöte besaß Macht über sie, und er konnte zumindest Pamina schützen, wenn er spielte. Er wollte den Halblingen bestimmt nichts tun, aber glaubten sie wirklich, er würde ruhig zusehen, wie Pamina etwas zustieß?

Ein mächtiger Robben-Mann glitt pfeilschnell auf sie zu. Tamino packte die Flöte, hob sie ihm abwehrend entgegen, dann schwamm er zu Pamina und legte den Arm um sie.

»Halte dich fest. Es kann schwierig werden. Diese Halblinge sind nicht wie die in der Stadt und keineswegs zahm. Vielleicht muß ich sie mit der Flöte bezwingen. Ich möchte es nicht, denn es sind freie Wesen. Aber ich werde nicht zulassen, daß dir ein Leid geschieht. Halte dich fest, Pamina, doch wenn sie uns angreifen, werde ich sie aufhalten.« Er wußte, daß sie sich ebenfalls ängstigte.

»Was haben wir mit diesem alten Krieg zwischen unseren Völkern zu tun? Können sie nicht sehen, daß wir nur Hilfe von ihnen wollen«? fragte Pamina.

Tamino hob die Flöte an den Mund, doch als er sah, daß die Robben- und Delphin-Halblinge sie in einiger Entfernung umkreisten, ließ er das Spielen sein. Die Halblinge schwammen weit genug entfernt, um ihn und Pamina nicht länger zu schrecken.

Tamino ließ die Flöte sinken. Es mußte doch ein besseres Mittel geben! Sarastros Worte kamen ihm in den Sinn, und er konnte nicht glauben, daß man sie hierhergeschickt hatte, um das Meer-Volk wieder zu Sklaven zu machen. Das klang nicht nach all dem, was er von den Priestern in Sarastros Reich gehört hatte.

»Müßt ihr wirklich der Flöte gehorchen?« schrie er den Halblingen zu.

»Das weißt du genau, Sohn des Affen«, erwiderte der riesige Robben-Mann, und Bitterkeit lag in seinen großen, traurigen Augen. »Du hast unser Leben und unser Volk in der Hand. Wie können wir uns gegen eine Waffe verteidigen, gegen die man sich nicht wehren kann? Was nützt in einem solchen Fall alles Reden? Warum stellst du Fragen, wenn du die Macht hast, Befehle zu erteilen? Wir können nicht einmal fliehen, denn du hast die Macht, uns wieder zurückzurufen.«

Tamino erwiderte: »Du kannst mir glauben, Bruder aus dem Meer, davon wußte ich nichts. Ich bin gegen meinen Willen hier. Aber es muß ein besseres Mittel geben. Die Flöte gehört mir nicht. Mein Wort verpflichtet mich, sie zu behüten. Doch ich schwöre bei meinem Leben, ich werde nichts von euch fordern . . .« Tamino warf einen Blick auf Pamina, die sich –

völlig erschöpft – nur noch mit Mühe über Wasser hielt. Kein Wunder, hatte sie doch bei der Prüfung der Luft viel Kraft verloren, und er hatte wenig getan, um ihr zu helfen.

Tamino sagte: »Wenn es nach mir ginge, würde ich euer Reich so schnell wie möglich verlassen und nie mehr zurückkehren, nur müßte mir einer von euch die Richtung weisen, in der das Land liegt.«

Tamino drückte Pamina fester an sich. »Ich will versuchen, meine Gefährtin zu tragen.« Sie war mit ihm durch die Lüfte geflogen, und er würde sie jetzt durch das Wasser tragen. »Aber ich kenne den Weg nicht. Kann mich nicht einer von euch zum Ufer geleiten, wenn es sein muß, in sicherem Abstand von uns?«

Die Robben-Frau, die als erste aufgetaucht war, sagte vorsichtig: »Dort, am Horizont, liegt das Festland. Es dauert ein Zwölftel des Tages, bis du es erreichst.« Sie tauchte unter und schwamm schnell in eine Richtung, die Tamino nicht bestimmen konnte. Er wußte nicht, wo Norden, Süden, Osten oder Westen war.

Tamino sank das Herz. Konnte er so weit schwimmen und Pamina dabei über Wasser halten? War es richtig und gerecht, daß sein Leben von der Fähigkeit zu schwimmen abhängen sollte, wo er doch wirklich wenig Übung darin hatte? Sollte das vielleicht die Prüfung sein? Taminos Angst wuchs, als er nicht weit entfernt eine scharfe, gezackte Flosse das Wasser durchschneiden sah . . . Nein, es war weder richtig noch gerecht! Schließlich konnte er diesen Geschöpfen mit der Flöte Befehle erteilen, nicht seinetwegen, sondern um Pamina zu retten.

Er drückte sie enger an sich. Die Robben-Frau schwamm sehr

schnell und war seinen Blicken schon fast entschwunden, als Tamino die Flöte an die Lippen setzte. Er wollte den Wasserwesen kein Leid antun, und sobald Pamina am sicheren Ufer war, würde er sie wieder ins Meer entlassen.

»Tamino ...«, flüsterte Pamina und umklammerte seinen Arm. »Sind wir denn wirklich verloren? Weißt du überhaupt, wo das Land liegt? Ich weiß es nicht. Aber *sie* wissen es. Deshalb hat man uns die Flöte gegeben. Wir müssen beweisen, daß wir über sie herrschen können, der Mensch über den Halbling.«

Bleischwer hing Pamina an ihm und wirkte so erschöpft, daß Tamino fast vor Angst verging. Ihre Augen waren vom Salzwasser gerötet und die Lider waren geschwollen. Er mußte Pamina um jeden Preis sicher an Land bringen, selbst wenn es bedeutete, die Prüfungen nicht zu bestehen. Wenn er die Flöte benutzen *mußte,* um die Hilfe der Halblinge zu erzwingen, sollte es eben so sein ...

Die Meerwesen, das Robben-Volk und die drei Delphin-Halblinge verharrten auf der Stelle und starrten ihn mit großen dunklen Augen an, als Tamino die Flöte an die Lippen nahm und zögernd hineinblies.

Mit einem langen, etwas gedämpften Seufzer, eine Welle schlug ihm gerade gegen das Gesicht, setzte er sie wieder ab.

»Wie kann ich nur beweisen, daß ich euch nicht befehlen möchte? Wir sind auf euer Mitleid angewiesen, Brüder und Schwestern des Meeres. Wir brauchen eure Hilfe, um das Land zu finden. Wir bitten euch und fordern nicht.«

Tamino spürte, wie Pamina an seinem Arm sich zur Seite drehte, und wußte, er hatte sie enttäuscht. Doch wenn er den

Erfolg der Prüfungen damit bezahlen mußte, sich den Halblingen gegenüber als Tyrann zu erweisen, wie es die Damen
der Sternenkönigin zu tun beliebten, dann wollte er diesen
Erfolg nicht. Die Sternenkönigin hatte die Prüfungen bestanden, doch sie war dadurch kein besserer Mensch geworden.

Der Anführer der Delphine spie einen Wasserstrahl durch
seinen spitzen Mund und sagte: »Gib uns, was du in der
Hand hältst, und wir werden euch an Land bringen. Ich werde deine Gefährtin tragen, ich sehe, wie erschöpft sie ist.«

»Es ist mir nicht gestattet, die Flöte aus der Hand zu geben«,
erwiderte Tamino, »aber ich verspreche euch bei meiner Ehre, keinen einzigen Ton darauf zu spielen.«

»Das genügt nicht«, erklärte der mächtige Robben-Mann.
»Was wissen wir denn von deiner Ehre? Die Menschen haben
uns oft genug betrogen.« Klatschend schlug er mit seinen
Flossenfüßen auf das Wasser und tauchte unter. Pamina
seufzte auf und hing plötzlich leblos an Taminos Arm; sie war
ohnmächtig geworden.

Tamino entgegnete dem Delphin-Mann, der wohl ihr Anführer war: »Ich weiß auch nichts von eurer Ehre. Man hat mir
die Flöte anvertraut. Ich darf sie nicht weggeben. Woher soll
ich wissen, daß ihr nicht davonschwimmt und uns unserem
Schicksal überlaßt, sobald ihr sie in euren Händen habt?«

»Hältst du mich für einen Sohn des Affen oder der Schlange?
Wie kannst du glauben, daß ich nicht die Wahrheit sage?«
fragte der Delphin-Halbling zurück. »Du kennst mich nicht.
Mein Name ist Felshüter, und in der Geschichte des Meeres
hat noch niemand aus meinem Volk sein Wort gebrochen.
Sollte ich auf dem Weg an die Küste sterben oder einem Hai

zum Opfer fallen, würde mein ganzes Volk euch unter Einsatz des Lebens beschützen, damit mein Wort nicht zu Schaum wird und in den Wellen versinkt. Ich kann hundert Meerwesen herbeirufen, die gerne die Wahrheit meiner Worte bezeugen.«

»Ich kenne sie nicht besser als dich«, erwiderte Tamino verstört und blickte mit Sorge auf Paminas leblosen Körper. »Man hat mir die Flöte anvertraut; aber ich will dir einen Vorschlag machen. Helft uns, das Land zu erreichen, und einer deiner Leute, dem du vertrauen kannst, soll die Flöte tragen. Er soll sie am Ufer ablegen, und ich schwöre dir bei meiner Ehre als Prinz von Atlas-Alamesios, daß ich sie nicht berühre und nicht auf ihr spiele, bis das Meer-Volk wieder außer Hörweite ist.«

Felshüter stieß einen ungläubigen, durchdringenden Pfiff aus. »Weder ich noch meine Vorväter haben je einem Sohn des Affen getraut.«

»Aber«, entgegnete Tamino, »du hast mir erzählt, daß der Alte Vertrag zwischen unseren Völkern bis heute nicht verletzt worden ist. Dir darf ich die Flöte nicht geben, denn Sarastro hat sie mir anvertraut. Doch . . . bei dem Vertrag, von dem du gesprochen hast . . . willst du mir nicht vertrauen, wie du möchtest, daß man dir vertraut, Bruder Halbling?«

»Sarastro.« Und wieder ertönte das durchdringende Pfeifen. Dann sagte Felshüter: »Es sei. Komm, Wellenreiterin, nimm die Flöte und bringe sie sicher an Land, um mein Ehrenwort einzulösen.«

Die Delphin-Frau schwamm dicht an Tamino heran und streckte einen ihrer flossenartigen Arme nach der Flöte aus. Zögernd überließ Tamino sie ihr, denn trotz allen Geredes von Ehre und Vertrauen traute er den Delphinwesen nicht völlig. Aber er hatte keine andere Wahl. Seine Augen brannten vom Salzwasser, und seine Arme und Beine waren wie Blei. Wellenreiterin schwamm mit der Flöte schnell davon, tauchte dann wieder aus den Wellen auf und starrte Tamino mit ihren großen Augen an. Er sah ihren glatten nackten Körper, die kleinen Brüste an ihrem Bauch, den unbehaarten, wohlgeformten Kopf. Sie und der zweite Delphin-Mann schwammen dicht nebeneinander, sich in unschuldiger Sinnlichkeit aneinander reibend, und schienen im Gegensatz zu Tamino, der nur heftig rudernd vorwärts kam, mühelos durch das Wasser zu gleiten. Würden er und Pamina je solche Nähe erreichen?

Felshüter glitt durch das Wasser bis dicht vor Tamino und streckte die Arme aus.

»Gib sie mir«, befahl er, und schob seine Arme unter Paminas Körper. »Oh, damit schmückt ihr euch? Wie kann man darin schwimmen, es ist im Wasser doch nur hinderlich.« Felshüter senkte den Kopf, packte Paminas Gewand mit den Zähnen, zerriß es und ließ es davonschwimmen. Verlegen wandte Tamino den Blick ab und widersprach aufs heftigste, als der glatte nackte Delphin-Mann Paminas weißen Körper an sich drückte. Doch die anderen Delphin-Halblinge umringten Tamino lachend, zerrten an seinem Gewand und zerrissen es ebenfalls.

»Jetzt kannst du eben so gut schwimmen wie wir«, neckten sie ihn und schoben Tamino freundlich vorwärts. Der Prinz reckte den Kopf so hoch er konnte aus dem Wasser, um Pamina nicht aus den Augen zu verlieren. Was würde sie denken, wie erschrocken würde sie sein, wenn sie wieder zu sich kam und sich nackt in den Armen eines fremden Delphin-Mannes wiederfand? Die beiden anderen Halblinge schwammen neben ihm, preßten ihre Körper an den seinen und trugen ihn durch das Wasser.

»Du darfst nicht so zappeln und um dich schlagen«, erklärte die Delphin-Frau ... es war Wellenreiterin, »wir lassen dich nicht untergehen. Versuche, wie wir zu schwimmen, und laß dich vom Wasser tragen.« Sie begleitete diese Worte mit einem sinnlichen Vibrieren ihres Körpers. Auch der Delphin-Mann drückte sich an Tamino, schob sich unter ihn und glitt an seinem Körper entlang.

All diese Nacktheit, diese Sinnlichkeit, versuchte Tamino aus seinen Gedanken zu verbannen. Sie waren arglos und ohne Scham, er war es nicht, und die Halblinge schienen das zu wissen; mit ihrer glatten, kühlen Haut drückte sich die Delphin-Frau an seinen Körper und schien die Berührung sehr zu genießen. Tamino konnte nichts dagegen tun, und schließlich versuchte er nicht länger, sich ihrer zu erwehren. Auch er überließ sich der Freude an der Berührung und dem Wasser. Die beiden trugen ihn viel schneller vorwärts, als Tamino hätte schwimmen können, und ohne Paminas Gewicht konnte er sich besser bewegen. Tamino drehte sich nach ihr um, weil er sie nicht aus den Augen verlieren wollte, doch die beiden Delphin-Halblinge drückten ihm energisch den Kopf nach vorne, pfiffen fröhlich und tauchten mit ihm unter der nächsten Welle hindurch.

Nach einer Weile spürte er Sand unter den Füßen. Wellenreiterin glitt mit ihrer Nase genußvoll über seinen Körper und pfiff dabei vor Vergnügen. Felshüter sprang mit Pamina in den Armen ans Ufer und ließ sie sanft in den Sand gleiten.

Erschrocken sah Tamino, wie unbeholfen der Delphin-Mann zu Lande war, ganz im Gegensatz zu seiner unvergleichlichen Anmut im Wasser.

Wellenreiterin hielt die Flöte immer noch in der Hand, sprang in die Brandung zurück und ließ sich von den Wellen wiegen. Aus ihrem glatten gräulichen Körper sprach Trotz.

Felshüter tauchte zu ihr, stieß ihr mit der Nase ärgerlich an die Hand, den Nacken und die Brüste, bis sie die Flöte schließlich fallen ließ. Er nahm sie ebenso selbstverständlich in den Mund, wie ein Mensch sie in die Hand genommen hätte, und brachte sie Tamino.

»Es widerstrebt mir, dieses Instrument der Sklaverei zurückzugeben. Doch ich werde mein Versprechen halten. Hier, nimm sie!« Ärgerlich brummend gab er Tamino die Flöte zurück.

Tamino blinzelte, weil ihm die Augen vom Salzwasser schmerzten, und erwiderte: »Ich schulde dir Dank, Bruder aus dem Meer.«

»Du schuldest mir nichts. Du hättest unsere Hilfe fordern können und hast bewußt darauf verzichtet«, sagte Felshüter mißmutig. »Nie wieder werde ich behaupten, daß ein Sohn des Affen sein Wort nicht hält.«

»Und ich«, erwiderte Tamino und war sich plötzlich wieder seiner Nacktheit bewußt – »ich schwöre, daß der Alte Vertrag zwischen dem Menschen-Volk und dem Meer-Volk nie wieder gebrochen wird.«

»So sei es«, sagte Felshüter und stieß einen langen durchdringenden Pfiff aus. Die drei Delphin-Halblinge sprangen hoch in die Luft, tauchten in die Wellen und verschwanden in den Fluten. Tamino blickte hinaus auf das Meer, bis ein entsetzter Aufschrei Paminas ihn aus seiner Versunkenheit riß.

»Tamino! Was ist geschehen?«

Da waren sie nun allein und nackt am Ufer und hatten die Prüfung des Wassers bestimmt nicht bestanden! Ein dichtbehaarter Kopf mit großen schönen Augen tauchte plötzlich aus dem Wasser auf. Es war die Robben-Frau; sie hielt etwas in der Hand und streckte es Pamina entgegen.

»Für dich«, sagte sie leise, »denn auch du hast dein Wort gehalten, meine Schwester vom Land«, und gab ihr eine große, schimmernde Perle.

Pamina schlang ihre Arme um die Robben-Frau, die die Umarmung erwiderte, auch Tamino umarmte, wieder in die Brandung tauchte und verschwand.

Auf einmal schämte sich Tamino nicht mehr, daß sie beide nackt waren, und hatte keine Angst, weil sie allein hier am Meerufer standen und den Weg in Sarastros Reich zurückfinden mußten. Irgendwie, so glaubte er, hatten sie beide die Prüfung des Wassers doch bestanden. Mit der Zauberflöte und mit der Perle in Paminas Hand würde ihre Rückkehr sicher sein . . .

Nachdem er lange genug gewartet hatte, setzte Tamino die Flöte an die Lippen. Und wie nicht anders zu erwarten, erschienen schon nach den ersten Tönen die Boten, schimmernd im Licht, aber dennoch fast unsichtbar.

»Was wünscht ihr, Meister des Wassers?« fragten sie. »Und wieso seid ihr so merkwürdig bekleidet?«

Pamina senkte schnell den Blick, doch sie antwortete, noch ehe Tamino sich hatte fassen können: »Wir tragen die Kleidung des Meervolkes, aber sie eignet sich nicht für das feste

Land. Bringt uns in unsere Gemächer im Tempel und gebt uns Gewänder, wie sie dort angebracht sind.«

»Es soll sofort geschehen, ihr Meister des Wassers«, sagten die Boten, und es klang wie Gesang, »denn das Element Luft steht euch zu Diensten.« Ein sanftes Geräusch umgab Tamino und Pamina, wie das Rauschen großer Flügel, und im nächsten Augenblick standen sie im Hof des Tempels von Atlas-Alamesios. Dort erwarteten sie der Priester, den Tamino für seinen Geleiter hielt, und eine Priesterin, die Pamina in ein weites weißes Gewand hüllte und ihr ein geflochtenes Band aus blauen, braunen und grünen Fäden um die Hüfte legte. Der Priester reichte Tamino ein ähnliches Gewand.

Pamina hielt immer noch die Perle umklammert und sah sehr blaß aus. Tamino sah es und sprach: »Ehrwürdiger Vater, wenn die letzte Prüfung, die Prüfung des Feuers, damit beginnt, daß wir in einen glühenden Vulkan geworfen werden, dann werde ich mich dieser Prüfung nicht mehr unterziehen. Das könnt Ihr Sarastro von mir bestellen.«

Der Priester lachte, und die Priesterin fiel in sein Lachen ein. »Das müßt Ihr nicht befürchten, Prinz Tamino. Die letzte Prüfung ist wie die erste metaphorischer Natur. Ihr werdet dem Feuer nur symbolisch ausgesetzt. Kommt jetzt, mein Bruder und meine Schwester, erfrischt euch und ruht euch aus, denn morgen müßt ihr in das Land der Wandlungen gehen. Und ich zweifle nicht daran, daß ihr das Feuer des Vulkans, das ihr fürchtet, als die leichtere Prüfung empfinden werdet.«

Neunzehntes Kapitel

»Zum Wesen der Prüfungen gehört«, sagte der Geleiter, »daß sie in der Einöde stattfinden. Die Prüfung der Erde verlangte, sich in einer verhältnismäßig vertrauten Umgebung den widerstreitenden Kräften in euch zu stellen. Die späteren Prüfungen versetzen euch in Unbekanntes und Erschreckendes. Nun, die Prüfung des Feuers findet im Land der Wandlungen statt, einer Einöde, die nicht ihresgleichen hat. Ihr könnt unmöglich *unverändert* wiederkommen und könnt nur hoffen, daß die Veränderung nicht zum Schlechten führt.«

Tamino beruhigte die Versicherung, sie würden nicht einem wirklichen Feuer ausgesetzt. Doch etwas machte ihm Angst. An seinem Gürtel hing zwar wieder die Zauberflöte, aber man hatte ihm auch ein Schwert gegeben und Pamina einen kleinen scharfen Dolch.

»Darf ich Euch eine Frage stellen, heiliger Vater?« fragte Pamina. Ihr war aufgefallen, daß von allen Priestern, die Gürtel in unterschiedlichen Farben trugen, er allein ein vierfarbiges Band um die Hüfte trug: braun und blau, grün und rot.

»Aber natürlich«, erwiderte der Priester gelassen, »fragen dürft Ihr allemal.«

»Weshalb wurden wir den Prüfungen der Luft und des Wassers unvorbereitet ausgesetzt, während Ihr uns jetzt Anweisungen gebt?«

Der Geleiter lächelte.

»Auf diese Frage darf ich antworten«, sagte er. »Man hat euch nicht vorbereitet, weil das dem Wesen der Luft und des Wassers entspricht. Das Leben mag vollkommen sicher und geordnet erscheinen, doch ohne die leiseste Warnung gerät man in eine Situation, in der das ganze Gebäude des Lebens, Körper, Geist und Seele, plötzlich und unvorbereitet, eine starke Erschütterung erfährt.

Es ist leicht, sittlichen Grundsätzen zu folgen, wenn alles in geordneten Bahnen verläuft, oder wenn man die Möglichkeit hat herauszufinden, was von einem erwartet wird.

Hätten wir Monostatos zum Beispiel gesagt, die Prüfung bestehe für ihn darin, zu beweisen, daß er in der Lage sei, seine Triebe zu bändigen, so zweifle ich nicht im geringsten daran, daß er sich Euch gegenüber genau so korrekt verhalten hätte wie Sarastro. Aber wir ließen ihn im Glauben, es gehe um etwas anderes, obwohl wir ihn natürlich ermahnten, jederzeit nur so zu handeln, wie es ihm sein Gewissen befehle. Er hatte die Möglichkeit zu wählen, und Ihr kennt seine Entscheidung.«

Pamina wußte, es würde lange dauern, ehe sie ohne heftigen Abscheu an Monostatos denken konnte.

Tamino griff nach ihrer Hand. Es wäre albern und verlogen, vor dem Priester so zu tun, als seien sie sich noch immer fremd, nachdem Pamina ihn als riesiger Vogel an ihrer Brust durch die Luft getragen hatte, und sie beide von den Delphin-Halblingen nackt durch das Meer an Land gebracht worden waren. Und die bestandene Prüfung der Erde bedeutete sicherlich nicht, daß er Pamina nicht begehren durfte . . .

»Ich verstehe die Prüfungen nicht, die hinter uns liegen«, bekannte Tamino, »aber vermutlich ist mir nicht erlaubt, um eine Erklärung zu bitten.«

»Doch, denn Ihr habt diese Prüfungen bestanden«, erwiderte sein Geleiter. (Tamino glaubte deutlich zu spüren, daß auch der Priester mit einer gewissen Erleichterung die nächste Prüfung hinauszögerte.) »In der Prüfung der Luft habt ihr beide unter dem Zeichen des Adlers eure verborgenen Fähigkeiten entdeckt. Pamina erkannte ihre Macht. Und Ihr, Tamino, habt in Euch die Bereitschaft entdeckt, Euch von jemandem helfen zu lassen, den Ihr immer für schwächer hieltet. Wo Euch Stärke nicht weiterhalf, habt Ihr Euch damit abgefunden, daß Ihr nicht immer alles leiten oder immer befehlen könnt.«

»Und die Prüfung des Wassers?« fragte Pamina, »bei der Prüfung unserer geistigen Fähigkeiten konnte es doch schwerlich von Bedeutung sein, zu zeigen, wie gut wir zu schwimmen vermögen. Ging es nur darum, unser Geschick oder unsere Fähigkeit auf die Probe zu stellen, in einer Notlage zu überleben?«

»Nicht ganz«, erwiderte der Priester, »die Absicht war, herauszufinden, ob ihr der Versuchung widerstehen konntet, die Halblinge zu euren Zwecken zu benutzen.«

»Dann müssen wir wohl versagt haben«, sagte Tamino, »denn die Meer-Leute gaben offen zu, sie besäßen keine Mittel, sich gegen uns zu wehren. Deshalb sei es besser, sagten sie, uns freiwillig zu helfen, da wir schließlich ihre Hilfe erzwingen konnten.«

»Es ist gestattet zu verhandeln oder Abmachungen zu treffen«, erklärte der Priester, »aber selbst in dem Bewußtsein

Eurer Macht habt Ihr, Tamino, auf ihre Würde Rücksicht genommen. Ihr habt verhandelt und ihnen nicht wie Sklaven befohlen oder sie gedemütigt. Ihr habt Euch als Meister erwiesen, als Ihr die Flöte aus der Hand gegeben habt, anstatt zu befehlen. Die Halblinge konnten sich von Eurer Bereitschaft überzeugen, sie um Hilfe zu bitten.«

Pamina ließ den Kopf sinken. »Und ich wollte Tamino überreden, die Flöte zu spielen, um ihre Bereitschaft zu *erzwingen*«, sagte sie beinahe unhörbar, »ich fürchtete mich so sehr...«

»Aber Ihr habt ihm nicht verwehrt, sich zu entscheiden, Pamina,« erwiderte der Priester, »Ihr seid die Tochter der Sternenkönigin, und es lag immer im Bereich des Möglichen, daß Ihr Tamino die Flöte aus der Hand reißen und den Halblingen den verbotenen Befehl selbst geben würdet.«

»Dann muß es doch einmal eine Zeit gegeben haben«, sagte Pamina traurig, »in der selbst meine Mutter dieser Versuchung widerstand...«

Aber der Priester blieb stumm und schüttelte nur traurig den Kopf. Pamina fragte sich, ob vielleicht auch er ihre Mutter gekannt und sogar geliebt hatte... Sie würde es nie erfahren.

»Für die Prüfung des Feuers im Land der Wandlungen«, erklärte der Priester abschließend, »genügt es zu wissen, daß ihr jederzeit im Sinne der besten Seiten eures Wesens handeln müßt, wie ihr es bei den vorausgegangenen Prüfungen getan habt. Und jetzt darf ich nicht länger zögern.«

Er klatschte in die Hände, und der Tempel verschwand vor ihren Augen.

248

Sie standen in einer endlosen Wüste und hielten sich immer noch bei den Händen. Ein leiser Wind fuhr raschelnd durch niedriges Gestrüpp. Hoch über ihnen stand die Mittagssonne und blendete sie mit ihrem grellen Licht. Am fernen Horizont schienen sich Ruinen zu erheben, alte Mauern und Säulen...

Langsam drehte sich Pamina um und entdeckte weit hinten die schattenhaften Umrisse einer Stadt – lag dort vielleicht der Palast ihrer Mutter? Sie spürte den heißen Sand sogar durch die Sandalen und wußte, hier war sie gewesen; es mußte mitten im Land der Wandlungen sein. Pamina hatte sich noch nie in dieses Gebiet gewagt. Ihre Mutter hatte es verboten; und solange sie bei ihr lebte, war ihr nie in den Sinn gekommen, jemand könnte es wagen, sich dem Willen der Sternenkönigin zu widersetzen. »Da sind wir nun«, sagte Pamina mit einem zaghaften Lächeln zu Tamino, »er kann sagen, was er will, ich glaube immer noch, es ist besser, als in ein richtiges Feuer geworfen zu werden.«

Tamino freute sich, daß Pamina darüber spaßen konnte und war dankbar, daß die Prüfung des Feuers nicht wie bei Luft und Wasser mit einem Überlebenskampf begann.

Er war kein Feigling – zumindest hatte Tamino sich vor Beginn der Prüfungen nie dafür gehalten –, doch es fiel ihm leichter, nachzudenken, was er tun sollte, wenn er nicht gerade um sein Leben kämpfen mußte...

Unter der unbarmherzig brennenden Sonne wurde ihm jedoch schnell klar, daß sie nicht nur symbolisch, sondern im wahrsten Sinne des Wortes eine Feuerprobe zu bestehen hatten. Auf der Reise zu Sarastros Tempel hatte Tamino die heiße Wüstensonne einmal etwas zu lange nicht beachtet, und die schmerzhafte Folge war verbrannte Haut und zeitweilige Blindheit gewesen.

»Auch ich bin froh darüber«, sagte er zu Pamina, »aber die Sonne ist mir Feuer genug«, riß einen Streifen von seinem Gewand ab und legte sich den Stoff lose wie eine Kapuze über den Kopf, um seine Augen vor der grellen Sonne und den Kopf ein wenig vor der Hitze zu schützen.

»Gar keine schlechte Idee. Ich hätte selbst daran denken sollen.« Schnell folgte Pamina seinem Beispiel und sah ihn dann unter ihrer selbstgefertigten Haube an. »Diesmal droht keine unmittelbare Gefahr. Wir sollten uns in Ruhe überlegen, worin die Prüfung bestehen mag. Ich wußte, es war nicht wichtig, ob wir schwimmen oder klettern konnten. Und ich hatte in beiden Fällen recht. Der Priester hat es uns erklärt, und wir wissen, daß du und ich auf diese Weise verborgene Eigenschaften in uns entdeckten...«

»Du...«, unterbrach sie Tamino, »wie der Priester sagte, habe ich gelernt, mich deiner Führung anzuvertrauen, wenn es notwendig ist.« Es gelang ihm, schwach zu lächeln. »Man hat mich gelehrt, ein Prinz müsse für alle seine Untertanen sorgen und alle Entscheidungen selbst treffen. Vielleicht wurde damit nur mein Stolz auf die Probe gestellt.«

Pamina sagte leise: »Davor fürchte ich mich am meisten, Tamino..., daß mein Stolz auf die Probe gestellt wird. Du weißt, die Sternenkönigin... meine Mutter... hat diese Prüfungen einmal alle bestanden... als erste und bisher einzige Frau. Und was ist aus ihr geworden? Ich bin ihre Tochter. Ich strebe nicht nach Macht und will auch nicht herrschen, wenn ich dadurch wie sie werden muß... Ich bin ihr schon zu ähnlich, Tamino. Bei der Prüfung des Wassers hätte ich die Flöte benutzt oder dich gezwungen, sie zu spielen, um den Delphin-Halblingen zu befehlen. Ich glaube, diese Prüfung ist zu schwer für mich, Tamino.«

»Die Priester hätten dich bestimmt nicht zugelassen, wenn es so wäre, Pamina. Es ist ihre Aufgabe, solche Dinge zu wissen.«

»Aber sie begehen auch Fehler. Mit meiner Mutter muß ihnen ein Fehler unterlaufen sein. Auf sie warteten das Königreich der Nacht und der Thron der Sternenkönigin . . . wahrscheinlich hat man sie deshalb zu den Prüfungen zugelassen. Und was ist geschehen?« Pamina senkte die Augen, und Tamino glaubte, Tränen in ihrem Gesicht zu sehen. »Ich habe an sie geglaubt. Es muß eine Zeit gegeben haben, in der auch mein Vater an sie glaubte. Muß ich so werden wie meine Mutter, Tamino? Muß ich wirklich so werden?«

»Ich kann es mir nicht vorstellen.«

Tamino wünschte sich von ganzem Herzen, sehnlicher, als er sich je etwas gewünscht hatte, er könne sie in die Arme nehmen und trösten. Aber irgendwie spürte er, dies gehörte zu Paminas Prüfung. Sie mußte diese Furcht selbst überwinden, mußte sich ihr alleine stellen. Wenn er versuchte, sie zu trösten oder sie zu beruhigen, würde Pamina die Ängste vielleicht nie beherrschen, die in ihr aufstiegen. Er hatte sie als Vogel fast so sehr gefürchtet wie ihre Mutter. Wenn sie heirateten, mußte er diese Furcht ebenfalls überwinden. Er konnte oder wollte sich nicht vorstellen, in ständiger Angst vor Paminas Zauberkräften zu leben.

Pamina überlegte, wie es Sarastro gelungen war, diese Furcht zu bezwingen, und erwiderte leise: »Vielleicht hat der Priester-König deine Mutter so sehr geliebt, daß er ihr nichts verweigern konnte. Ich liebe dich auch, Pamina. Vielleicht ist es ein Ziel dieser Prüfung, uns beiden die Augen dafür zu öffnen, wann wir Macht rechtmäßig gebrauchen dürfen und wann nicht. Und dabei können wir uns gegenseitig helfen. Am Anfang der Prüfungen sagte der Priester, jeder von uns habe Stärken und Schwächen, die sich gegenseitig ergänzen. Ich habe vermieden, den Halblingen im Meer mit Hilfe der Flöte Befehle zu erteilen, und wie sich herausstellte, war das richtig. Also haben wir zusammen das Richtige getan. Du hast mich davon abgehalten, die Steilwand hinabzuklettern, und auch das war richtig. Jeder von uns hat den anderen vor gefährlichen und möglicherweise tödlichen Fehlern bewahrt. Ich bin sicher, deine Mutter und Sarastro hätten Gleiches bewirken können. Aber aus irgendeinem Grund taten sie es nicht. Wir wissen nicht einmal, ob ihnen erlaubt war, sich gemeinsam den Prüfungen zu unterziehen. Aber du und ich, Pamina, wir *sind* beisammen. Gemeinsam können wir solche Entscheidungen treffen und verhängnisvolle Dinge verhüten.«

»Du hast sicher recht«, erwiderte Pamina und weinte fast: »Sarastro liebte meine Mutter auch. Und es ist ihm nicht gelungen zu verhindern, daß sie wurde ... wurde, was sie ist. Was nützt die Liebe also?«

»Sarastro liebte deine Mutter«, entgegnete Tamino und wünschte, wenigstens ihre Hand zu halten, »aber wir wissen nicht, ob deine Mutter Sarastro liebte. Wenn ich daran denke, was die Sternenkönigin über ihn gesagt hat ... verglichen mit Sarastros Worten über deine Mutter ... glaube ich fast nicht, daß sie ihn je geliebt hat. Ganz sicher liebte sie ihn nicht so sehr, wie er sie liebte.« In Wahrheit glaubte Tamino, daß die Sternenkönigin niemanden liebte oder überhaupt nicht zur Liebe fähig war, doch er sagte es nicht.

Pamina schien seine gedachten Worte zu hören – vielleicht würde sie immer wissen, was er in seinem Kopf bewegte. Und auch das erschreckte ihn. Er wollte Pamina nicht fürchten, er wollte sie lieben. Nichts sollte sich vor seine Liebe stellen.

Aber er bemerkte, wie ihr die Hitze inzwischen zu schaffen machte, und wußte, die Sorge um sie, das Bedürfnis, sie zu beschützen, würde immer an allererster Stelle stehen und die Furcht vor ihr in den Hintergrund drängen. Tamino konnte sich nicht vorstellen, daß jemand versuchte, die Sternenkönigin zu beschützen, oder daß die Sternenkönigin sich beschützen lassen würde. War sie jemals eine verletzliche Frau gewesen – wie Pamina?

»Wir müssen versuchen, Schatten zu finden«, sagte Tamino, »selbst wenn dies eine Feuerprobe ist, bezweifle ich, daß wir bei lebendigem Leib gebraten für die Bruderschaft von Nutzen sein können. Ich bin sicher, man will nicht feststellen, ob wir feuerfest sind.«

Pamina lächelte schwach. »Nichts wäre mir lieber als Schatten. Aber wo sollen wir ihn finden?«

Tamino blickte zu den niedrigen Bäumen am Horizont. »Dort vorn muß es irgendwo Schatten geben. Ganz sicher unter den Bäumen, wenn wir sie erreichen können – das heißt, wenn sie keine trügerischen Bilder sind. Eine andere Möglichkeit sehe ich nicht. Sollen wir . . . sollen wir es versuchen?«

»Ich glaube, das ist vernünftig«, stimmte Pamina zu, und sie machten sich auf den Weg.

Sie gingen lange Zeit, doch wie Tamino fast erwartet hatte, die Bäume kamen nicht näher. Pamina war blaß und atmete schwer in der Hitze, und Wasser fehlte noch dringender als Schatten. Tamino erinnerte sich an die wunderbare Dattelpalme, die ihm in der Not geholfen hatte.

»Wir sind im Land der Wandlungen«, sagte er, »vielleicht müssen wir unter Beweis stellen, daß wir dieses Land unseren Bedürfnissen entsprechend umformen können.«

»Ich glaube«, erwiderte Pamina, »das wäre das gleiche, wie die Zauberflöte zu benutzen, um die Delphin-Halblinge zu versklaven. Es ist vermutlich verboten.«

Tamino dachte angestrengt darüber nach, während er sich den Schweiß von der Stirn wischte. Schließlich sagte er: »Das kann ich nicht glauben, wir wissen nicht einmal, ob das Land der Wandlungen wirklich so aussieht, oder uns nur so erscheint. Als ich es einst durchwanderte, war es zunächst eine kahle Wüste, aber auf meinem Weg veränderte es sich ständig. Ich weiß nicht, wie die Wirklichkeit aussieht und was Illusion ist, um uns auf die Probe zu stellen.«

Tamino erzählte ihr von der Dattelpalme und der Antilope, die sich zuerst in eine Gazelle und dann in ein Hörnchen verwandelt hatte. »Und seit Beginn der Prüfungen frage ich mich: Hat sich die Gazelle wirklich verändert? War es schon immer ein Hörnchen gewesen, das sich mir aus irgendwelchen Gründen in anderer Gestalt zeigte? Oder gilt hier im Land der Wandlungen ein unbekanntes Gesetz?« Ihm wurde vom Sprechen die Kehle trocken; doch das war leichter zu ertragen als die Last, solche Gedanken mit sich allein herumzuschleppen.

»Ich kann deine Fragen nicht beantworten«, erwiderte Pamina, »aber ... schau, hier ist wenigstens Schatten. Wir haben in der falschen Richtung gesucht.«

Tamino drehte sich um und sah einen Busch mit dicken, dunkelgrünen dornigen Blättern, die so anders waren als gewöhnliche Blätter an Büschen. Er hätte schwören mögen, daß dieser Busch hier vor kurzem dort noch nicht gestanden hatte. Doch was konnte er im Land der Wandlungen anderes erwarten? War der Busch Wirklichkeit oder eine Täuschung? Zählte das? Würde die Illusion von Schatten sie vor der wirklichen Sonne schützen? Vorsichtig teilten sie die Zweige und krochen dankbar in den Schutz der dicken, saftigen Blätter.

Unter dem Busch war es verhältnismäßig schattig und kühl. Pamina legte sich auf den Rücken und wischte sich mit den weiten Ärmeln ihres Gewandes das Gesicht ab, und Tamino dachte: *Sie ist schon müde und erschöpft, dabei hat die Prüfung erst begonnen.*

Taminos Blick entging ihr nicht. Sie lächelte schwach und setzte sich auf.

»Sieh mal, nicht einmal hier sind wir allein«, sagte sie und wies auf den Sand, wo ein paar kleine Eidechsen umhereilten. Sie waren kaum eine Spanne lang und nicht dicker als ein Daumen; kletterten auf Steine, kämpften miteinander, stürzten sich auf fast unsichtbare Käfer, paarten sich, krabbelten plötzlich kurz aufeinander, fielen herunter und gingen wieder eilig den Trieben des Lebens nach.

Pamina murmelte: »Sie sind wie die Hunde-Halblinge ... oder wie Monostatos.«

»Sie sind wie viele Leute, die ich im Reich meines Vaters kenne. Ich glaube, außerhalb des Tempels sind die meisten Menschen so.« Ihm fiel auf, wie blaß Pamina war, als sie sagte: »Ich hoffe nicht. Es wäre schrecklich, so zu leben. Meine Mutter möchte, daß die Halblinge so leben. Ich glaube, Sarastro will, daß sie etwas Besseres werden. Er möchte ihnen zeigen, wozu sie fähig sind. Es schmerzt mich, einen anderen Standpunkt als meine Mutter zu vertreten, aber . . .«, Tamino sah, wie sich Pamina mit der Zunge über die Lippen fuhr, »ich fürchte, Sarastro hat recht. Meine Mutter hätte mich auf jeden Fall . . . verstoßen.«

Sie waren sich unter dem Busch sehr nahe, und Tamino tat, wonach er sich sehnte, seit er Pamina zum ersten Mal gesehen hatte. Er zog sie in seine Arme, drückte sie fest an sich und glaubte in diesem Augenblick aufrichtig, nicht mehr zu wollen, als Pamina zu trösten und diese schreckliche Verzweiflung aus ihren Augen zu vertreiben.

Doch dann dachte er, die Zeit sei reif, und daß es vielleicht richtig wäre, ihr jetzt zu bestätigen, daß sie beide immer zusammensein und alle Entscheidungen gemeinsam treffen würden. Und dabei würde ihre Liebe ihnen Kraft und Trost spenden. Denn . . . was wäre schöner, um diese Liebe zu besiegeln? Pamina schmiegte sich willig in seine Arme und hob ihm den Mund zu ihrem ersten Kuß entgegen.

Einen Augenblick lang fürchtete sich Pamina ein wenig. Die Erinnerung an Monostatos' rohe Hände ließ sie erzittern, als Tamino sie berührte. Aber dann spürte sie seinen Mund, die rauhen Wangen, die sich von ihren so unterschieden, und sie entspannte sich. Es war richtig, es wurde ihr nicht gegen ihren Willen aufgezwungen. Tamino zögerte sogar, mehr von ihr zu fordern, als sie geben wollte. Pamina drückte sich eng an ihn und öffnete die Lippen unter seinem Kuß. Die lang ersehnte Wonne ließ sie für einen kurzen Augenblick vergessen, wo sie sich befanden, weshalb sie hier waren und was ihnen beiden drohte.

Und als sie sich schließlich lösten, um Atem zu schöpfen, sagte Tamino fast flüsternd: »Ich weiß nicht, Pamina, ob dies nicht die schwierigste Probe und die größte Versuchung meiner Standhaftigkeit ist...«

»Dann wäre es auch für mich eine Prüfung, Tamino«, sagte sie und sah zu ihm auf, »solches war uns nur bei der Prüfung der Erde verboten. Ich habe gehört... ich weiß darüber nicht sehr viel, denn man hat mich von solchem ferngehalten... aber ich habe gehört, daß man die Liebe mit dem Feuer vergleicht. Vielleicht sollen wir beweisen, daß wir mutig genug sind, dieses Feuer zu erdulden.«

Für Tamino war es eine schier unglaubliche Versuchung, Pamina wieder in die Arme zu schließen und die Prüfung zu vergessen, alles zu vergessen außer ihrem schlanken, geschmeidigen Körper, der sich an ihn preßte. Doch er widersprach.

»Ich kann nicht glauben, daß dies zu den Prüfungen gehören sollte, Pamina.« Er spürte, wie tief in seinem Innern zärtliches Lachen aufstieg. »Man hat uns gesagt, es würde so gefährlich sein, daß wir am Ende meinten, ins Feuer geworfen zu werden, wäre leichter gewesen. Gefahr... hier... von dir, Geliebte? Ich kann es nicht glauben.«

»Oh, doch, es droht Gefahr«, flüsterte Pamina, warf den Kopf zurück und zog Tamino hinunter, um ihn wieder zu küssen, »ich möchte in deinem Feuer verbrennen.«

»Und ich in deinem«, murmelte er und drückte den Mund auf ihr kleines, zartes Ohr, »und doch... vergiß nicht, daß die Priester uns mitten auf dem Meer und in den Felsen und in der Luft beobachtet und jedes unserer Worte gehört haben. Sie werden uns auch jetzt sehen.«

»Sollen sie zusehen und uns beneiden«, erwiderte Pamina und preßte ihn an sich, »ich schäme mich nicht. Du vielleicht?«

Schämte er sich? Tamino überlegte. In seinem Land war es nicht Sitte, im Freien beieinanderzuliegen und schon gar nicht vor fremden Augen, und er wollte schon sagen: *Ich käme mir wie einer der Hunde-Halblinge vor*, unterließ es aber. Pamina hatte jetzt ihre Scheu überwunden und war bereit, in seinen Armen zu liegen. Sollte er ihr höchstes Glück in diesem Augenblick der Gemeinsamkeit zerstören?

Mit zitternden Fingern begann Tamino, den Gürtel ihres Gewandes zu lösen. (Papageno hatte auf die anderen Prüfungen verzichtet und diesen Augenblick mit seiner Papagena bestimmt schon lange genossen.) Doch er und Pamina hatten ihn sich versagt. Warum? Und wie lange noch? Lächelnd folgte Pamina seinem Beispiel und löste geschickt das farbige Band an seiner Hüfte.

Plötzlich keuchte und hustete Tamino. Aus dem Nichts hatte sich ein Wirbelwind erhoben, jagte durch den schützenden Busch und blies ihm stechenden Sand in Mund und Augen. Pamina hielt die Hand vor den Mund und wandte schnell das Gesicht ab, um sich vor dem Wirbelwind zu schützen.

Tamino schmeckte den Staub, spürte, wie er in den Augen brannte, rang nach Luft und versuchte vergeblich, den Sand in seinem Mund auszuspucken. Die schützenden Blätter des grünen Buschs wurden erbarmungslos abgerissen und davongewirbelt. Schließlich blieb nur noch eine kleine

Dornenpflanze zurück, die ihnen nicht einmal bis ans Knie reichte.

Ich habe es vergessen. Wir sind im Land der Wandlungen, dachte Pamina, kauerte noch immer neben Tamino und begann, sich den stechenden Sand aus den Augen zu reiben; mit dem Ärmel wischte sie sich den Staub vom Gesicht und sagte: »Siehst du, der Busch hat sich in eine winzige Pflanze verwandelt, um sich vor dem Wind zu schützen. Ist es überhaupt einmal ein großer Busch gewesen?«

»Ich weiß nicht, aber ich wünschte, er wäre wieder da«, erwiderte Tamino, dann fiel ihm die Flöte ein, die ihm immer noch an der Hüfte hing.

»Sie ist ein Instrument der Luft. Sie hat schon einmal geholfen«, sagte er und setzte sich mit dem Rücken zum Wind, damit er das Mundstück zwischen die Lippen nehmen konnte, ohne auf Sand zu beißen.

Woher kam dieser Sandsturm? Tamino – er konnte nicht einmal die Sonne sehen – begann zu spielen und versuchte, Atem zu holen, wenn es die erstickenden Sandböen zuließen. Er spürte, wie Pamina sich an ihn klammerte, doch konnte er den Arm nicht um sie legen, weil er die Flöte mit beiden Händen hielt. Dichte Sandwolken hüllten sie ein...

Tamino spielte und spielte. Nach und nach flaute der fürchterliche Sandsturm ab. *Er ist nicht zufällig über uns gekommen,* dachte Tamino grimmig. *Also hat mich mein Gefühl doch nicht getrogen...*

Der Wind legte sich. Im Land der Wandlungen war es ungewöhnlich still. Von dem Busch war nun nichts mehr zu sehen; nur ein paar kleine Eidechsen liefen eilig über die Steine, sie kämpften, stürzten sich auf Käfer, paarten sich, kämpften und stürzten sich auf Käfer, paarten sich und . . .

Pamina ließ seinen Arm los. Tamino sah sie an. Ihre Augen waren vom Sand rot und geschwollen. Bestimmt sahen seine Augen nicht anders aus! Sie band den Gürtel wieder um ihr Gewand und blickte scheu lächelnd zu ihm auf.

»Du hast dich gefragt, ob die Zeit reif war. Ich glaube, wir haben die Antwort erhalten . . . und gerade im richtigen Augenblick. Stell dir vor, der Sandsturm wäre etwas später aufgekommen.«

Paminas Fröhlichkeit war ansteckend, und Tamino mußte trotz der trockenen und schmerzenden Kehle lachen, als er sich vorstellte, wie der Wind ihre nackten Körper peitschte, die ihm völlig schutzlos ausgeliefert waren.

»Die Wüste ist schlimm genug«, sagte er schließlich, »aber die Wüste nach einem Sandsturm? Jetzt fürchte ich mich, überhaupt noch etwas zu tun, aus Angst, unsere Lage zu verschlimmern.«

Pamina warf einen zweifelnden Blick auf die trostlose Sandwüste, die sie umgab, und sagte: »Ich kann mir kaum vorstellen, daß eine Veränderung keine Verbesserung bedeuten würde. Wenn dies hier das Land der Wandlungen ist, würde ich gern wissen, wie ich es dazu bringen kann, sich wieder zu wandeln!«

»Vielleicht erwartet man so etwas von uns?« überlegte Tamino, »vielleicht sollen wir es nicht wandeln, sondern dazu bringen, sich in seiner wahren Gestalt zu zeigen.«

Pamina ließ sich zu Boden sinken. »Ich habe keine Lust mehr, mir über den Sinn dieser Prüfung Gedanken zu machen oder darüber, was man von uns erwartet«, sagte sie völlig erschöpft. Einen Augenblick lang hatte sie wirklich geglaubt, den Sinn der Feuerprobe erfaßt zu haben und gemeint, es gehe darum, den Mut aufzubringen, sich hier im Land der Wandlungen füreinander zu entscheiden. Konnte dieses Land die Liebe verwandeln? Sie fürchtete sich, es herauszufinden. »Vielleicht gelingt es der Zauberflöte, die Wüste zu verwandeln«, fragte sie zaghaft.

»Aber die Flöte ist das Instrument der Luft...«, gab Tamino zu bedenken.

»Aber mit Hilfe der Luft treten wir mit allen Elementen in Verbindung«, erwiderte sie und erinnerte sich daran, wie der Priester ihnen erklärt hatte: Das Element Luft hätte in ihr verborgene Kräfte zum Vorschein gebracht. Das Element Wasser hätte Tamino gezeigt, daß er nicht immer die Führung übernehmen konnte (mußte?). Sie hatten diese Prüfungen beide bestanden, und das hieß, sie, Pamina, besaß Kräfte über das Element Wasser, die sie noch nicht kannte.

Tamino folgte ihrer auffordernden Geste, setzte die Flöte an die Lippen und begann, leise zu spielen. Zum Klang der sanften Melodie gelang es Pamina, über das Wasser nachzudenken: Feindselig und zornig füllte es ihren Mund mit salziger Gischt, überspülte und überflutete sie. Es heilte und wärmte; wie sehnte sie sich danach, darin zu liegen, den Staub aus dem Mund und den Sand vom Körper zu waschen! Verborgenes Wasser floß durch das Land. Es floß unsichtbar sogar durch diese Wüste, tief unter der sandigen Einöde, es sprudelte aus dem Felsen ... und plötzlich *wußte* sie, der Augenblick war da: Schnell beugte sich Pamina vor und schlug gegen den Felsen.

»Wasser!« befahl sie in einer ihr unbekannten Stimme, und

sie spürte, wie ihr die Kehle bei diesem Wort der Macht schmerzte.

Es sprudelte hervor, und der Wasserstrahl traf ihr Gesicht. Pamina beugte sich nieder, trank und trank, lachte und weinte und lachte vor Erleichterung. Sie badete ihre schmerzenden Augen und trat zurück, damit Tamino das gleiche tun konnte. Sie tauchte den Stoff, der ihr als Kopfschutz diente, in den Tümpel, der sich auf dem steinigen Boden bildete. Tamino trank, wusch seine staubigen Wangen und spülte sich den Sand aus den Zähnen. Strahlend und glücklich sahen sie sich in die Augen.

Er stand vor ihr und wollte sich über sie beugen – Pamina spürte es –, um sie zu küssen, doch diesmal nicht aus Liebe, sondern aus Freude und Stolz über ihre Zauberkräfte, die ihn und sie zum zweiten Mal aus der Gefahr gerettet hatten. Da aber sah Pamina, wie sein Blick sich veränderte und plötzlich erkaltete. Tamino nahm die Hände von ihren Schultern, trat einen Schritt zurück und griff rasch zum Schwert. Mit einem kurzen Wink bedeutete er Pamina, hinter ihm Schutz zu suchen.

Pamina fuhr herum, und ihr stockte der Atem. Vor ihnen stand Monostatos, das Gesicht zu einer Maske unversöhnlichen Hasses verzerrt.

»Glaubst du, ich fürchte mich vor deinem Schwert?« höhnte er.

»Ein Schritt weiter«, erwiderte Tamino, »und du wirst wissen, ob du Grund hast, es zu fürchten oder nicht.«

Monostatos lächelte spöttisch. »Ich bin der Sohn des Großen Drachen«, rief er, »glaubst du, mir stehen keine Zauberkräfte zur Verfügung, nur weil Sarastro mich verstoßen hat? Jetzt bist du in meinem Reich, Prinz aus dem Westen. Und ich sage dir: *Geh! Weiche von hier!*«

Monostatos bewegte nicht einmal einen Finger. Er bewegte sich überhaupt nicht. Ein Donnerschlag rollte über den blauen Himmel. Pamina spürte, wie Dunkelheit sie überfiel, und Tamino war verschwunden.

Zwanzigstes Kapitel

Dunkelheit. Tamino verschwunden! Pamina kämpfte gegen einen unsichtbaren Feind. Monostatos? Nein! Monostatos war ein Mensch, zumindest ein Halbling. Diese Kreatur, gegen die sie kämpfte, war in keiner Hinsicht menschlich. Sie umhüllte Pamina mit erstickenden ledrigen Flügeln. Krallen fuhren ihr über das Gesicht, und ein ekelerregender Atem schlug ihr entgegen – ein schrecklicher Gestank nach Verwesung und Fäulnis.

Blindlings griff Pamina nach dem Dolch, den ihr die Priester gegeben hatten. Sie mußten gewußt haben, was sie bei dieser Prüfung erwartete. Pamina erinnerte sich, als sie ihren Vater fragte, ob Monostatos eine ihrer Prüfungen sei, doch Sarastro hatte es verneint; aber Monostatos hatte sie in diese Dunkelheit geworfen! Und Pamina stieß mit dem Dolch zu, als wehre sie sich gegen ihn.

Woher wußte sie, daß es nicht Monostatos war? Woher wußte sie, daß er nicht ebenfalls die Macht besaß, sich in eine schauerliche, furchterregende Gestalt zu verwandeln? Pamina traf etwas, das ihr wie Leder erschien. Ein gellender Schrei zertönte die Luft. Wenn sie dieses Wesen nur sehen könnte . . . doch die ledrigen Flügel umschlossen sie so eng, daß Pamina nichts gesehen hätte, selbst wenn es hell gewesen wäre. Haltlos hustend und von einem heißen, entsetzlichen Gestank halb erstickt, versuchte Pamina, den Körper zu treffen, doch ihr Dolch schien ins Leere zu stoßen.

Etwas Krallenartiges zerkratzte ihr den Arm; sie spürte, daß sie blutete. Pamina hatte sich noch nie in ihrem Leben ernsthaft verletzt, und der Schmerz lähmte sie schier. Doch schlimmer als der Schmerz war das Entsetzen, war der Gedanke, daß dieser schreckliche Schnabel nach ihren Augen hacken und sie erblinden könnte, und so kämpfte sie in einer alptraumartigen Raserei, als stürmten alle Schrecken des Lebens auf Pamina ein. Schmutz, Schleim, schwammige, widerliche, abstoßende Berührungen im Dunkeln... wieder und wieder fand der Dolch keinen Widerstand, schienen die Stöße ins Leere zu gehen. Doch der Schmerz der Krallen und der Schnabelhiebe, die sie trafen, waren Wirklichkeit.

Bei der Prüfung der Luft hätten wir zu Tode stürzen und im Wasser ertrinken können, ehe wir den wahren Sinn der Prüfung erkannten. Doch die Gefahr für das Leben hatte nichts mit der eigentlichen Prüfung zu tun. Doch worauf kam es hier an? Pamina dachte darüber so verzweifelt nach, wie sie sich gegen dieses Scheusal wehrte, das in der Dunkelheit nach ihr stieß.

Für sie gab es nur noch den Schmerz, das Entsetzen und den Alptraum des widerlichen, unsichtbaren Wesens, gegen das sie kämpfte. Ihre Hand mit dem Dolch erlahmte, und der Arm, den sie schützend vor das Gesicht hielt, um die Schnabelhiebe abzuwehren, war naß von Blut und Tränen. Pamina wich zurück und spürte, wie ihre Ferse sich verfing. Sie stürzte zu Boden. Der Dolch fiel ihr aus der Hand, und sie wußte, das Scheusal war im nächsten Augenblick über ihr.

Denk nach, Pamina! ermahnte sie sich verzweifelt, *du mußt handeln können! Denk darüber nach, was du tun sollst, oder dieses*

Wesen wird dich töten, ehe du den wahren Sinn der Prüfung weißt!

Sollte sie etwa ihre neuentdeckten Zauberkräfte einsetzen? Aber woher wußte sie, daß nicht auch Monostatos die Macht besaß, sich in ein unbekanntes und unvorstellbares Wesen zu verwandeln? Woher wußte sie, daß dies nicht Monostatos in einer schrecklichen Gestalt war?

Mochten es Monostatos oder ein anderes Scheusal sein, das ihre innersten Ängste hervorbrachten, es mußte ihr gelingen, das Ungeheuer zu besiegen. Der Riesenschnabel hackte wieder auf sie ein. Pamina krümmte sich vor Entsetzen zusammen, um ihre Augen zu schützen. Sie mußte sich auch ohne den Dolch verteidigen können!

Tamino? Wo war er? Weshalb war er verschwunden? Kämpfte auch er allein gegen einen furchterregenden Feind? Fieberhaft versuchte Pamina sich ihrer neuentdeckten Kräfte zu erinnern. Sie rollte blitzschnell aus der Reichweite des Schnabels, stand auf und rief mit der Stimme, die nach dem Sandsturm das Wasser beschworen hatte: »Licht! Feuer!«

Vor ihren Augen explodierte das Licht wie gleißende Sonnenstrahlen. Pamina griff danach und schleuderte das Licht auf das Wesen, das sie jetzt in ihrer ganzen Scheußlichkeit sah: gespreizte Krallen, ein scharfer, gekrümmter Schnabel, von dem ihr Blut tropfte . . . Unter dem Aufprall des strahlenden Feuerballs flammte das Ungeheuer wie eine Fackel auf, stieß ein markerschütterndes Gebrüll aus, stürzte in den Wüstensand und verbrannte. Zurück blieb nur ein Haufen Asche, und Pamina stand allein in der Wüste.

Vor Entsetzen überwältigt, aber auch erleichtert, sank sie zu Boden.

Wie betäubt blieb sie liegen. Als sie sich nach langer Zeit beruhigt hatte, hob Pamina den Kopf und betastete ihre Wunden. Die Arme schmerzten und bluteten; ein Ärmel ihres Gewandes hing in Fetzen herunter. Ein tiefer, langer Riß zog sich über ihre Wange – fast hätte ihr das Scheusal ein Auge ausgehackt. Pamina dachte wieder daran, wie ihr Dolch immer wieder ins Leere gestoßen war. Wie konnte ein geisterhaftes Wesen so sichtbare Spuren hinterlassen?

Rasch stellte sie fest, daß keine der Wunden gefährlich war (sie wußte noch nicht, daß sie für den Rest ihres Lebens eine Narbe unter einem Auge behalten würde). Den zerfetzten Ärmel, der nur noch an ein paar Fäden hing, riß sie ab. Er war so schmutzig und blutverschmiert, daß sie ihn nicht einmal als Verband benutzen konnte. Sie wischte sich das Gesicht ab und wünschte sich nichts sehnlicher als eine Quelle, um ihre Wunden darin zu baden.

Wo war Tamino? Kämpfte auch er einen mörderischen Kampf gegen die Gefahren, die im Land der Wandlungen lauerten? Kämpfte er allein, nachdem nicht die Priester, sondern der heimtückische Monostatos sie getrennt hatte? Wie sollten sie die Prüfung des Feuers bestehen, wenn man dem Abtrünnigen beider Welten, diesem Unhold, erlaubte, sich einzumischen? Oder gehörte das dazu?

Sarastro hatte ihr versichert, der wollüstige Monostatos sei ihr nicht als Prüfung auferlegt, doch der Halbling erwies sich als echte Bedrohung. Pamina mußte sich ihm stellen, sich ihm verweigern und schließlich gegen ihn kämpfen ...

Während der letzten beiden Prüfungen war sie wenigstens nicht allein gewesen, und auch diesmal hatten die Priester sie zusammen mit Tamino ausgeschickt. Bei dieser Erinnerung mußte Pamina gegen Tränen der Enttäuschung kämpfen – noch vor kurzem hatte sie mit Tamino unter dem schützenden Busch gelegen – sie wußte jedoch nicht, wie lange das wirklich her war. Er hatte sie umarmt, und sie hatte ihm den Gürtel gelöst... Dann war der Sandsturm gekommen und mit ihm die wirklichen Prüfungen... Also sollten sie nicht die Erfüllung ihrer Liebe finden... noch nicht... Würde die Zeit je kommen? Pamina wußte nicht einmal, ob sie sich das wünschen sollte. Es hatte so viele Prüfungen, so viele Proben gegeben. Würden sie je ein Ende finden?

»Pamina«, hörte sie eine sanfte, geliebte Stimme, »ich bin gekommen, um dich nach Hause zu bringen, mein Liebling.«

Sie hob die Augen, und vor ihr stand die Mutter... doch nicht in aller Herrlichkeit, dem Zorn und der schrecklichen Schönheit der Sternenkönigin. Es war die Mutter ihrer Kindheit – eigentlich eine kleine Frau – nicht annähernd so groß wie Pamina. Ein weiches, graues Gewand aus Seide hüllte sie ein wie eine Wolke. Die Sternenkönigin trug keinen Schmuck – nicht einmal das Band mit der silbernen Mondsichel, das in die Haare geflochten wurde... nicht einmal den funkelnden Stern am Hals. Silberne Fäden zogen sich durch das dunkle Haar, und Pamina sah im Gesicht ihrer Mutter Kummer und Falten – die ersten Anzeichen des Alters.

Ihre Mutter berührte sanft die langen, blutenden Wunden am Arm und im Gesicht.

»Mein armes, liebes Kind«, flüsterte sie und nahm Pamina in die Arme. »Was hat er dir angetan, dieser schreckliche, böse Mann? Warum hast du dich von Sarastro so quälen lassen?« Paminas Kopf sank auf die Schulter der Mutter, und sie ließ sich in ihren Armen wiegen. Sie schluchzte wie ein Kind, und ihre Mutter drückte sie an sich, wie sie es in Paminas Kindheit nie getan hatte.

»Schon gut, schon gut, mein Kind, mein liebes Kleines. Es ist vorbei. Ich werde nicht zulassen, daß er dir noch einmal etwas zuleide tut.«

Ihr ganzes Leben lang hatte sie sich danach gesehnt, so gehalten, getröstet und geliebt zu werden. Jetzt endlich kam die Mutter, versprach ihr das alles, und es war zu spät! Pamina riß sich aus den Armen ihrer Mutter, und es schmerzte sie, als hätten die Krallen des Scheusals sich in ihr Herz geschlagen.

Die Sternenkönigin berührte mit den Fingern sanft die Wunden an den Armen, und sie hörten auf zu bluten. Auch die Schmerzen schwanden. Sie strich über die häßliche Wunde unter dem Auge, und auch sie schloß sich.

»Ich bin gekommen, um dich aus dieser schrecklichen Wüste zu holen und nach Hause zu bringen, Pamina. Vergiß nicht, du bist alles, was ich habe. Du bist meine Erbin, und eines Tages wirst *du* die Sternenkönigin sein. Hast du wirklich geglaubt, ich würde dich Sarastro und seinen Zauberkünsten überlassen? Jetzt ist alles ausgestanden. Komm, mein Liebes, nimm meine Hand, und wir sind wieder in unserer Stadt. Du bist kein Kind mehr, sondern eine Frau, die an meiner Seite herrschen soll.«

Sie streckte die Hand aus, aber Pamina zögerte, trat einen Schritt zurück und starrte auf die Hand. Sie war glatt, faltenlos und ganz anders als das graue, müde und vom Alter gezeichnete Gesicht. Es war nicht die Hand der friedfertigen,

kleinen Frau, die Hand ihrer alternden Mutter, die sie bemitleidete, sondern die Hand . . . bei dieser Erkenntnis rann Pamina ein Schauer über den Rücken . . . der Sternenkönigin!

»Komm, komm«, sagte die Mutter mit leichter Ungeduld,
»nimm meine Hand, Kind, oder ich kann dich nicht aus dieser Wüste wegbringen . . . Möchtest du denn nicht nach
Hause?«

Nach Hause . . . Pamina glaubte, sich noch nie im Leben
mehr nach etwas gesehnt zu haben. Aber der Palast war nie
ihr Zuhause gewesen. Besaß dort überhaupt etwas Wirklichkeit außer dem Bild ihrer Mutter, das sich durch alle Kind-
heitserinnerungen zog? Und auch das war nicht wirklicher
als alles andere. Pamina hatte sich nach dieser Zärtlichkeit
gesehnt, und als man sie ihr entgegenbrachte, war sie leer
und bedeutungslos geworden. Sie spürte und hörte in der
Stimme ihrer Mutter, daß die Zärtlichkeit nur ein Mittel war,
um sie dem Willen der Sternenkönigin gefügig zu machen.

Pamina hörte, wie ihre Stimme zitterte, als sie erwiderte:»Du
hast gedroht, mich zu verstoßen, mich nie mehr Tochter zu
nennen, wenn ich nicht mit dem Blut meines Vaters an den
Händen zu dir zurückkomme.«

»Ich war zornig, Pamina. Kennst du keinen Zorn? Du bist
jetzt eine Frau, verstehst du nicht, welche Macht der Zorn
über einen Menschen haben kann?«

Die mitleiderregenden Zeichen des Alters und der Trauer im
Gesicht der Mutter rührten Pamina. Doch sie bekämpfte dieses Gefühl, denn sie wußte, daß die Sternenkönigin es ebenfalls als Waffe gegen sie einsetzen würde.

»Das bedeutet, du willst mich wirklich wieder als deine Tochter aufnehmen, ohne daß Sarastro ein Leid geschieht?«

»Pamina«, sagte ihre Mutter, »kann es sein, daß du die Wahrheit nicht ahnst? So wie du an Tamino gebunden bist, so ist Sarastro an mich gebunden. Wir sind die beiden Gesichter der Macht: Licht und Dunkel, Tag und Nacht, Wahrheit und Lüge, Leben und Tod. Ich habe von dir verlangt, daß du dich von ihm lossagst. Er hat dich aufgefordert, dich von mir loszusagen. Wir haben dich beide auf die Probe gestellt, und jetzt mußt du über die falsche Trennung zwischen Dunkelheit und dem Tag hinauswachsen.« Wieder streckte sie Pamina die Hand entgegen. »Komm, schnell, mein Kind, solange noch Zeit ist, eine Wahl zu treffen.«

Dies war die schmerzlichste Prüfung. Wie gerne würde sie aus ganzem Herzen glauben, daß sie Sarastro und der Wahrheit folgen konnte, ohne die Mutter zu verlieren, die sie immer noch schmerzlich liebte. Wie verlockend schien es, daran zu glauben, daß dies auch nur eine schwierige Probe war, um herauszufinden, ob sie die letzte Wahrheit erkennen würde: Ihre Mutter und Sarastro waren zwei Gesichter der Wahrheit – das Licht und die Dunkelheit, die sich verbanden. Dann müßte sie diese entsetzliche Entscheidung nicht treffen.

»Schnell, Pamina! Nimm meine Hand . . .«

Doch die Hand der Sternenkönigin war immer noch glatt und faltenlos. Sie strafte den Anschein von Alter und Kummer Lügen – *jawohl, vorgespiegelt, um mich zu betören –*, Pamina wich zurück.

»Sarastro hat mir nur gesagt, was ich als Wahrheit erkenne«, erwiderte sie, »und du hast mir eine Lüge nach der anderen erzählt. Was ist mit den Opfern, Mutter? Soll ich über eine Welt herrschen, die im Blut ertrinkt? Was . . .«, eine Erinnerung, die sie bewußt beiseite geschoben hatte, drängte sich ihr wieder auf, »was ist mit Rawa, Mutter? Warum hast du sie opfern lassen, nachdem du mir ihre Sicherheit versprochen hattest?«

»Rawa?« Die Sternenkönigin runzelte die Stirn. Für Pamina war das noch schrecklicher. Ihre Mutter erinnerte sich nicht einmal daran, daß Rawa einst ein Opfer war. »Wovon sprichst du, mein Kind?«

»Von meiner Amme. Du hast Papagena das Leben geschenkt, und Rawa verschwand. Ich wußte damals nicht, daß sie geopfert werden sollte.«

»Ach, diese Hunde-Frau. Sie war auch Kamalas Amme, wenn ich mich recht erinnere. Ich hatte ihren Namen vergessen.« Die Sternenkönigin schwieg einen Augenblick. »Warum auch nicht? Es gibt genug Halblinge. Ich hätte dir gerne ein Dutzend Hunde-Halblinge geschenkt, wenn ich gewußt hätte, daß dir an ihnen etwas liegt.«

Pamina wollte erwidern: *Aber ich habe sie geliebt!* Doch plötzlich wußte sie – und das war das Schlimmste –, daß diese Worte für ihre Mutter keine Bedeutung besaßen. Wenn die Sternenkönigin nicht verstand, daß sie Rawa geliebt hatte, was waren dann alle ihre Beteuerungen der Liebe wert?

Die Mutter stand noch immer mit ausgestreckter Hand vor ihr, doch Pamina fehlte der Mut, ihr Angebot zurückzuweisen. Im Geist hörte sie bereits den wütenden Aufschrei, den Donner ihres Zorns, sah die furchterregende Majestät der Sternenkönigin und sank in sich zusammen. Oh, wenn sie doch nie wieder diese Wut, das Donnern ihres Zorns erleben müßte, wenn sie nie wieder sich zu entscheiden hätte . . .

Ich kann mich verwandeln. Dies ist wirklich das Land der Wandlun-

gen, und niemand kommt unverändert daraus zurück. Sie könnte sich in einen Vogel verwandeln und in die Freiheit fliegen . . . Aber sie war schon einmal so geflohen, und die Mutter war neben ihr geflogen als großer Wolken-Vogel, der sie überreden und dazu verleiten wollte, Tamino fallenzulassen. Als Vogel konnte sie nicht aus dem Reich der Mutter fliehen . . .

Plötzlich überkam Pamina der heftige Wunsch, ein Baum zu werden, zu spüren, wie ihre Füße Wurzeln schlugen, die sich hinunter in die gute Erde streckten. Sie wollte die Arme ausbreiten und fühlen, wie aus ihnen Zweige und Blätter wuchsen . . . Gute und böse Vögel konnten in ihren Ästen Nester bauen. Dann wäre sie nicht mehr gezwungen, ihrer Mutter zuzuhören oder ihren Lockungen zu lauschen. Dann gab es dieses schreckliche Geheimnis der Wahl für sie nicht mehr. Zögernd grub Pamina die Zehen in den Sand und spürte am ganzen Körper das Vibrieren des Wachstums, als sie sich auf der Suche nach Wasser im Wüstensand ausbreiteten. Pamina hob die Arme und zwang sie unter Aufbietung all ihrer Kräfte, Äste zu treiben, sich mit Rinde zu umgeben und Blätter hervorzubringen . . .

»Gut, bleibe hier!« schleuderte ihr die Sternenkönigin zornig entgegen und ragte plötzlich bis in den Himmel, ihre Stimme rollte wie Donner, und aus ihren Händen zuckten Blitze. Pamina verkroch sich zwischen den Blättern, zwang sich, taub, stumm und teilnahmslos zu sein; sie wollte nie wieder durch Flehen gerührt werden . . .

Also war sie doch besiegt, empfindungslos und erstarrt. Die Sternenkönigin hatte gewonnen, und sie hatte die Prüfung des Feuers nicht bestanden. Pamina zog sich verängstigt in Teilnahmslosigkeit zurück, wie die Mutter es immer befohlen hatte, denn etwas in ihr wollte es so. Etwas in Pamina hatte immer blind und taub gegenüber der Mutter sein wollen. Doch die wirkliche Pamina wehrte sich, wie sie in der Dunkelheit gegen das schreckliche Geschöpf gekämpft hatte. Sollte sie den Kampf aufgeben und zulassen, daß die Lügen ihrer Mutter siegten? In Sarastros Reich hatte sie etwas anderes gelernt... Also gab es keinen Rückzug in die Erde.

Bedauernd streckte Pamina die Hände aus und sah die Blätter traurig zu Boden fallen. Mühsam riß sie die Wurzeln aus der Erde und fühlte, daß sie wieder auf menschlichen Füßen stand. Pamina holte tief Luft und spürte, wie der Widerstand in ihr aufloderte.

»Nein!« rief sie, »ich liebe Tamino, und ich werde bei ihm bleiben!«

Ihre Mutter ragte immer noch vor ihr auf und strahlte im Schmuck und der Schönheit der Sternenkönigin. Ihr Lachen klang wie ein Sommergewitter – ein wildes, heftiges Gelächter.

»Tamino! Du glaubst, er will von dir etwas anderes als die Macht, die ihm eine Ehe mit Sarastros Tochter bringt? Arme, kleine Närrin! Er hat mit mir um dich gehandelt, Pamina! Weißt du nicht, daß er sich in meinem Reich, in meiner Macht befand? Ich habe ihm befohlen, dich von Sarastro zu befreien. Aber Sarastro versprach ihm größere Macht als ich... zumindest glaubt es Tamino, dieser Dummkopf... Deshalb wurde er abtrünnig und lief zu Sarastro über, in der Hoffnung, noch mehr zu erreichen!«

»Das ist nicht wahr«, schrie Pamina voller Zorn und Entsetzen, »es ist nicht wahr!«

Doch sie hätte es wissen sollen. Sie war die Tochter ihrer Mutter, von ihrem Makel befleckt, durch und durch böse ... was konnte Tamino anderes von ihr wollen als die Macht, die sie als die Tochter Sarastros besaß?

»Du redest soviel von Wahrheit«, schleuderte ihr die Mutter verächtlich entgegen, »doch wie ich sehe, fürchtest du sie! Nun, du sollst die Wahrheit kennenlernen, Pamina! Schweige und höre zu, während ich deinen geliebten Tamino auf die Probe stelle. Dann wirst du sehen, wie groß diese...«, sie lächelte dieses eisige Lächeln, an das sich Pamina immer noch gut erinnerte, »diese *Liebe* wirklich ist, derer du dich so sicher fühlst.«

Die Sternenkönigin hob die Arme. Pamina verstand diese Geste zu spät, um sich mit ihren neuen Zauberkräften schnell genug aus dem Bannkreis der Mutter zu befreien. Eine dunkle Wolke hüllte sie ein. Machtlos stand sie in diesem Versteck und kämpfte vergeblich darum zu sprechen, sich zu bewegen und sich bemerkbar zu machen. Langsam wurde es vor ihren Augen heller, und dann sah sie Tamino.

Einundzwanzigstes Kapitel

Tamino ahnte Schreckliches, als er bemerkte, daß Pamina verschwunden und er allein mit Monostatos war. Mit dem Schwert in der Hand fühlte er sich dem Kommenden wenigstens gewachsen. Als Prinz war er am Hof seines Vaters zum Krieger und Kämpfer ausgebildet worden, und er fürchtete Monostatos als Gegner nicht. Aber womit wollte der Zauberer kämpfen? Monostatos stand mit bloßen Händen und spöttisch lächelnd vor ihm – wie konnte Tamino einen unbewaffneten Mann angreifen? Verwirrt zögerte der Prinz, und mit einem kurzen Aufblitzen stand Monostatos am Rand des Gebüschs. Er hatte doch nicht so schnell laufen können? Mit gezogenem Schwert stürzte Tamino auf ihn zu; spöttisches Gelächter hallte durch die Ruinen, und wieder stand Monostatos außer Reichweite, verhöhnte ihn aus sicherer Entfernung.

»Bleib stehen, du Feigling und kämpfe«, schrie Tamino.

»Mit deinen Waffen? Das würde dir gefallen.« Monostatos schüttelte sich vor Lachen. Aus dem Nichts traf ein feuriger Peitschenhieb Taminos Stirn. Instinktiv riß er die Arme hoch, um sich zu schützen und hörte das Triumphgeschrei des Zauberers.

»Was hast du mit Pamina gemacht?« herrschte Tamino ihn an.

»Das würdest du wohl gerne wissen. Wirf dein Schwert weg, dann werde ich es dir vielleicht verraten!« Wieder zischte ein feuriger Peitschenhieb durch die Luft und traf ihn mitten ins Gesicht, fast in die Augen. Tamino schrie vor Schmerz und Wut auf und stürzte sich blindlings vorwärts. Mit einem gewaltigen Satz sprang er auf Monostatos zu, doch sein Fuß verfing sich in einem Busch, und Tamino fiel der Länge nach zu Boden. Er brüllte in ohnmächtiger Wut, als die Peitschenhiebe auf ihn niederregneten und ihm das Gewand auf dem Rücken verbrannten. Tamino rollte sich zusammen, um sich zu schützen, und dachte verzweifelt: *Dies ist wirklich eine Feuerprobe* – aber war sie im Sinn der Priester?

Die glühende Peitsche traf ihn immer und immer wieder. Er mußte sich doch irgendwie wehren können! Und wo war Pamina? Mußte sie sich allein ähnlichen Prüfungen stellen? Der Gedanke, daß Pamina diesem teuflischen Mann, diesem Halbling, dieser Schlange, oder was er sonst sein mochte, hilflos ausgeliefert war, peinigte ihn mehr als die Schmerzen.

Tamino sprang auf und stürzte sich so plötzlich auf Monostatos, daß es ihm gelang, den Schlangen-Mann zu überrumpeln. Doch der Zauberer konnte gerade noch zur Seite springen. Tamino stieß schnell zu, aber das Schwert verschwand in einer weißglühenden Flamme und verbrannte ihm die Hand. Tamino packte Monostatos an den Haaren, ohne auf den brennenden Schmerz zu achten. Er wußte unbestimmt, daß der Zauberer nicht verschwinden konnte, solange er ihn berührte.

Sein Schwert war verschwunden, doch das machte nichts, nachdem er den heimtückischen Monostatos erst einmal gepackt hatte. Mit einer Hand riß Tamino ihm den Kopf zurück, mit der anderen fuhr er ihm an die Kehle. Er spürte die trockenen, warmen, nicht unangenehmen Schuppen, die für Schlangen-Halblinge typisch waren.

»Was hast du mit Pamina gemacht? Sag es, dann schenke ich dir vielleicht dein armseliges Leben!«

Der schuppige Hals wandte und krümmte sich in seiner Hand, und plötzlich richtete sich brüllend ein Drachen auf, und Tamino sprang zurück, als er das Untier über sich spürte.

Er hatte das schreckliche Gefühl, das alles schon einmal erlebt zu haben – als er in das Land der Wandlungen gekommen war. Hatte er auch damals gegen Monostatos in Drachengestalt gekämpft? In einem Aufblitzen der Erinnerung sah Tamino den Mann in den Ruinen wieder vor sich. Er war größer als Monostatos gewesen, mit edlen und melancholischen Zügen... also nicht Monostatos. Sie befanden sich im Land der Wandlungen... Einen Augenblick lang sehnte Tamino sich danach, klein zu sein, so winzig zu werden, daß der Drachen ihn nicht sehen und töten konnte...

Das Blut erstarrte ihm in den Adern, und ihn erfaßte das uralte Entsetzen aller Kinder des Affen angesichts der Schlange.

Doch plötzlich durchzuckte ihn die Macht des Feuers, und Tamino spürte das gleißende Licht in seiner Hand. Er öffnete sich dieser Macht, und ein Wort entrang sich ihm, das er mit aller Macht hervorstieß – später wußte er nicht mehr, was er geschrien hatte. Doch der stechende Schmerz in der Hand brachte ihm wieder zu Bewußtsein, daß er sein Schwert umklammerte. Es war in dem weißen Feuer also nicht verglüht. Das hatte Monostatos ihm vorgegaukelt, also mußte auch der Drachen zumindest teilweise Einbildung sein. Tamino zielte auf eine Stelle, wo er Monostatos hätte treffen müssen – auf die ungeschützte Brust – und stieß zu. Ein Blitz zuckte auf, und im nächsten Augenblick stand Monostatos wieder in Menschengestalt am Rand der Ruinen. Dann verschwand er.

Tamino senkte langsam das Schwert. Tief in seinem Inneren wußte er, daß er Monostatos nicht besiegt, ihn nur in die Flucht geschlagen hatte. Über die Schwertklinge zogen sich lange silberne Streifen, als sei das Metall geschmolzen und neu geschmiedet worden. Er betrachtete es schaudernd. Wirklich eine Feuerprobe! Und als er die offene, brennende und klopfende Wunde in seiner Hand betrachtete, wußte Tamino, das alles war nur der Anfang.
In der Hitze und der Hektik des Kampfes war ihm der höllische Schmerz nicht voll bewußt gewesen. Jetzt umklammerte er mit der gesunden Hand das Gelenk, als könne er durch den Druck die entsetzlichen Qualen mildern. Aufstöhnend rannte Tamino zu der Quelle, die Pamina aus dem Felsen geschlagen und in deren Wasser sie sich den Sand vom Körper gewaschen hatten. Pamina! Wo war Pamina? In seiner Verzweiflung wollte er laut nach ihr rufen . . . und erinnerte sich – aber das mußte in einem anderen Leben gewesen sein, vor Millionen und Abermillionen Jahren –, wie Papageno klagend nach Papagena rief . . . In dieser Welt gab es für ihn nichts mehr außer Leid, Verlust und die rasenden Schmerzen in seiner Hand. Tamino erreichte die Quelle, streckte die Hand aus und – Sand brannte wie Feuer in seiner Wunde.

Tamino schrie, wie er sein Schwert herbeigerufen, wie Pamina es getan hatte, als sie gegen den Felsen schlug:
»*Wasser!*«
Ein Augenblick der Verzweiflung, ein Augenblick schweigender Qual und Furcht – würde er hier, im heißen Sand sterben, im Feuer des Drachens zu Asche verbrennen? – plötzlich spürte er es kühl und lindernd über seine Hand rinnen, kaltes Wasser, eiskaltes Wasser. Aber es war nicht die Wüstenquelle: Tamino lag im Wasser, und es nahm den Schmerz in der verbrannten Hand, auf dem Rücken und im Gesicht, wo ihn die feurigen Peitschenhiebe getroffen hatten. Und ganz in seiner Nähe schwamm die Otterfrau.
Also hatte nicht nur Pamina Zauberkräfte entwickelt! Auch er war ein Zauberer, ein Zauberer wie Monostatos geworden. Einen Augenblick lang erfaßte ihn Abscheu vor sich selbst. Er hatte sich vor Pamina gefürchtet, als sie sich in den riesigen Vogel verwandelte. Jetzt fürchtete er sich vor sich selbst. Tamino wünschte, wieder im Reich seines Vaters zu sein. Wäre er doch nie in diese teuflische Welt mit ihren magischen Kräften gekommen! Auch er geriet nun in ihren Bann. Was war aus ihm geworden? Wäre er bald nicht besser als Monostatos?
Tamino hatte sich diese Zauberkräfte nie gewünscht. In seinen Augen konnten sie nur etwas Schlechtes sein. Man hatte sie ihm unaufgefordert und ungewollt verliehen. Er erinnerte sich an Sarastros Worte und an die Mahnung des Priesters, und sie erschienen ihm wie bittere Ironie: *Man verlangt von Euch nur, jederzeit im Sinne der guten Seiten Eures Wesens zu handeln.*
War dies also die gute Seite seines Wesens, mit der er das

Feuer herabrief, um seinen Feind zu verbrennen, wie dieser es mit ihm versucht hatte? Ein erschreckendes Rätsel!

Sein nasses Gewand hing schwer an ihm, so schwer wie damals im Meer, ehe die Delphin-Halblinge ihn davon befreit hatten. Mühsam schleppte sich Tamino an das Ufer, setzte sich ins Gras und zog sein Gewand aus. Einen Augenblick lang ließ er die Finger auf der Kordel an seiner Hüfte ruhen. Es war noch nicht lange her – doch wie weit schien es zurückzuliegen –, daß Pamina spielerisch den Knoten gelöst hatte. Damit hatte alles begonnen.

Nein, um gerecht zu sein, es begann damit, als sein Verlangen nach ihr erwachte. Fluch über diese Prüfungen, die das Begehren eines Mannes erweckten und ihn dafür bestraften, wenn er ihm nachgab! Wie ungerecht das ist, dachte er. Es war so ungerecht wie alles, was ihm in Sarastros Reich zugestoßen war.

Tamino löste den nassen Gürtel. Wasser und Feuer hatten alle Erinnerungen gelöscht und ausgebrannt. Er konnte nur noch an dieses Verlangen denken. Würde er je wieder sinnliches Begehren empfinden, ohne an das Entsetzliche zu denken, das sie getrennt hatte? An der Kordel hing die Zauberflöte.

Tamino betrachtete sie bitter. Sollte er sie wieder spielen und die magischen Boten noch einmal um Hilfe bitten? Er hatte es satt, herumkommandiert zu werden. Er wollte einmal wieder nach eigenem Willen und Gutdünken handeln. Der Priester hatte ihm erklärt, in den Prüfungen von Luft und Wasser habe er lernen müssen, daß er nicht immer befehlen konnte. Würde er nie mehr befehlen? Tamino legte die Flöte ins Gras und breitete sein Gewand zum Trocknen aus.

Woher kam das Gras? Sie waren in einer Sandwüste gewesen, und nun umgab ihn dichter Regenwald wie damals, als er der Otter-Frau zum ersten Mal begegnet war. Der Halbling lag noch immer im Wasser. Tamino sah nur ihre Augen und das glatte dunkle Haar, aber unter ihrem eindringlichen Blick wurde ihm leicht unbehaglich.

Wie konnte sie es überhaupt wagen, ihn so anzustarren? Er war ein Mann. In den letzten Tagen hatten ihn genug Halblinge angestarrt. Der hinterhältige und arrogante Monostatos hatte sogar gewagt, unter Einsatz von Zauberkräften ihn im Kampf mit feurigen Peitschen zu schlagen. Tamino wollte dieses Duell nicht, aber Monostatos hatte ihn gezwungen, sich auf gleiche Weise zu wehren. Unter den Blicken der Otter-Frau fühlte er sich beschmutzt, mißbraucht, verletzt und nackt.

Tamino fragte sie grob: »Warum starrst du mich so an?«
Schnell tauchte sie unter, und angesichts ihrer Angst stiegen häßliche Gedanken in ihm auf. Diese Halblinge führten ihn ständig an der Nase herum; sie schikanierten ihn; Monostatos peitschte ihn mit Feuer; die Delphin-Halblinge hatten ihn gezwungen, nachzugeben und sich zu demütigen . . . aber er war ein Mann und hatte genug davon, sich von diesen Halb-Menschen quälen zu lassen. Tamino griff zur Flöte und blies einen Ton.

Die Zauberflöte besitzt Macht über die Halblinge. Ich kann sie zwingen, zu mir zu kommen, dachte er. Vielleicht bestand die Prüfung nur darin? Alle schienen sich gegen ihn zu verschwören, um ihn seiner Männlichkeit, seiner Macht, seines Willens und seines sinnlichen Verlangens zu berauben. Also sollte er Entschlossenheit zeigen. Jetzt mußte er sich behaupten und die Macht des Menschen über den Halbling demonstrieren. Dann konnte er wirklich beweisen, daß er auch das letzte Element beherrschte, das Feuer, die Lust, die in seinem Körper brannte.

Tamino blies noch einmal zögernd in die Flöte, und dann ein drittes Mal. Und während die einzelnen Töne zu einer Melodie verschmolzen, kroch die Otterfrau langsam aus dem Wasser, ohne ihn dabei aus den Augen zu lassen. Weshalb sah sie ihn so an? Sie gehörte zu den elenden Halblingen und würde ihn wie Monostatos angreifen, wenn er sie nicht mit der Flöte beherrschte. Tamino spielte weiter, während sie langsam und offensichtlich widerstrebend über das Gras kroch. Sie war nackt. Gut. Dann bezahlte sie eben für seine Demütigung bei den Delphin-Halblingen. Abwartend lag sie vor ihm auf dem Rücken. Sie hatte nicht ganz den Körper einer Frau, doch sie war ein weibliches Wesen, und Lust stieg in Tamino auf. Es kümmerte ihn nicht, daß sie ein Halbling war. Das Feuer brannte in ihm, das rasende Feuer der Lust. Und sie war nicht Pamina . . .

Pamina! Um Pamina zu schützen, war er bereit gewesen, die Flöte zu spielen und die Halblinge zum Gehorsam zu zwingen. Doch selbst das war verboten gewesen. Und nun wollte er die Zauberflöte zur Befriedigung seiner Lust mißbrauchen? Mit einem verzweifelten Aufschrei warf Tamino die Flöte in das Gras und verbarg sein Gesicht in den Händen. Was hatte er getan, um am Ende so zu versagen? Die Otter-Frau lag noch immer stumm ausgestreckt auf dem Rücken. In ihren Augen stand Angst. Ohne sich umzudrehen, bedeutete er ihr zu gehen und murmelte: »Ich werde dir nichts tun. Geh, geh . . .« Er erinnerte sich, wie die Delphin-Wesen mit ihm gesprochen hatten und fügte hinzu: »Geh, Schwester.«

Tamino starrte, von Grauen gepackt, auf die Flöte. Wozu hätte sie ihn fast verleitet? Man hatte ihm gesagt, sie sei eine mächtige Zauberwaffe. Sie hatte sich gegen ihn gerichtet und ihn beinahe ins Verderben gestürzt. Wenn Tamino sich nicht gefürchtet hätte, sie anzufassen, hätte er sie in diesem Augenblick in den Teich geworfen.

Sein blutiges und zerfetztes Gewand lag noch feucht im Gras. Trotzdem zog er es mühsam wieder an. Wie verletzlich und erniedrigt er sich doch in seiner Nacktheit vorgekommen war! Tamino sah, wie die Otter-Frau ihn vom anderen Ufer mißtrauisch beäugte. Er konnte ihr keinen Vorwurf machen – und traute sich selbst nicht mehr. Noch nie in seinem Leben hatte er sich so geschämt und so elend gefühlt. Unbeholfen band er sich das dreifarbige Band um die Hüfte, diesen Gürtel, den er nicht verdiente . . .

Die Wunde an seiner Hand klopfte noch immer, aber das kalte Wasser hatte zumindest die Schmerzen der Peitschenhiebe etwas gelindert. Tamino legte das Schwert wieder um. Immerhin hatte er diese Waffe nicht so entehrt wie die Flöte, er sah sie an und überlegte, ob sie ihm Pamina zurückbringen würde. Früher hatte ihnen die Zauberflöte geholfen, aber damals hatte er das Vertrauen noch nicht so schwer enttäuscht, das man in ihn setzte. Wenn er es nur über sich bringen würde, die Flöte zu spielen und die Zauberboten zu bitten, Pamina zurückzubringen. Wenn er doch nur Papagenos Arglosigkeit besäße!

Tamino lag im Gras am Wasser und machte sich heftige Vorwürfe. Die Zeit verging, und er hörte, wie die Kinder der

Otter-Frau sorglos im Teich spielten und quiekten. Er erinnerte sich an die Otter-Halblinge, die ihn im Palast der Sternenkönigin im Bad bedient hatten. Wie lange schien das her zu sein? Tamino kam es vor, als sei er damals noch ein großes Kind gewesen.

So viele Prüfungen hatte er bestanden, nur um am Ende zu versagen, im Bereich der Erde, über die er einmal siegte? Stolz und Selbstsicherheit hatten ihn zu Fall gebracht. Konnte er deshalb Pamina nicht an seine Seite rufen, selbst mit Kräften des Zaubers nicht?

Lange blieb Tamino reglos in der brennenden Sonne im Gras liegen, bis schließlich ein Schatten über ihn fiel. War Monostatos zurückgekehrt, um ihn von neuem zu verhöhnen? Tamino öffnete die Augen und sah die Sternenkönigin vor sich.

Doch es fehlten ihr die Majestät, die Größe, der Donner und die funkelnden Sterne. Vor ihm stand eine kleine, gebeugte, alternde Frau in einem weichen grauen Mantel von der Farbe einer Regenwolke. Ein Schleier lag über dem ergrauten Haar. Erschrocken stand Tamino auf, wich zurück und verbeugte sich vor ihr.

»Fürchtet Ihr mich, mein Sohn?« fragte sie vorwurfsvoll.

Tamino wußte nicht, was er antworten sollte. Es entstand ein langes Schweigen.

»Ihr habt mich also verraten«, erklärte sie. »Habe ich Euch nicht gebeten, meine Tochter Pamina zu befreien? Und habt Ihr mir nicht geschworen, das unter Einsatz Eures Lebens zu tun?«

»Gewiß«, erwiderte Tamino und brachte das Wort kaum über die Lippen.

»Ich habe Euch vertraut, mein Freund. Hatte ich nicht allen Grund, in Euch einen treuen Freund zu sehen, Prinz Tamino?«

Was konnte er darauf antworten? Er hatte es wirklich versprochen. Aber er war zu dem Priester-König übergelaufen, sobald er den Tempel erreicht hatte. Tamino wußte eigentlich nicht mehr, wie es dazu gekommen war, daß er der Sternenkönigin mißtraute, oder weshalb er sein Versprechen gebrochen hatte. Warum hatte er Pamina nicht befreit? Warum war er plötzlich zu der Ansicht gelangt, sie müsse nicht befreit werden?

Er wußte es nicht mehr.

»Sarastro, dieser Bösewicht, hat Euch geblendet wie alle meine Freunde«, zürnte die Sternenkönigin. »Ganz Atlas-Alamesios leidet unter seiner Tyrannei, eine Tyrannei, die den Geist verdirbt und verführt. Er möchte die Halblinge über uns setzen. Ihre Herrschaft würde die Gestalter in all ihrer Weisheit verhöhnen. Aber es ist noch nicht zu spät, mein Sohn. Ihr könnt Euch von dem größten aller Tyrannen lossagen. Seht Ihr nicht, wie er Euch mit dem Versprechen von Paminas Hand belogen, benutzt und bestochen hat? Aber das kann wiedergutgemacht werden. Sagt Euch von Sarastro los, und ich werde Euch Freundin sein.«

Taminos Augen wanderten plötzlich zur Zauberflöte, die noch im Gras lag. Er hatte nicht den Mut gehabt, sie wieder in den Gürtel zu stecken. Doch da war ihm, als hörte er eine Stimme – Paminas Stimme? Tamino wußte es nicht –, die ihm zurief: *Die Flöte, Tamino, spiele die Flöte! Sie ist die Zauberwaffe der Wahrheit. Bei ihrem Ton kann niemand lügen.*

Er wandte den Blick von der Sternenkönigin. Wie konnte er

sie unterbrechen, sich rasch bücken und die Flöte aufheben? Wieso empfand er plötzlich, es sei sehr wichtig, die Flöte in der Hand zu halten und zu spielen, ehe sie es entdeckte?

»Seht mich an, Tamino, mein Sohn! Hört auf meine Worte! Sarastro hat Euch verhext und sich Euren Stolz zunutze gemacht. Pamina ist zu mir zurückgekehrt. Sie kennt jetzt die Wahrheit und weiß, wie Sarastro euch beide belogen hat.«

Tamino! Nimm die Flöte! Spiele die Flöte!

Es war ganz sicher Paminas Stimme! Tamino trat zur Seite, bückte sich und hob die Flöte auf.

»Tamino, habt Ihr mir nichts zu sagen? Wollt Ihr nicht mit mir kommen in meinen Palast, wo Pamina Euch erwartet? Sarastro kann Euch ihre Hand nicht geben, sie hat sich von ihm losgesagt«, redete ihm die Königin freundlich zu. »Wenn Ihr mit mir kommt, werde ich Euch ihre Hand geben. Hier sind ihre Schwestern. Sie sollen Euch zu Pamina bringen. Wußtet Ihr nicht, mein lieber Sohn, daß sie Paminas Schwestern sind?«

Jetzt sah er sie im Schatten hinter der Sternenkönigin, die drei Frauen – Tamino erinnerte sich sogar an ihre Namen: Disa, Zeshi und Kamala, die Kriegerin; sie hatte ihm gesagt, die Flöte sei eine Waffe, für die sie bereitwillig Schwert, Speer und Bogen geben würde. Weshalb hielt Kamala den Speer wurfbereit auf ihn gerichtet? Die drei trugen dunkle Gewänder, dunkler als die der Sternenkönigin, und sie erinnerten an Sturmwolken.

»Kommt mit mir, mein lieber Sohn. Ich habe Euch Paminas Hand versprochen. Ihr und meine Tochter sollt an meiner Seite über das Land herrschen und Sarastro am Ende vom Thron stoßen.«

»Das würde ich gern aus Paminas Mund hören«, entgegnete Tamino.

»Weißt du nicht«, sagte die Sternenkönigin mit sanfter, verführerischer Stimme, »daß ich Pamina bin, denn ich bin alle Frauen.« Und vor seinen staunenden Augen richtete sich die gebeugte und verhüllte Gestalt auf, das dunkle Haar mit den silbernen Strähnen wurde blaß golden und lockig, und Paminas liebliches Gesicht lächelte ihn an.

»Geliebter«, flüsterte sie, »ich bin wieder bei dir. Wir wollen zusammen diesen bösen Tyrannen stürzen. Komm, nimm meine Hand, meine einzige Liebe, denn nur zusammen werden wir siegen.«

Sie streckte ihm die Hand entgegen. »Nimm meine Hand«, sagte sie, »vergiß die Ränke des alten Zauberers. Wir sind wieder zusammen.«

Konnte er das glauben? Pamina war ihm schon einmal durch ihre Zauberkünste bis zur Unkenntlichkeit verwandelt erschienen, und er hatte ihr vertrauen müssen. Was war Wahrheit? War alles nur ein Spiel mit seiner Arglosigkeit und Gutgläubigkeit?

»Nimm meine Hand«, forderte sie ihn etwas strenger auf, »und zusammen...«

Tamino wollte schon die Hand ausstrecken und sie Pamina reichen. War sie die ganze Zeit die Sternenkönigin gewesen? Er hob die Hand... und sah wieder die Zauberflöte.

Bei jeder Prüfung habe ich dich gebeten, sie zu spielen, um uns in unserer Not Trost und Hilfe zu bringen. Nun, Tamino, spiel die Flöte!

Tamino betrachtete Pamina, die vor ihm stand. Er glaubte nicht, daß sie gesprochen hatte. Aber es war doch ihre Stimme gewesen? Er zögerte immer noch, und Pamina rief herrisch: »Schnell, nimm meine Hand, solange ich dein Schicksal noch wenden kann!«

Hinter ihr schienen Sturmwolken über den Himmel zu jagen, und Dunkelheit senkte sich herab.

Ein Donnerschlag ertönte, und Blitze zuckten über dén Himmel.

»Wer übt hier Verrat?« Es war die Stimme von Monostatos. »Ihr habt Pamina *mir* versprochen! Mir! Jetzt bietet Ihr sie diesem armseligen Fremden aus dem Westen an, diesem Spielzeug Sarastros! Pamina ist mein, das habt Ihr mir geschworen. Nun belügt Ihr mich schon wieder, wie Ihr auch meinen Vater belogen habt ...«

Paminas Körper zuckte, ihr Gesicht verblaßte, und die Sternenkönigin überragte sie beide in ihrer ganzen Majestät.

»Dir, Monostatos? Dir ... einem Halbling?« rief sie und spuckte ihm verächtlich ins Gesicht.

Monostatos wurde bleich vor Zorn.

»Herrin«, zischte er, »auch die Sternenkönigin kann mit dem Sohn der Großen Schlange nicht machen, was sie will!«

Die Sternenkönigin zuckte nur höhnisch mit den Schultern, doch ein mächtiges Brüllen erscholl, und dort, wo Monostatos gestanden hatte, richtete sich wieder der Drachen auf und versengte sie mit seinem Feueratem. Tamino kannte die Verwandlung; diesmal erschrak er nicht. Die Sternenkönigin aber schien sich zu fürchten und rief heftig ihren Töchtern zu:

»Tötet ihn! Schnell, tötet ihn!«

Disa schrie angstvoll und verzweifelt: »Sie hat auch uns verraten! Unser Vater! Unser Vater! Und wir wußten es nicht!«

Plötzlich durchschaute Tamino das heimtückische Wesen der Sternenkönigin.

Er hatte nicht einmal, sondern zweimal erlebt, daß ein Mensch sich in einen Drachen verwandelte. Einmal war es Monostatos gewesen; aber davor, als ihn sein Weg das erste Mal durch das Land der Wandlungen geführt hatte, waren die drei Damen der Sternenkönigin erschienen, und um sein Leben zu retten, hatten sie getötet . . . nicht Monostatos, sondern den Großen Drachen.

Die Sternenkönigin verfolgte eigene Pläne, als sie ihren Töchtern befahl, gegen den Drachen zu kämpfen, der ihr Gemahl gewesen war . . . Rasend vor Zorn richtete sich Monostatos zu voller Größe vor der Sternenkönigin auf, doch da Tamino in ihr immer noch Spuren von Paminas Zügen sah, warf er sich mit gezücktem Schwert dazwischen.

»Monostatos«, schrie er, »sie ist eine Frau! Ich habe genug Grund, mich mit dir zu schlagen, und ich werde dich nicht verschonen, damit du gegen die Sternenkönigin kämpfen kannst. Laß sie in Ruhe und stelle dich mir!«

Tamino hob das Schwert und hörte hinter sich das Lachen der Sternenkönigin.

»Welche Tapferkeit! Welch ein Dummkopf! Als würde ich einen Halbling in Drachen- oder Menschengestalt fürchten!« Es klang wie ein Peitschenhieb. Sie wandte sich an ihre Töchter: »Worauf wartet ihr? Ihr steht in meinen Diensten. Tötet ihn!«

Doch sie zögerten, und Disa rief gequält:

»Auf Euren Befehl haben wir unseren Vater erschlagen. Sollen wir den Sohn unseres Vaters ebenfalls töten, Herrin?«

»*Tamino!* Spiel die Flöte! Zum letzten Mal, *Ich flehe dich an!*«

Da setzte Tamino die Flöte an die Lippen und begann zu spielen.

Die Sternenkönigin rief wild: »Nehmt sie ihm weg! Nehmt ihm die Flöte weg! Man hat sie mir gestohlen, sie gehört mir . . .« Doch Tamino spielte unbeirrt weiter. Die Flöte besaß Macht über die Halblinge – und trotz Drachengestalt, trotz aller Zauberkräfte –, Monostatos war ein Halbling. Die Luft trug die Flötentöne durch das Land der Wandlungen. Die Otter-Frau kroch aus dem Teich, gefolgt von ihren kleinen pelzigen Kindern mit den runden Köpfen. Monostatos, der Drachen, sank in sich zusammen und war schließlich nicht größer als die Sternenkönigin.

Und plötzlich stand Pamina neben ihrer Mutter und bedeckte die Augen, als schmerzte sie das Licht. Diesmal war es die wirkliche Pamina im staubigen, zerschlissenen Gewand und dem farbigen Gürtel, den Tamino einst gelöst hatte.

Pamina wies mit dem Finger auf Monostatos, den Sohn der Großen Schlange.

»Sohn der Schlange«, rief sie, »im Namen der Wahrheit, sei, was du wirklich bist!«

Einen Augenblick lang stand Monostatos mit angstverzerrtem Gesicht regungslos vor ihnen. Dann begann er zu schrumpfen, wurde kleiner und kleiner, war weder Mensch noch Drachen, fiel zu Boden und schrumpfte noch weiter. Seine Schuppen wuchsen, während Monostatos immer kleiner wurde, bis schließlich eine smaragdgrüne Eidechse über den felsigen Boden lief, die sich blitzschnell in einer dunklen Spalte verbarg.

Paminas Gesicht war bleich vor Entsetzen, doch sie sah Tamino mit tränenlosen Augen an.

»Er hat seine wahre Gestalt gefunden«, flüsterte sie. »Sein Körper entspricht jetzt seiner Seele.«

Ein Schauer lief Tamino über den Rücken.

Das Schicksal hatte Monostatos so schnell ereilt, daß die Sternenkönigin noch immer wie gebannt dastand. Schließlich sagte sie zu Pamina: »Ich hätte niemals zugelassen, daß er dir etwas antut.« Doch ihre Worte klangen hohl und leer. Pamina sah ihre Mutter wie versteinert an.

»Du hast mich belogen, und du hast Tamino belogen. Hast du jemals die Wahrheit gesagt?«

In der Stimme der Sternenkönigin lag Verachtung. »Wahrheit? Was bist du doch für eine Närrin, Pamina! Du hast Sarastros Lügen geglaubt. Ich habe getan, was ich tun mußte, und ich entschuldige mich nicht dafür. Soll also Krieg zwischen uns herrschen, Pamina?« Mit einer herrischen Geste rief sie ihren drei Töchtern zu:

»Bringt sie in den Palast! Ich werde mich ihrer annehmen!«

Doch die drei blieben reglos stehen.

»Ihr habt auch uns belogen«, sagte Zeshi schließlich. »Unser ganzes Leben lang habt Ihr uns belogen. Wir haben Euch treu gedient, und Eure Liebe und Eure Sorge galten nur Pamina. Für Euch waren wir nie etwas anderes als Dienstboten, die man zum Wohl unserer Schwester ausbeutet!«

»Wie kannst du so etwas sagen? Du hast immer an meiner Seite gestanden und die Macht mit mir geteilt«, erwiderte die Sternenkönigin, »doch nun verstoße ich dich ebenfalls, dann werden sich alle deine närrischen Träume zerschlagen. Kamala! Du hast mir immer willig mit deinen Waffen gedient . . .«

»Aber nie wieder«, flüsterte Kamala. »Pamina, Schwester . . .

ich bin dir nie eine gute Schwester gewesen. Aber ich flehe dich an, hilf mir.«

Pamina flüsterte: »Schwester, sei was du sein willst . . .«

Einen Augenblick lang stand Kamala regungslos. Dann begann sie zu Paminas Entsetzen zu schrumpfen. Ihr leeres Gewand sank zu Boden. Kamalas Beine hatten sich bereits halb in den Sand gegraben; Pamina erinnerte sich daran, wie sie selbst Wurzeln getrieben hatte und erbebte vor Mitgefühl. Kamala streckte jetzt ihre winzigen Arme aus – sie wurden grün, und plötzlich wuchsen an ihnen die spitzen Stacheln eines Wüstenkaktus. Kamala zitterte noch einmal und erstarrte dann inmitten ihrer nutzlosen Waffen, denen sie abgeschworen hatte.

Das lähmende Entsetzen wich nach einem Augenblick. Dann ertönte ein Donnerschlag, ein wütender Aufschrei folgte, und die Sternenkönigin beugte sich in ihrem ganzen Zorn über Kamala, um sie zu vernichten.

»Ihr seid immer noch in meiner Macht!« schrie sie. Tamino sah erstarrt, wie die Sternenkönigin aus ungeheurer Höhe herabstieß, um ihre Tochter mit riesigen Händen zu zermalmen.

Aber Pamina breitete die Arme aus und rief in einer Stimme, die den ganzen Himmel, das ganze Universum zu erfüllen schien: »Nein! Die Gestalter sollen zwischen uns entscheiden! Ihr, Mutter, seid die Herrin der Erde, des Wassers, der Luft und des Feuers gewesen, wie ich es jetzt bin. Tamino! Spiele die Flöte!« Tamino setzte die Flöte an die Lippen und begann zu spielen. Pamina rief: »Im Namen der Wahrheit. Zeigt auch Ihr, Herrin, uns Eure wahre Gestalt: *Sei was du bist!*«

Einen Augenblick lang hingen riesige graue Flügel über ihnen; schreckliche große Klauen fuhren herab, und Tamino
erbebte das Herz. Doch dann strich ein Wind durch das Land
der Wandlungen, eine Eule flatterte durch die einsetzende
Dämmerung davon und stieß wieder und wieder ihren traurigen Klageruf aus ...
»Vogel der Nacht«, flüsterte Pamina mit tränenerstickter
Stimme, »fliege in die Dunkelheit, erzähle deine Lügen allen,
die sie hören wollen, bis eines Tages ein größerer Vogel
kommt ... o Tamino, Tamino, sie ist verschwunden!«
Schluchzend fiel sie ihm in die Arme. »Es ist vorbei. Sie ist
verschwunden, sie war die Sternenkönigin ... und sie war
meine Mutter. Ich habe sie geliebt, und wenn sie mich je geliebt hätte, wenn sie jemals geliebt hätte ...«
Tamino hielt Pamina in den Armen und fand kein Wort, um
ihren Schmerz zu lindern. Nach einer Weile spielte er wieder
die Flöte. Er wußte, diesmal riefe sie die Boten, die sie im
Triumph in die Stadt zurückbringen würden, doch für sie beide würde der Triumph lange Zeit bitter und schal sein.
Beim Spielen konnte Tamino plötzlich die Zukunft sehen. Er
sah, wie Pamina die Zauberglöckchen von Papageno zurück-
forderte und hörte sogar, was Papageno erwiderte, als sie ihn
dafür um Verständnis bat.
»Schon gut, Herrin, ich bin mit meiner Lockpfeife ganz zufrieden. Zauberdinge sind nichts für meinesgleichen. Papagena und ich, wir brauchen so etwas nicht.«
Er sah die Prozession, die sich durch die Stadt der Sternenkönigin wand: Er, Tamino, spielte die Zauberflöte und Pamina
das Glockenspiel, um zu verkünden, daß fortan keine Halblinge mehr auf dem Blutaltar geopfert werden sollten. Man-

che verließen die Stadt und suchten sich eine Heimat in der Wildnis; dort lebten sie in Freiheit, bis Atlas-Alamesios in den Wellen versank, wie es das Schicksal bestimmte. Andere Halblinge blieben in der Stadt, und die Menschen mußten ihnen Schutz bieten und für sie sorgen. Und er, Tamino, würde diese Aufgabe übernehmen, wenn Sarastro nicht mehr war . . .

Die Boten erschienen mit ihrem lieblichen, magischen Gesang, begrüßten Tamino als Meister der Erde, der Luft, des Wassers und des Feuers, und als sie Pamina ebenso feierlich willkommen hießen, lächelte er ihr zu . . .

»Und was sollen wir jetzt tun?« fragte Zeshi kaum hörbar. »Ich möchte nicht sterben wie Kamala . . .«

Pamina erwiderte ernst: »Es steht dir frei, zu tun, was du tun willst, Schwester.«

Disa blickte angsterfüllt zum Himmel auf, wo die Sternenkönigin verschwunden war, und warf sich Pamina zu Füßen: »Schwester, Schwester, verwandle mich nicht in einen Vogel oder in eine andere schreckliche Gestalt . . .«

»Ich werde dir nichts zuleide tun.« Pamina seufzte. »Was möchtest du?«

»Du . . . du besitzt jetzt soviel Macht . . .«, flüsterte Disa. »Werde ich zu den Prüfungen zugelassen, wenn ich mit zu Sarastros Tempel komme?«

Pamina sah die Boten fragend an.

»Ich weiß nicht. Ist das möglich?«

Die Boten antworteten wie aus einem Mund: »Die Prüfungen stehen allen offen, die sich ihnen aus freiem Willen unterziehen wollen.«

Pamina ergriff ihre Schwester schweigend bei der Hand,

blickte sich dann im Land der Wandlungen um und fragte sich, ob sie jemals wieder zurückkommen würde. Die Liebe zu ihrer Mutter war ihr aus dem Herzen gerissen, dort klaffte nun eine tiefe, schmerzende Wunde . . . Und Tamino? . . . Pamina ergriff auch seine Hand und wartete darauf, daß die Boten sie im Triumph zu Sarastros Tempel und zu den Menschen geleiteten.

Nachbemerkung

Mozarts Oper *Die Zauberflöte* wurde am 30. September 1791 uraufgeführt. Sie entstand in Zusammenarbeit des Komponisten und seines Librettisten, Emanuel Schikaneder, einem populären Spaßmacher und Schauspieler in der Wiener ›Kasperltheatertradition‹. Bereits nach den ersten Aufführungen erkannte man, daß in dem Märchen eine tiefere Bedeutung liegt, daß es sich um eine Allegorie handelt. Und seit zweihundert Jahren fragen sich Zuschauer immer wieder nachdenklich: »Worin liegt die eigentliche Bedeutung?«

Die Zauberflöte zog mich bereits als Kind in ihren Bann. (Als junges Mädchen war ich eine begeisterte Science-fiction-Anhängerin und legte mir für kurze Zeit in Anlehnung an die Königin der Nacht das Pseudonym *Astrafiammante* zu. Diese Phase dauerte nicht lange, bald begnügte ich mich mit der Abkürzung *Astra* und gab es schließlich völlig auf. Doch keiner meiner damaligen Fans läßt es mich vergessen: Auf Science-fiction-Tagungen werde ich immer noch damit geneckt.)

Ich habe bisher hauptsächlich Fantasy und Science-fiction geschrieben, und natürlich sehe ich *Die Zauberflöte* in diesem Licht.

Für meine Erzählung habe ich mich notwendigerweise vieler Quellen bedient. Ich habe Literatur über den Freimaurer-

Symbolismus der Oper gelesen – Mozart und Schikaneder waren Freimaurer –, und den Film von Ingmar Bergman gesehen, mit dem Haakon Hagegaard als Papageno zum Superstar wurde. Ich möchte gleich sagen, daß ich von Bergman nur eine Idee übernommen habe: Pamina, die Tochter der Königin der Nacht, ist auch Sarastros Tochter. Es trägt zur Klärung der schwer durchschaubaren Beziehungen bei und auch der Rivalität zwischen dem Priester-König und der Königin, die sonst unverständlich ist.

Meine Geschichte ist auch von dem Mythos beeinflußt, daß eine alte Kultur vor unserer Zeit wegen des Mißbrauchs bestimmter Wissenschaften vernichtet wurde, unter anderem deshalb, weil man blasphemisch versuchte, Menschen und Tiere zu kreuzen. Angesichts der Forschungen unserer Zeit auf dem Gebiet der Genmanipulation (DNA) ist das bei weitem keine so phantastische Vorstellung mehr wie damals, als ich zum ersten Mal darüber las.

Ich habe über die Science-fiction-Begeisterung schon gesprochen, und es gibt eine ironische Bemerkung, nach der »die Wirklichkeit für alle eine Krücke ist, die mit Science-fiction nichts anfangen können.« Manche Leser kämpfen verzweifelt darum, daß ihre Lieblingslektüre als ›seriös‹ angesehen wird – d. h. ebenso anerkannt wird wie populäre Romane über den Ehebruch der ›grünen Witwen‹. Sie reagieren äußerst ungehalten, wenn man diesen Ausspruch zitiert. Aber mein Lieblingsleser ist in der Lage, mit vollem Bewußtsein zu lesen. Er muß weder durch eine vertraute Umgebung in Sicherheit gewiegt werden noch durch Figuren, wie man sie an jeder Straßenecke oder als Klischees in der Unterhaltungsbranche findet.

Deshalb möchte ich einen Schritt weitergehen und sagen: Science-fiction ist eine Krücke für alle, die mit Phantasie nichts anfangen können. Science-fiction zwingt den Leser, sich Technologien und Kulturen der Zukunft ohne die Krücke des Hier und Jetzt vorzustellen. Fantasy zwingt den Leser, sich mit seinen Archetypen zu beschäftigen, den Bildern, die im Unterbewußtsein der Menschen leben. Ihn bindet noch nicht einmal die ›imaginäre Zukunft‹ an unsere alltägliche Welt. Fantasy führt uns geradewegs in unsere Psyche und zu unseren ›Vorbildern‹, zu den inneren Bedürfnissen von Seele und Geist. Michael Straight sagt über J. R. R. Tolkien: »Fantasy verhüllt das innere Wesen der Wirklichkeit nicht, sondern erhellt es.« Die unsterblichen Gestalten der Phantasie wie der Vogelmensch Papageno oder die Königin der Nacht müssen nicht durch solche Gemeinplätze wie Genmanipulation erklärt werden. Wie der Gestiefelte Kater und die Böse Stiefmutter existieren sie in der kollektiven Vorstellungswelt der Menschheit oder zumindest der abendländischen Kultur.

Ist meine »Zauberflöte« also Fantasy, Science-fiction, eine Parabel, eine Allegorie oder einfach ein Märchen für das Kind in uns allen?

Die Antwort überlasse ich dem Leser.

Marion Zimmer Bradley
Berkeley, Kalifornien